NT

Maïa Grégoire
Alina Kostucki

GRAMMAIRE PROGRESSIVE DU FRANÇAIS

Avec 600 exercices

CLE INTERNATIONAL

www.cle-inter.com

Je remercie Élisabeth Franco, Erik Aasheim et Anne Brossier
pour leur lecture précieuse et attentive.

Direction de la production éditoriale : Béatrice Rego
Édition : Christine Grall
Mise en pages : Nicole Sicre et Lo Yenne
Couverture : Fernando San Martín
Iconographie : Clémence Zagorski
Correction : Sylvie Porté

ISBN : 978-209-038209-9

Avant-propos

■ La *Grammaire progressive du français* niveau **perfectionnement** s'adresse à des **étudiants, adultes et adolescents de niveau avancé/perfectionnement.**

■ Cette grammaire est à la fois une grammaire **générale** et une grammaire des **difficultés.**

● Une grammaire générale

Une série de fiches **indépendantes** permettent de réviser les principaux points de grammaire. Ces fiches sont regroupées dans de **larges unités**, afin de faire travailler les points relevant d'une même thématique.

1. Le lieu   prépositions de lieu, adverbes de lieu, verbes de déplacement, etc.

2. Le moment   date, fréquence, chronologie, durée, simultanéité, etc.

3. Le nom   articles, complément du nom, genre du nom, place de l'adjectif, nominalisations, etc.

4. Le pronom   pronoms sujets, pronoms compléments, place des pronoms, etc.

5. Les temps du verbe   futur proche et futur simple, temps du passé, accords des participes passés, antériorité, place de la négation, etc.

6. Les modes du verbe   subjonctif, conditionnel, passif, gérondif, participes, etc.

7. Le discours   cause, conséquence, but, concession, organisation du discours, etc.

Chaque fiche porte un « titre » en langue courante, accompagné d'un sous-titre grammatical, l'objectif étant de relier clairement langue et grammaire et de les envisager du point de vue de l'étudiant. Exemples :

1	DANS, SUR, À, CHEZ	Prépositions de lieu
60	IL FERAIT plus chaud, ON IRAIT à la plage.	Les hypothèses sans si

● Une grammaire des difficultés

À un niveau avancé, les étudiants souhaitent souvent travailler les techniques de l'écrit, enrichir leur connaissance du vocabulaire et, d'une manière générale, mieux maîtriser les structures complexes. Cependant, même avec un vocabulaire riche et une bonne connaissance de la grammaire, les résultats atteints sont souvent entravés par la **persistance de fautes** qui ont traversé les différents niveaux d'apprentissage. Bon nombre de ces difficultés tiennent à des interférences avec la langue d'origine et aucune grammaire « générale » ne peut prétendre en rendre compte. D'autres, en revanche, relèvent de particularités de la langue française, mal perçues par les étudiants, et que nous tentons d'exposer de la façon la plus claire possible. On dira par exemple « depuis 8 h jusqu'à midi » ou « de 8 h à midi » mais pas « depuis 8 h à midi », on dira « dans l'avenir » et « à l'avenir » mais seulement « dans le passé », on dira « à 8 h du soir » et « à 2 h du matin » mais ni « à 8 h le soir » ni « à 2 h de la nuit » (ici, le français passe directement du soir au matin). On dira « au café » mais « dans un petit café », « chez IBM » mais « à la BNP », etc.

Nous essayons donc d'attirer l'attention sur les risques de fautes en les signalant dans des **encadrés** à l'intérieur de chaque chapitre ou en leur consacrant une **fiche à part**. (ex. : an/années, là/là-bas/y, des/les, le directeur de la banque/un directeur de banque, etc.).

■ La *Grammaire progressive du français* niveau perfectionnement **est un ouvrage théorique et pratique.**

- À la partie théorique, située sur la page de gauche, correspond, sur la page de droite, une présentation en contexte (parfois illustrée) des points de grammaire, et une série d'exercices de réemploi : exercices à trous, transformations, mécanisation orale, écrit.

- De nombreux tableaux récapitulatifs permettent une vision d'ensemble des points abordés.

- Des pages récréatives constituées de textes, de chansons, de proverbes ou d'étymologies sont proposées en fin d'unité pour détendre l'apprentissage et intégrer une dimension « culturelle », importante à un niveau avancé.

- Un sondage/test « grammatical », en fin d'unité, et un test général, en fin d'ouvrage, permettent d'évaluer les compétences.

- Un index détaillé conclut l'ouvrage.

- Un livret de corrigés, fourni séparément, permet de travailler en auto-apprentissage.

Remarque : la grammaire progressive a tenté de mettre en place, depuis le niveau débutant, une progression correspondant à la pyramide d'apprentissage ci-dessous. Les sections horizontales correspondent aux grandes étapes de construction du système grammatical et les sections verticales aux éléments qui constituent des difficultés jusqu'à la fin de l'apprentissage.

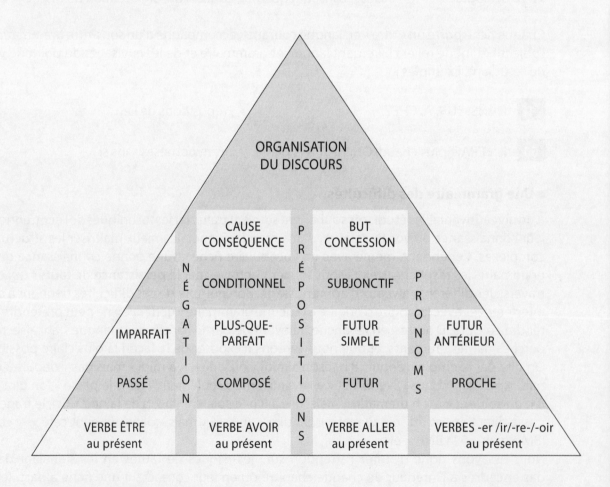

Sommaire

4. Le pronom

5. Le verbe : les temps

6. Le verbe : les modes

7. Le discours : les articulations logiques

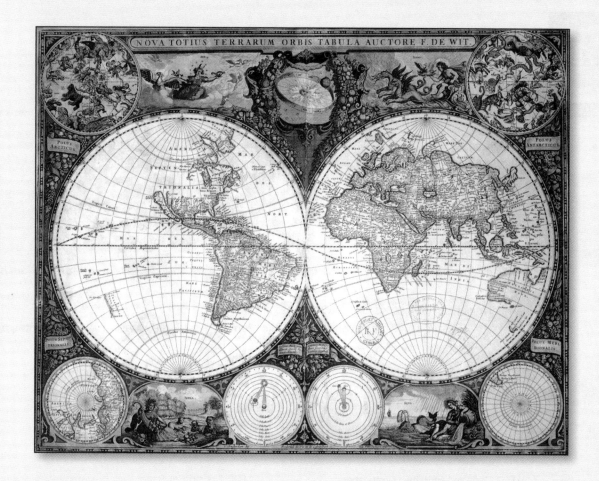

1 - Le lieu

Récréation n° 1
Sondage-test n° 1

1

DANS, SUR, À, CHEZ...
Prépositions de lieu

DANS, SUR, À, CHEZ précèdent un nom de lieu ou de commerce.

■ **Dans** + rue, allée, quartier, parc, cour, impasse = espace **fermé** ou **limité** par des bâtiments

> *dans* la rue Monge
> *dans* l'impasse du Désir
> *dans* le quartier chinois

■ **Sur** + place, boulevard, route, quai, chemin = espace **ouvert** ou **large** surface

> *sur* la place de la Concorde
> *sur* le boulevard du Crépuscule
> *sur* la route de Madison

● On dit : **à** + lieu **connu.**   **à** Broadway, **aux** Champs-Élysées, **à la** Bastille, **à la** Maison-Blanche.

> ❱ Lorsqu'on donne une adresse, on emploie « rue », « avenue », etc., sans article.
> – Où faut-il livrer votre canapé ?   – **Rue** Monge. / **Au 12**, rue Monge.   ~~à la rue Monge~~

■ **À** + **commerces**, bureaux ou sigle **avec article**

> *à la* boulangerie
> *au* garage, *à l'*agence
> *à* <u>la</u> FAO*, <u>au</u> BHV*

* <u>la</u> FAO : Food and Agriculture Organization
* <u>le</u> BHV : Le Bazar de l'Hôtel de Ville

■ **Chez** + **personne**, nom propre ou sigle **sans article**

> *chez* le boulanger
> *chez* Citroën, *chez* Avis
> *chez* EDF*, *chez* IBM*

* EDF : Électricité de France
* IBM : International Business Machines

> ❱ **Chez** peut désigner aussi un « groupe » :   *Le jeu est important chez l'enfant.*
> ❱ On dit : *Revenir de chez son professeur.*   ~~revenir de son professeur~~

À précède un lieu en général, DANS précède un espace particulier.

Je suis	*au* bureau.	Je suis	*dans* <u>un grand</u> bureau.
	au café.		*dans* <u>un petit</u> café.
	au lit.		*dans* <u>mon</u> lit.

● Distinguer : *Je suis **au** café.*   *Je suis au café du coin.*   *Je suis **dans** un petit café.*
                    = général   = connu   = particulier

■ Même chose pour **en** et **dans** :
  *Vivre **en** ville/**dans une** ville <u>de province</u>*   *Habiter **en** banlieue/**dans la** banlieue <u>de Lyon</u>*
  *Être **en** classe/**dans une** classe de <u>20 élèves</u>*   *Passer les fêtes **en** famille/**dans sa** <u>famille</u>*

> ❱ On dit : *Je voyage **en** avion.* (= transport)   *Je lis **dans** l'avion.*   (= espace)   ~~je lis en avion~~
> ❱ On dit : *à l'école, à l'hôpital, au cimetière, en prison, au paradis, au ciel, en enfer...*

> ❱ On dit : *aller **à la** mer/**à la** campagne/**à la** montagne =*   lieu en général
>   Mais :   *Je vais **dans** les Alpes.*   *Je vais **sur** la Côte d'Azur.*   *Je vais **dans** une île/**sur** une île.*
>   ~~Je vais aux Alpes.~~   ~~Je vais à la Côte d'Azur.~~   ~~Je vais à une île.~~

E X E R C I C E S

> Mieux vaut un homme **à la** maison que deux **dans la rue**.
>
> Mae West

> Il faut prendre l'argent là où il se trouve, c'est-à-dire **chez** les pauvres.
>
> Alphonse Allais

1 Dans **ou** sur. **Complétez.**

À Marseille, promenez-vous
dans la rue de la République,

_____ le boulevard Vincent-Auriol,

_____ le quartier du Panier

_____ la place du Marché,

_____ la route de la Corniche,

_____ l'allée des Mimosas,

_____ le Vieux Port.

2 À, au, en, chez, dans + articles. **Complétez.**

1. – Où se fait-on couper les cheveux ? – *Chez le* coiffeur.

2. – Où peut-on acheter du sel ? – _____ épicerie.

3. – Où se fait-on soigner les dents ? – _____ dentiste.

4. – Où avez-vous acheté ces meubles ? – _____ Ikea.

5. – Où avez-vous acheté ce beau chapeau ? – _____ BHV.

6. – Où apprend-on à lire et à écrire ? – _____ école.

7. – Où apprend-on les métiers manuels ? – _____ école spécialisée.

8. – Où vit le Président français ? – _____ Élysée.

9. – Où vivent les paysans ? – _____ campagne.

10. – Où vivent les détenus ? – _____ prison.

11. – Où enterre-t-on les morts ? – _____ cimetière.

12. – Où vit le diable ? – _____ enfer.

13. – Où se fait-on soigner ? – _____ hôpital.

14. – Comment allez-vous au travail ? – _____ bus.

15. – Où avez-vous rencontré Max ? – _____ bus 47.

16. – Où passez-vous le dimanche ? – _____ mon lit !

3 À la, en, chez, dans, sur + articles. **Complétez.**

Vacances à la carte

Venez passer vos vacances avec nous : _____ mer, _____ montagne, _____ campagne ou _____ ville ! Choisissez votre logement : une maisonnette blanche _____ île grecque, un hôtel de luxe _____ Côte d'Azur, un chalet _____ Alpes, une maison d'hôtes _____ Rome, un bungalow en bois _____ plage, un emplacement _____ camping ombragé ou _____ belle étoile… Vivez une expérience unique en habitant _____ pêcheurs malgaches ou _____ tribu indienne. Voyagez seul ou _____ groupe. Nous pensons à tout.

4 À, en, sur, chez, dans + articles. **Complétez.**

Entre amis

Tous les vendredis, en fin d'après-midi, je retrouve mes amis *au* café. On va _____ petit café, « _____ Marco », où il n'y a ni télévision ni musique. Le bistrot, tenu par un grand garçon aux cheveux longs, moqueur mais tendre, est situé _____ quartier piéton très commerçant. On boit un café, pendant que nos enfants sont encore _____ classe ou jouent _____ place St-Médard. On se raconte nos soucis* et nos coups de cœur*. Pascale est directrice de marketing _____ Esso, _____ banlieue, Anne est employée _____ une banque, Jean-Pierre est travailleur social _____ banlieue nord de Paris. Nous échangeons nos expériences et défendons nos opinions. On s'échauffe* parfois, mais toujours dans la bonne humeur. De temps en temps, on va tous dîner _____ restaurant chinois minuscule, _____ Li Li. Notre ami Fred nous y rejoint parfois et là, on continue de refaire le monde.

* souci : petit problème   *coup de cœur : passion subite pour quelque chose   * s'échauffer : parler fort

5 Écrit. **Que pensez-vous de la musique ou des images omniprésentes dans les lieux publics ?**

DESSUS, DESSOUS, DEDANS, DEHORS...
Prépositions et adverbes de lieu (1)

DANS, SUR, AU-DESSUS de... sont des prépositions (= suivies d'un nom).

■ **Dans** la ville
  À l'intérieur de la ville

≠ **Hors de** la ville

À l'extérieur de la ville

■ **Au-dessus de** la table (sans contact)

■ **Sur** la table (avec contact)

≠ **Sous** la table (avec contact*)

Au-dessous de la table (sans contact)

son « u »
comme
« bulle »

son « ou »
comme
« boule »

● « **Au-dessous de** » et « **en dessous de** » sont généralement interchangeables.
   *De nombreuses personnes vivent **au-dessous/en dessous du** seuil de pauvreté.*

● **Par-dessus/par-dessous** s'emploient sans « de » : *Passe **par-dessus** le mur.*

> ❭ ***Sous** peut aussi signifier « au-dessous » (sans contact) : Le chat est **sous** le lit.*
> ❭ *Avec une personne on dit : Dans la hiérarchie, Max est **au-dessous de** moi.* ~~sous moi~~
> ❭ *Dans un immeuble, on dit : Il habite **au-dessous de** chez moi.* ~~au-dessous de moi~~

DEDANS, DEHORS, DESSUS, DESSOUS sont des adverbes.

■ **Dedans** ≠ **Dehors**
   *Mets ton vélo dans le garage : mets-le **dedans**. Ne le laisse pas **dehors**.*
   *– Le directeur est là ? – Non, il déjeune **dehors**. (= à l'extérieur des bureaux)*

> ❭ **Dehors** est un adverbe, **hors de/en dehors de** sont des prépositions.
>   *Il habite **hors de** la ville.* ~~il habite dehors de la ville~~

■ **Dessus** ≠ **Dessous/au-dessous/en dessous**
   *– Écris ton nom sur l'étiquette. Écris-le **dessus**.*
   *– Où est le chat ? – Regarde sous le lit. Regarde **dessous/au-dessous/en dessous**.*

● Distinguer **au-dessus**, sans contact, et **dessus**, avec contact :
   *Ma porte est la porte bleue, au fond du couloir : il y a une plaque **au-dessus**,*
   *avec le numéro 2 écrit **dessus**.*

■ **Adverbes composés :**

Là-dessus/dessous	Là-dedans	Par-dessus/dessous	Ci-dessus/dessous
*Montez **là-dessus**.*	*Entrez **là-dedans**.*	*Passez **par-dessus**.*	*Signez **ci-dessous**.*

■ **Cas particuliers**

*S'asseoir **sur** une chaise/**sur** un banc/**sur** un canapé. Mais : **dans** un fauteuil (avec des bras)*
*Marcher **dans** le vent, **sous** la pluie (éléments) Mais : **à** l'ombre/**au** soleil (exposition)*
*Lire **dans** un journal, **sur** une affiche, **sur** Internet. Mais : Passer **à la** télé, **à la** radio.*

EXERCICES

> On ne peut pas empêcher les oiseaux noirs de voler **au-dessus de** nos têtes, mais on peut les empêcher de faire leur nid **dessus**.
>
> Proverbe chinois

> Il y a de la place **au** soleil pour tout le monde, surtout quand tout le monde veut rester **à l'**ombre.
>
> Jules Renard

1 Au-dessus de, au-dessous de, en dessous de, par-dessus, par-dessous + **articles. Complétez.**

1. 1,92 m est une taille *au-dessus de la* moyenne.

2. 9/20 est une note _____ moyenne.

3. L'Eurostar passe _____ Manche.

4. Les enfants _____12 ans payent plein tarif.

5. Un grand miroir est accroché _____ lit.

6. L'eau gèle _____ zéro.

7. Le cheval a eu peur de sauter _____ obstacle.

8. Pour entrer, le chat s'est glissé _____ grille.

2 **Donnez les contraires.**

1. Le chien dort <u>sur le lit</u>.

2. Il fait très chaud : déjeunons <u>dedans</u>.

3. Restez <u>à l'intérieur du terrain</u>.

4. Vous trouverez mon adresse <u>ci-dessous</u>.

5. Il y a un médecin <u>au-dessus de chez moi</u>.

6. Le marathon aura lieu <u>dans la ville</u>.

Le chien dort sous le lit. _____

_____

3 **Complétez.**

1. Il y a un bon film ce soir _____ télévision.

2. Sur la plage, je reste _____ ombre.

3. J'adore lire bien installé _____ fauteuil.

4. Allonge-toi _____ canapé, tu seras mieux.

5. Le matin, j'écoute les nouvelles _____ radio.

6. Comme on est bien _____ soleil !

7. Moi, j'adore marcher _____ pluie.

8. Je regarde les infos _____ Internet.

4 Dans, sur, sous, à l'extérieur, dedans, dessous, dehors. **Complétez.**

Petite leçon d'ordre

Quel bazar* ! Allez, les enfants : rangez vos affaires : mettez vos chaussettes *dans* le panier à linge sale. Mettez-les _____ et pas à côté. Rangez vos pantoufles _____ le lit, poussez-les bien _____, pour qu'elles n'encombrent* pas. Rangez vos CD _____ leurs boîtes, sinon ils vont s'abîmer*. Mettez vos vêtements _____ les chaises, ne les laissez pas traîner par terre. Mettez vos chaussures _____ le balcon, mais ne les laissez pas _____ toute la nuit, il pourrait pleuvoir et elles seraient trempées.

*bazar : désordre   *encombrer : gêner/faire obstacle   *s'abîmer : se détériorer

5 **Continuez, selon le modèle. Commentez.**

| métro | ponts | bancs publics | squares | arbres | places | trottoirs |
| entrées d'immeubles | bouches d'aération de métro | | tentes | cartons | | |

Les SDF* dorment dans le métro, _____

_____

*SDF : sans domicile fixe

6 **Écrit. Suivez-vous les actualités sur Internet, à la télévision ou dans le journal ? Lisez-vous la météo, l'horoscope, les nouvelles sportives ? Quelles rubriques ne lisez-vous jamais ?**

DEVANT, DERRIÈRE, EN HAUT, EN BAS...
Prépositions et adverbes de lieu (2)

3

DEVANT, DERRIÈRE, EN AVANT, EN ARRIÈRE...

■ **Devant** s'oppose à **derrière**
= position dans **l'espace**

devant moi   *derrière* moi

■ **Avant** s'oppose à **après**
= position dans **le temps**

avant 6 h   *après* 6 h

■ **En avant/en arrière**
= mouvement
En avant !

En arrière !

■ **À l'avant/à l'arrière**
= position à l'intérieur d'un véhicule

A l'avant   A l'arrière
de l'avion   de l'avion

> ❯ On dit : *J'ai caché mon argent **derrière** les livres.* ~~arrière les livres~~
> *La cour est **derrière** la maison.* ~~derrière de la maison~~   (sans préposition)

> ❯ Pour préciser une position on dit :   *La <u>porte</u> de derrière.* ~~la porte derrière~~
> *Les <u>dents</u> **de** devant.* ~~les dents devant~~

- **En face de** = devant le visage (≠ **dos à**)
- **Au dos de** = au verso d'une page, d'un livre...
- **Face à** est surtout employé avec une idée.
- **Par-devant/par-derrière** indiquent un passage.

*Je travaille **en face de/dos à** la fenêtre.*
*Signez **au dos du** chèque.*
*Il faut faire **face à** la crise.*
*Les voleurs sont entrés **par-derrière**.*

EN HAUT, EN BAS, AU FOND...

- **En haut/en bas** d'un escalier/bâtiment...
- **Au pied/au sommet** d'un lieu géographique
- **Au fond** = point le plus bas ou le plus reculé
- **Par terre** = au niveau du sol
- **À gauche/à droite** = situation ou direction
- **Au rez-de-chaussée, au 2ᵉ étage**...

*Il y a une antenne radio **en haut** de la tour.*
*Les terres sont fertiles **au pied** des volcans.*
*L'obscurité règne **au fond** des océans.*
*Ramasse le gant qui est tombé **par terre**.*
*Marchez **à gauche**. Tournez **à droite** !*
*Les bureaux se trouvent **au** 6ᵉ étage.*

> ❯ On dit : *au 6ᵉ étage, **à** droite* ou ***sur** la droite*.   ~~dans le 6ᵉ étage, à la droite~~
> ❯ Pas de liaison entre « en » et « haut » : *en // haut.*   ~~ano~~

> ❯ **D'<u>un</u> côté... de <u>l</u>'autre côté**
> = côtés spatialement opposés
> ***D'un côté** de la rue, il y a une boulangerie,*
> *et **de l'autre** (côté), une épicerie.*
>   ~~à l'autre côté~~

> ❯ **D'<u>un</u> côté... d'<u>un</u> autre côté**
> = idées opposées
> ***D'un côté**, j'aime bien Charles,*
> ***d'un autre côté**, il m'exaspère.*
>   ~~d'autre côté~~   ~~de l'autre côté~~

E X E R C I C E S

> Ne jetez pas la pierre
> À la femme adultère*.
> Je suis **derrière**.
>
> Georges Brassens
>
> *adultère : infidèle

1 Donnez les contraires.

1. Le parking est <u>devant</u> la poste.
2. Déplacez-vous : faites un pas <u>en avant</u> !
3. Les enfants sont assis <u>à l'avant de la</u> voiture.
4. Je travaille <u>en face de</u> la fenêtre.
5. Pour prendre l'autoroute, tournez <u>à droite</u>.
6. J'ai rangé la valise <u>en haut</u> de l'armoire.
7. Marchez <u>derrière moi</u> !

Le parking est derrière la poste. _____

2 Complétez, selon le modèle avec les mots ci-dessous.

en avant   en arrière   (de) devant   derrière   au fond   à l'avant de   à l'arrière de

1. On dit qu'un homme bien élevé doit toujours se tenir *derrière* une femme quand elle monte l'escalier et _____ elle lorsqu'elle descend, pour la retenir, si elle tombe.

2. Faire un créneau en voiture est tout un art : on fait de petits mouvements _____ et de petits mouvements _____ pour se caser exactement entre deux voitures.

3. Les passagers de « la classe affaires » voyagent près de la cabine de pilotage _____ l'avion, _____ un rideau qui les sépare des autres passagers. C'est _____ l'avion, près des réacteurs, que l'on sent le plus les vibrations.

4. Le sourire des enfants de sept ans est touchant, car il leur manque les dents _____.

3 Complétez avec les prépositions manquantes.

1. Rendez-vous devant le ciné un peu _____ 8 h.
2. En Angleterre, on conduit _____ gauche.
3. Passons_____ l'autre côté de la rue.
4. Attention, ton écharpe est tombée _____ terre.
5. Des poissons rares vivent_____fond de l'océan.

6. N'oubliez pas de signer _____ dos du chèque.
7. Il faut être solidaire face _____ l'adversité.
8. Nos bureaux se trouvent _____ 5e étage.
9. L'enfant s'est caché _____ un arbre.
10. Es-tu déjà monté(e) ____haut de cette tour ?

4 À, devant, derrière, en arrière, à l'arrière de, par-derrière, au milieu de, en face de, au sommet de + articles. Complétez et imaginez une suite à l'histoire.

Un petit tour*

– « Tu viens faire un petit tour en moto ? », m'a dit Jim, et j'ai grimpé _____ lui. J'ai mis mes bras autour de sa taille et je me suis serrée contre lui. À la sortie de la ville, on s'est retrouvés _____ un bus scolaire qui faisait du trente à l'heure. Les enfants s'ennuyaient et ceux qui étaient assis _____ bus ont commencé à nous faire des grimaces. On s'est amusés un moment à les imiter, mais bientôt Jim en a eu assez*. Il était impossible de les dépasser et, comme une longue queue s'était formée _____ nous, on ne pouvait pas non plus retourner _____. Jim a pris la première bifurcation _____ droite et on s'est retrouvés _____ étrange château à l'abandon qui se dressait _____une forêt d'arbres gigantesques. Irrésistiblement attirés, nous avons caché la moto et nous nous sommes faufilés* _____ : une porte déglinguée* était restée ouverte. Le cœur battant nous avons monté l'escalier en colimaçon* qui menait _____ la tour et nous avons débouché hors d'haleine* sur une petite terrasse. Soudain, Jim a poussé un cri…

*un tour : une promenade   *en avoir assez : ne plus supporter   *se faufiler : se glisser sans se faire remarquer
*déglinguée : disloquée, en mauvais état   *en colimaçon : en forme d'hélice, d'escargot   *hors d'haleine : à bout de souffle

ENTRE et PARMI, PRÈS et PROCHE...

Prépositions et adverbes de lieu (3)

4

ENTRE, PARMI, D'ENTRE...

■ **Entre** deux unités :

J'ai trouvé une photo
entre deux pages du livre.

● Avec un <u>multiple</u> **choix**
on emploie souvent **entre**.

Difficile de choisir
entre tous ces plats !

● **Entre autres** = parmi d'autres : *J'adore les fruits, **entre autres** les poires.*

● **De tous/D'entre tous** = parmi tous : *De tous les fruits, c'est la poire que je préfère.*

■ **Parmi** plusieurs unités :

J'ai trouvé ce roman
parmi les livres de la bibliothèque.

● **Parmi** peut signifier « dans »
avec un collectif pluriel.

Le voleur a disparu
parmi la foule.

> ❱ Après une quantité, on dit : *Plusieurs **de** mes amis. Trois **de** mes amis.*
> ❱ Devant un pronom personnel on emploie **d'entre** :
>   *Combien **d'entre** <u>vous</u> viendront ?*   *Plusieurs **d'entre** <u>nous</u>.*   *Beaucoup **d'entre** eux.*
>   ~~Combien de vous ?~~   ~~Plusieurs de nous~~   ~~Beaucoup d'eux~~

> ❱ Avec **parmi** on emploie un relatif pluriel.
>   *Je connais les gens parmi **lesquels** il se trouvait.*   ~~parmi qui~~

PRÈS (de), PROCHE (de), À 3 km de

■ **Près** : proximité **spatiale**,
s'oppose à « loin de »

Jo habite au n° 15, moi, au n° 17.
*J'habite **près de** chez lui.*

■ **Proche** : proximité **affective**,
indique aussi une « affinité »

*On est amis : on est très **proches**.*
*Le français est **proche de** l'italien.*

● **Près** est une préposition. **Proche** est un adjectif. On l'emploie avec les verbes d'état :
« être », « paraître », « sembler ».
   – *Où <u>est</u> la station la plus **proche** ? La tour Eiffel <u>semble</u> **proche** d'ici.*
   – *La plage <u>paraît</u> **proche de** l'hôtel alors qu'elle se trouve à 2 km.*

> ❱ Avec un verbe d'action on emploie **près de**.
>   *J'habite/je travaille/je vis **près de** l'école.*   ~~J'habite proche de l'école~~

> ❱ **À ... DE** mesure une distance en kilomètres ou en temps.
>   *Je suis **à** 60 km **de** Lyon. Je suis **à** 1 heure **de** chez vous.*   ~~Je suis 30 mn de vous~~

● **Auprès de** = « dans l'entourage de » : *Une infirmière reste **auprès du** malade toute la nuit.*

● Orthographe, notez :   *Je suis allongé **près de** l'eau.*
                          *Je marche sur le **pré**/sur les **prés**.*
                          *Je suis **prêt à** partir.*

E X E R C I C E S

1 Lisez, observez.

Cinéma

Au cinéma, je ne supporte pas d'avoir quelqu'un devant moi, alors je m'assois **au premier rang**, **près de** l'écran. Je déteste avoir des voisins, alors je m'installe **entre** deux sièges vides que j'occupe avec mes affaires. Mais, au bout d'un moment, je sens une menace **parmi** toutes ces présences, derrière moi. Alors je vais m'asseoir **loin de** l'écran, au dernier rang, tout au fond.

2 Parmi/entre/d'entre/de tous/de toutes. **Choisissez.**

1. Marlène hésite *entre* deux amoureux. **2.** Un voleur s'est caché _____ les invités. **3.** J'ai mis des plantes _____ les deux fenêtres. **4.** J'ai du mal à choisir _____ tous ces candidats. **5.** Il n'y a pas de secret _____ nous ! **6.** Pour aimer les hommes, il faut vivre _____ eux. **7.** _____ les vins, c'est le bordeaux que je préfère. **8.** _____ mes étudiants, il y a plusieurs Allemands. La plupart _____ eux sont presque bilingues. **9.** _____ les matières, c'est le coton que je préfère. **10.** Mes collègues sont plus âgés que moi : plusieurs _____ eux vont partir à la retraite.

3 Parmi/entre/d'entre. **Plusieurs possibilités.**

Élections

En France, l'élection présidentielle a lieu tous les cinq ans, au suffrage universel à deux tours.

Au premier tour, les électeurs doivent choisir _____ une quinzaine de candidats. On trouve généralement, _____ eux, tous les représentants des grands courants politiques : il suffit pour cela de recevoir le « parrainage » de 500 élus. Même si, au second tour, seulement deux _____ eux s'affrontent pour la présidence, les candidats accordent beaucoup d'importance à ce premier tour, qui leur permet d'exposer leurs idées en leur offrant, _____ autres, un temps de parole égal pour tous. Peu de temps s'écoule ensuite _____ l'élection présidentielle et les élections législatives.

4 Proche/près (**+ de + article**). **Complétez.**

1. Nous habitons *près de la* poste.

2. Je me sens _____ ma sœur.

3. J'aime travailler _____ fenêtre.

4. Ne t'éloigne pas : marche _____ moi !

5. Le chien est un animal _____ loup.

6. Ne marche pas trop _____ bord, c'est dangereux.

7. Viens t'asseoir _____ moi !

8. Où est la boulangerie la plus _____ ?

9. J'aime lire, allongée _____ toi, sur le pré.

10. Vue d'ici, la montagne paraît _____.

5 À ... de + distance en kilomètres ou en temps. **Continuez, selon le modèle.**

Je travaille *à vingt kilomètres de la ville*.

Mon frère habite _____

J'habite _____

La mer est _____

5

ICI, LÀ, LÀ-BAS
Adverbes de lieu

ICI et LÀ désignent un lieu proche de celui qui parle.

■ **Ici** introduit le lieu d'où l'on parle :   – *Ici Paris. À vous Londres.*

● On l'emploie pour se présenter au téléphone :   – *Allô, **ici** Charles Moreau.*

■ **Là** et **ici** peuvent désigner le **même lieu** (là = ici).	■ **Là** et **ici** peuvent distribuer **deux points** dans un même lieu (là ≠ ici).
– *Tu habites **ici** ?* – *Oui, j'habite **là**.*	– *Plante un clou **ici** et un autre **là**.*

● **Être là** signifie « être présent ». Le lieu peut changer avec celui qui parle.

> – *Allô, je suis inquiet, Léo **n'est pas là** !*   = dans mon lieu
> – *Je sais, **il est là**, avec moi.*   = dans le lieu de l'autre

> ❱ Dans une mise en relief, on dit :
> ***C'est ici que** j'habite.* ***C'est là que** j'habite.* ***C'est là où** j'habite.*   ~~C'est ici où j'habite.~~

LÀ-BAS désigne un lieu éloigné de celui qui parle.

> – *J'en ai assez d'être **ici**. Je voudrais partir **là-bas**, loin.*
> – *Ne restez pas **ici**, les enfants, allez jouer **là-bas**.*
> – *Pierre n'est pas là ? – Non, regarde, il est **là-bas**.*

> ❱ **Là** en fin de phrase n'indique pas l'éloignement. On utilise **là-bas** ou **y** + verbe.
> *Jean a aimé le Chili. Il a vécu dix ans **là-bas**. Il **y** a vécu dix ans.*   ~~Il a vécu dix ans là.~~

● Y remplace **là-bas** avec des verbes attachés à un lieu dans la **durée**, comme :
« habiter », « vivre », « grandir », « passer sa vie/les vacances », « rester », « travailler »,
« faire des études », « naître », « mourir », c'est-à-dire des verbes de type **être**.

> *Je suis allé en Grèce et j'**y** ai passé l'été. Je suis né à Londres et j'**y** ai grandi.*
> *J'aime Paris : j'**y** ai travaillé un an. Je suis né dans le Sud et j'**y** ai fait mes études.*

> ❱ Avec les verbes ponctuels de type *faire*, **y** est facultatif (sauf si l'on veut insister).
> *Je suis allé à Londres et j'~~(y)~~ ai fait des courses/j'~~(y)~~ ai acheté des vêtements.*

● **Là**, placé **en début de phrase** et suivi d'une pause, signifie « à cet endroit-là/à ce moment-là ».

Comparez : *Jean est parti au Chili. Il est arrivé **là-bas** en 1998. **Là**, sa vie a changé.*

Expressions :

Les gens d'ici = les gens de ce pays   Je reviens le 8, j'appellerai **d'ici là**. = avant le 8

Venez **par ici/par là** = de ce côté   **Jusqu'ici/jusque-là** tout va bien = jusqu'à maintenant (fixe une limite)

E X E R C I C E S

1 Lisez. Observez.

Les immigrés

Mon père est arrivé **ici**, en France, en 1956. Ma mère l'a rejoint en 1962. C'est **là** qu'elle nous a élevés, mon frère et moi. Tous les étés, jusqu'à l'âge de seize ans, on allait en vacances à Tunis. **Là-bas**, on nous appelait « les immigrés ». C'est comme ça que j'ai compris la différence entre *ici* et *là-bas*, la « double culture ». Ma mère disait toujours: « Un jour, on rentrera », mais mon frère et moi on répondait : « Maman, rentrer où ? »

2 **Là-bas** et y. **Continuez.**

Longs séjours :

~~Kenya/rester~~	Norvège/vivre
Gabon/travailler	Antilles/habiter

– *Vous revenez du Kenya ?*
– *Vous êtes resté(e) longtemps là-bas ?*
– *J'y suis resté(e) dix ans.*

_____

_____

_____

3 Mise en évidence avec c'est.

Lieux :	Événements :
~~lycée~~	se marier
hôpital	~~faire ses études~~
mairie	passer son permis
auto-école	être opéré(e) du genou

Tu vois ce lycée : c'est là où j'ai fait mes études.

_____

_____

_____

4 Ici, là, là-bas. **Plusieurs possibilités.**

1. – Excusez-moi, Antoine est *ici/là* ? – Oui, il est _____, attendez un instant, je l'appelle.

2. – Tu habites ici ? – Oui, arrête-toi _____. – Non, je ne peux pas me garer _____, c'est interdit.

3. – Allô, Paris ? _____ Ajaccio. Est-ce que vous m'entendez ? La fumée noire que vous apercevez _____ derrière la colline est celle de l'incendie qui brûle depuis deux jours.

4. – Installez-vous à table. Toi, Igor, tu te mets _____ à ma gauche et toi, Zina, tu te mets _____ à droite.

5. – Je suis rentré vers minuit et _____ j'ai trouvé ton message sur mon répondeur.

6. – Tu te souviens quand on a vu *Shining* ensemble ? – Oh oui ! c'est _____ où tu as poussé un grand cri.

7. – Regarde cette vieille maison : c'est _____ où Hemingway a vécu quand il était à Paris.

8. – Comment se passe votre apprentissage du français ? – Jusque-_____, tout va bien !

9. – Et voilà, c'est _____ que s'achève notre histoire…

5 Complétez selon le modèle.

1. Je suis né en Provence et *j'y ai* grandi.

2. Je suis allé au cinéma et *j'ai* vu deux films.

3. J'adore Paris : _____ passé un mois.

4. Je suis allé au marché et _____ acheté des poires.

5. Je connais ce quartier : _____ habité deux ans.

6. C'est le lycée Molière : _____ fait mes études.

7. J'ai visité le zoo et _____ pris des photos.

8. J'ai attendu au café et _____ lu le journal.

9. Je suis allé au Louvre et _____ vu la Joconde.

10. J'ai vécu à Rome et _____ laissé mon cœur.

6 Écrit. **Imaginez les raisons qui poussent à émigrer, s'expatrier, quitter la ville ou la campagne.**

_____

6

VENIR, ALLER, APPORTER, EMPORTER...
Verbes du voyage (1)

VENIR, ALLER, REVENIR, RETOURNER, RENTRER

■ **Venir** vers le lieu **où on est**
  – *Viens* <u>chez moi</u>, *je t'attends.*

■ **Aller** vers un **autre lieu**
  – *Je vais* <u>chez Paul</u>, *il m'attend.*

■ **Revenir** = « venir » une **nouvelle** fois
  – *Attends-moi* <u>ici</u>, *je reviens.*

■ **Retourner** = « aller » une **nouvelle** fois
  – *Je retourne* <u>chez Paul</u> *ce soir.*

● **Venir** peut signifier « aller vers » celui qui parle : on prend le point de vue de l'autre.
  – *On va chez toi ? – Oui, venez chez moi. – Ok. On vient à quelle heure ?*

– Pour répondre à un appel, « *J'arrive !* » est plus fréquent que « *Je viens !* ».

● **Se retourner** = tourner la tête vers.   *Quelqu'un a crié mon nom. **Je me suis** retourné(e).*

● **Retourner** <u>quelque chose</u> = mettre à l'envers.   *J'ai **retourné** mon matelas/mes poches.*

● **Rentrer** : revenir chez soi/dans son pays.   *Je **rentre** à la maison vers 19 heures.*

> ❱ Avec **arriver, revenir, rentrer** (déplacement + finalité), on peut dire :
> *L'avion est **arrivé** depuis dix minutes.*   *Je suis **rentré** depuis deux jours.*
> ❱ Avec **venir** (déplacement), « depuis » est impossible : ~~Je suis venu depuis dix minutes~~

● **En** s'applique à **tous** les moyens de transport « techniques » :
  en voiture, en bus, en barque, en Vespa   Mais : *à pied, à cheval, à dos de + animal*
  – Avec *bicyclette/vélo/moto/ski*, on peut dire *à* ou *en* : *à moto/en moto*

● On voyage *en train* ou *par le train* (*par* train est réservé aux marchandises).

APPORTER, AMENER, EMPORTER, EMMENER

On « **im**porte <u>dans</u> un pays », on « **ex**porte <u>hors d'</u>un pays ». On « **im**migre <u>dans</u> un pays ».
On « **é**migre <u>hors d'</u>un pays ». On « **a**pporte <u>dans</u> un lieu » et on « **em**porte <u>hors d'</u>un lieu ».

■ **Apporter** = **venir** avec un **objet**
  *Si tu viens, **apporte** du vin.*

■ **Emporter** = **aller** avec un **objet**
  *Si tu pars, **emporte** une valise.*

■ **Amener** = **venir** avec une **personne**
  *Si tu viens, **amène** ta fille.*

■ **Emmener** = **aller** avec une **personne**
  *Si tu pars, **emmène**-moi avec toi.*

– **Mener/amener** signifie aussi « guider », « conduire ».
  *Le berger **mène** les brebis à l'abreuvoir.*   *J'ai **amené** la voiture au garage.*

– **Amener** tend à remplacer « apporter » pour les objets, sauf pour un objet que l'on offre.
  *Paul a **amené** le vin, moi j'ai **amené** le dessert et j'ai **apporté** un cadeau aux enfants.*

> ❱ Accompagner/déposer/amener ≠ Aller chercher/Passer prendre
> – *Voulez-vous que je vous **accompagne/dépose/amène** ?*   = vous n'êtes pas chez vous
> – *Voulez-vous que je **passe vous prendre/aille vous chercher** ?*   = vous êtes chez vous

E X E R C I C E S

> La vie : un rien l'**amène**, un rien l'anime,
> un rien la mine, un rien l'**emmène**.
> Raymond Queneau

> Qu'importe le temps
> qu'**emporte** le temps
> mieux vaut ton absence
> que ton indifférence
> Serge Gainsbourg

1   Lisez. Observez.

Énigme

Comment doit faire le paysan qui doit **aller** au marché pour vendre sa chèvre et ses choux, sachant que le loup veut manger la chèvre, qui, si elle est seule, mangera les choux ? Il laisse la chèvre, **emmène** sur l'autre rive le loup et les choux, dépose les choux, **ramène** le loup, puis **retourne** sur l'autre rive avec la chèvre…

2   Aller, venir, revenir, arriver, retourner. **Complétez. Faites l'élision si c'est nécessaire.**

1. – Vous êtes *arrivés* vite ! Vous _____ en taxi ?

2. – Le directeur est occupé : voulez-vous attendre ou pouvez-vous _____ plus tard ?

3. – J'ai oublié la salade : je dois _____ au marché pour la troisième fois !

4. – Ma nièce est si jolie que tous les hommes se _____ sur son passage, dans la rue.

5. – Marie ! Dépêche-toi, on va être en retard à la gare. – Voilà, voilà : je _____ !

6. – Tu as un nouvel imper ? – Non, je l'ai simplement _____ de l'autre côté : il est réversible.

3   Choisissez.

1. On va à la piscine : tu ~~vas~~/viens avec nous ?

2. Nous sommes arrivés/venus depuis 3 jours.

3. Attends-moi ici, je retourne/je reviens !

4. Si tu sors, emporte/emmène le chien.

5. Max est parti sans emporter/emmener de valise.

6. Le bateau arrivera/viendra demain à 8 h.

4   Continuez.

Mon amour : les transports sont en grève, je ne peux te rejoindre ni ___ métro, ni ____ train, ni _____ bus. Mais rien ne m'empêchera d'aller vers toi : j'irai ___ pied, ____ vélo, ____ cheval, ___ rollers, ___ scooter, _____ trottinette, ___ ski, _____ moto, ___ deltaplane ou ____ dos de chameau. Attends-moi ! J'arrive…

5   Aller, venir, rentrer, apporter, emporter, rapporter, emmener, ramener, aller chercher, passer prendre, déposer. **Complétez les deux textes, selon le modèle.**

Migraine et chocolat

– Brrr. Il fait un froid de canard : j'ai besoin d'un chocolat chaud. On *va* chez moi ou chez toi ?

– Je préférerais qu'on _____ chez toi, mon chauffage est en panne, et puis le mardi, c'est le jour où la femme de ménage _____ chez moi. Ce n'est pas très commode.

– Et si on _____ au café, c'est plus près ! Allez, on _____ chez Marco !

– J'appelle Marlène pour qu'elle _____ nous rejoindre et je lui dis d'_____ un cachet d'aspirine, j'ai un début de migraine.

– Tiens, essaie ça : c'est du Baume du Tigre que j'ai _____ de Chine. C'est très efficace !

Mille choses

J'ai *emmené* les enfants à l'école, puis j'ai _____ le chat chez le vétérinaire pour le faire vacciner, j'ai rendu visite à ma tante et je lui ai _____ un gâteau, puis j'ai _____ la voiture au garage pour faire vérifier les freins. Ensuite, j'ai _____ les livres à la bibliothèque. À 16 h 30, j'ai _____ les enfants à la maison. On est arrivés trempés, car je n'avais pas _____ de parapluie. À 18 h, je suis _____ma cousine à l'aéroport et je l'ai _____ à son hôtel. Sur le chemin du retour, je suis _____ Jo au bureau et nous sommes finalement _____ chez nous.

7

JOINDRE, REJOINDRE, PARTIR, QUITTER...
Verbes du voyage (2)

JOINDRE, REJOINDRE, RENCONTRER, RETROUVER

■ **Joindre** : contacter par téléphone/mail
*Mon portable était en panne et
je n'ai pas pu **joindre** ma famille.*

■ **Rejoindre** physiquement
*Il y avait la grève des trains et
je n'ai pas pu **rejoindre** ma famille.*

■ **Rencontrer** pour la première fois
*J'ai **rencontré** mon mari
quand j'avais 18 ans.*

■ **Retrouver**
*À midi, je **retrouve** souvent
mon mari pour déjeuner.*

PARTIR, S'EN ALLER, QUITTER UN LIEU

■ **Partir/s'en aller** signifie quitter le lieu où on est, pas nécessairement le territoire.
*J'ai fini mon travail. Je **m'en vais** ! Je **pars** !* (du bureau)

● **Partir de** indique une provenance.　　*On part **de** Paris. On part **de** l'aéroport d'Orly.*

● **Partir à/pour** indique une destination.　*On part **à** Rome. On part **pour** Rome.*

> ❱ Si le **lieu de départ** est mentionné, on dit : **partir <u>pour</u>... <u>de</u>...**
> *On est partis **pour** Londres **de** Paris.*　　~~On est partis à Londres de Paris.~~

■ **Autres verbes courants**

● **Se rendre à** (origine de : « rendez-vous »)　*Pour **vous rendre au** sous-sol, appuyez sur −1.*

● **Se mettre en route <u>pour</u>** un lieu :　　*Se **mettre en route pour** La Mecque.*

● **Quitter** un lieu (toujours avec un complément) : *J'ai **quitté** <u>le bureau</u> à 18 h.*

● **Gagner/regagner** un lieu, sa place, la sortie :　*Les clients sont priés de **regagner** la sortie.*

● **Descendre <u>dans</u>** un hôtel/à l'hôtel Bréa.　*On est **descendus** à l'hôtel du Lac.*

<u>Expressions familières :</u>
Filer, se sauver (courant), ficher le camp (fam.), prendre la poudre d'escampette = partir vite
Filer en douce/filer à l'anglaise = partir discrètement　　Se faire la belle (argot) = s'évader de prison

VOYAGER, CONDUIRE, MARCHER **sont des activités sans idée de direction.**

*J'ai beaucoup **voyagé**, dans ma vie.
J'adore **conduire** la nuit.
J'ai trop **marché**, je suis fatigué(e).*

> ❱ Quand on précise la direction et le moyen de transport, on emploie le verbe *aller.*
> ❱ On dit :　*Je **suis allé** à Oslo <u>en avion</u>.*　~~j'ai voyagé à Oslo~~　　~~J'ai volé à Oslo~~
> 　　　　*Je **suis allé** à Aix <u>en voiture</u>.*　~~j'ai conduit à Aix~~
> 　　　　*Je **vais** à l'école <u>à pied</u>.*　　~~je marche à l'école~~

> ❱ **Bouger** = simple mouvement du corps. *Reste tranquille : Ne **bouge** pas !*
> ❱ **Se déplacer** = bouger **en avançant**. *On s'est **déplacés** dans le pays.*　~~On a bougé dans le pays~~

E X E R C I C E S

1 Lisez, observez.

> **Partir**
>
> Allongés sur le tapis, mon frère et moi, on feuilletait les atlas. On voulait **s'en aller**, **prendre la route**, **quitter** le cocon familial, **partir** n'importe comment, en bateau, en stop, à pied. On voulait **voyager**, découvrir d'autres langues, d'autres musiques et on rêvait surtout, secrètement, aux belles étrangères que nous aurions **rencontrées** là-bas.

2 Joindre ou rejoindre ? **Complétez.**

1. Je n'ai pas pu te / car je n'ai plus de portable.

2. Comment peut-on / la route nationale d'ici ?

3. Je cherche à / Joseph : tu as son adresse mail ?

4. Vous pouvez me / à ce numéro à toute heure.

1. Je n'ai pas pu te joindre, car je n'ai plus de portable.

3 Rencontrer ou retrouver ? **Complétez.**

1. J'ai revu les amis que nous / l'année dernière.

2. Comment pourrons-nous / nos amis parmi la foule ?

3. On/souvent des gens bizarres par petites annonces.

4. Toute la famille se / pour les fêtes de fin d'année.

1. J'ai revu les amis que nous avions rencontrés…

4 Complétez avec les verbes manquants.

conduire	~~aller~~	partir	marcher	se déplacer	s'en aller
emporter	regagner	déposer	descendre	quitter	filer en douce

1. – En général, je *vais* au bureau à pied. Comme ça, je _____ au moins 40 minutes par jour.

2. – Si vous _____ en randonnée le matin, pensez à _____ quelque chose de léger à manger.

3. – Si vous _____ le bureau avant moi, pensez à éteindre les lumières !

4. – Je déteste _____ en ville à cause des embouteillages. Je préfère _____ en bus.

5. – Demain, il y a une grève des transports : veux-tu que je te _____ quelque part en voiture ?

6. – Oh là là, je suis très en retard : il faut que je _____. Je t'appellerai plus tard.

7. – Le spectacle va recommencer. Tous les spectateurs sont priés de _____ leur place.

8. – Vous êtes allés à Rome ? Dans quel hôtel _____ ? – Nous _____ relais « Le Clarisse ».

9. – Pour éviter les paparazzi qui l'attendaient devant l'hôtel, Stella Star _____ par la porte de service.

5 Complétez avec : rencontré, amené, apporté, rapporté, retrouvé, raccompagné.

> **Les fêtes d'Hamid**
>
> C'est chez mon copain Hamid que j'ai _____ Frank pour la première fois. Chacun des cinq amis de notre groupe avait _____ un plat, une boisson ou un dessert et avait _____ un ami inconnu des autres. Marco avait _____ des lasagnes et il avait _____ Frank, un copain d'enfance. On avait dansé toute la nuit. À l'aube, Frank m'avait _____ chez moi, en voiture, et nous avions beaucoup parlé. Il préparait comme moi un doctorat d'archéologie ! Prise par la conversation, j'avais oublié mon sac sous le siège. Le lendemain, Frank me l'avait _____. On était si troublés l'un et l'autre qu'on avait oublié d'échanger nos numéros de téléphone. Heureusement, on s'est _____ un mois plus tard chez Hamid pour un dîner et, depuis, on ne s'est plus quittés.

8 EN CHINE, AU CHILI, À CUBA...
Villes, pays, continents, îles

LES VILLES n'ont en général pas d'article.

> Varsovie   Rome   Bucarest   Tokyo   Exceptions : Le Cap, Le Havre, Le Caire...

- Quand on apporte une précision, l'article est nécessaire : Paris/**Le** Paris d'autrefois.
- Les noms de villes en « **e** » sont ressentis comme féminins. Rom*e* est belle.   Paris est beau.
  Dans le doute (Alger est beau ou belle ?), préférez : Alger est <u>une belle ville</u>.

LES PAYS et LES CONTINENTS ont, en général, un article.

> *la* France   *le* Brésil   *l'*Allemagne   *les* États-Unis   *l'*Asie   *l'*Europe   *l'*Amérique

- <u>Exceptions</u> : noms dérivés d'un **nom de ville** ou d'un **nom propre** :
  Andorre, Bahreïn, Djibouti, Dubaï, Gibraltar, Haïti, Hong Kong, Monaco, Oman, Singapour,
  Israël (ex. : Israël = ancien nom de Jacob)
- Les noms terminés par « **e** » sont féminins : *la* Franc*e*, *la* Chin*e*, *la* Suèd*e*, *la* Colombi*e*...
  Les autres sont masculins : *le* Brésil, *le* Maroc, *le* Danemark, *le* Canada, *le* Pérou...
  <u>Exceptions</u> : *Le* Mexiqu*e*, *le* Mozambiqu*e* *le* Cambodg*e*, *le* Beliz*e*, *le* Zaïr*e*.

ÎLES : la présence d'un article est souvent arbitraire.

> Cuba   Chypre   Madagascar   *la* Crète   *la* Sicile   *la* Corse

- La majorité des îles **non européennes** n'ont pas d'article : Cuba, Madagascar, Hawaï,
  Bornéo, Bahreïn, Terre-Neuve, Sri Lanka (ou le Sri Lanka...)
  <u>Exception</u> : *la* Guadeloupe, *la* Martinique (départements français d'outre-mer).
- La majorité des îles **européennes** ont un **article** : *la* Sicile, *la* Corse, *la* Crète, *l'*Irlande...
  <u>Exceptions</u> : Malte, Chypre et les îles portant un nom de ville : Ponza, Rhodes, Majorque.
- Les **noms au pluriel** ont tous un article : *les* Baléares, *les* Canaries, *les* Comores.

À, EN, AU(X) indiquent la ville, le pays, le continent où l'on est/où l'on va.

À + villes, pays, îles sans article	*à* Paris	*à* Hong Kong	*à* Cuba
En + nom féminin de pays	*en* Franc*e*	*en* Chin*e*	*en* Suèd*e*
Au + nom masculin de pays	*au* Brésil	*au* Maroc	*au* Canada
Aux + nom au pluriel	*aux* États-Unis	*aux* Antilles	*aux* Bahamas

> ❯ Origine : **du** + nom masculin, **de** + nom féminin.
> – Ce thé vient **du** Japon ? – Non, il vient **de** Chine.   ~~ce thé vient de la Chine.~~
> – J'aime le café **du** Brésil et le café **de** Colombie.   ~~le café de la Colombie~~

♪
- **Au** devient **en** devant <u>a, o, i, e, u</u> :   *en* <u>I</u>rak   *en* <u>O</u>uganda   *en* <u>I</u>sraël
- Devant « h » aspiré, on ne fait ni liaison ni élision. On dit : *en* // Hongrie   *de* // Hongrie
- <u>Orthographe</u> :   Les *F*rançais, les *P*arisiens.   (nom = avec majuscule)
             Le vin *f*rançais, les cafés *p*arisiens.   (adjectif = sans majuscule)
  On écrit :   Les *F*rançais parlent *f*rançais.

E X E R C I C E S

1 En, au(x), à. **Complétez.**

Francophonie

On parle ou on comprend le français :

en France, _____ Belgique, _____ Suisse, _____ Québec, ___ Luxembourg, ___ Monaco, _____ Sénégal, ___ Niger, ____ Gabon, ____ Mali, ___ Haïti, ___ Guyane, _____ Martinique, _____ Côte d'Ivoire, _____ Bénin, _____ Burkina Faso, _____ Burundi, ____ Cameroun, _____ Centrafrique, _____ Djibouti, _____ Monaco, _____ Mauritanie, _____ Nouvelle-Calédonie, _____ Liban, _____ Tchad, _____ Togo, _____ Vanuatu, _____ Saint-Pierre-et-Miquelon, _____ Rwanda, _____ Saint-Martin, ___ Guadeloupe, ____ Réunion, ___ Mayotte, ___ Madagascar, ____ Seychelles, ___ Comores…

2 Langues et pays. **Faites des phrases.**

chinois	espagnol	portugais
grec	russe	japonais
anglais	allemand	italien

J'apprends le chinois pour aller en Chine. _____

_____

3 Monnaies et pays. **Faites des phrases.**

sol/Pérou	peso/Colombie	dong/Vietnam
riel/Cambodge	roupie/Inde/Sri Lanka	
real/Brésil	dollar/États-Unis	piastre/Québec

On paie en sol, au Pérou. _____

_____

4 À, en, au. **Complétez.**

Chants et danses du monde

La valse, première danse de salon en position rapprochée, est née *à* Vienne *en* Autriche en 1780.

Le tango, né _____ Buenos Aires et _____ Montevideo, _____ Argentine et _____ Uruguay, s'est développé et largement diffusé _____ Europe au début du XXᵉ siècle. Carlos Gardel, l'un des chanteurs de tango les plus célèbres, est né _____ France, ___ Toulouse.

La samba est née _____ Rio de Janeiro, _____ Brésil, dans les bidonvilles. Importée par les esclaves venant _____ Angola et travaillant sur les docks (« samba » signifie « danser avec gaieté » en bantou), la samba est devenue la danse nationale du Brésil.

Le flamenco est apparu _____ Espagne, surtout _____ Andalousie, vers le milieu du XVIIᵉ siècle. C'est une musique nostalgique et déchirante qui prend ses racines à la fois dans les cultures musulmane, juive et gitane.

Le raï est à l'origine un chant bédouin né _____ Oran. Ce genre musical, qui s'est enrichi dans les années 1980 des influences du rock, du reggae et du blues, est devenu très populaire auprès de la jeunesse ____ Algérie _____ Maroc et dans tout _____ Maghreb.

5 Attribuez un pays d'origine à chaque chant ou danse, selon le modèle.

~~la cumbia~~	le fado	le reggae	le zouk	le mambo	le sirtaki	le rap	le mariachi
États-Unis	~~Colombie~~	Portugal	Mexique	Cuba	Jamaïque	Grèce	Antilles

La cumbia est née en Colombie. _____

Elle vient de Colombie. _____

EN Provence, DANS le Var, AU Québec
Régions, provinces, départements, États

RÉGIONS, PROVINCES, DÉPARTEMENTS, ÉTATS

- **En** + nom féminin   *en Bretagne*   *en Bavière*   *en Andalousie*
- **Dans le** + nom masculin   *dans le Vermont*   *dans le Devon*   *dans l'Ohio*
- **Dans les** + nom au pluriel   *dans les Landes*   *dans les Pouilles* *dans les Marches*

> ❯ Origine :   **du** + nom masculin   **de** + nom féminin
> *venir **du** Var*   *venir **de** Bretagne*
>
> On peut conserver l'article devant une voyelle, pour une meilleure compréhension :
> *venir **de l'**Aude*   *venir **de l'**Ardèche* (même chose avec *venir d'Inde* ou *de l'Inde*)

- Avec les noms féminins de départements, on emploie **dans la** :
  dans la Drôme   *dans la Marne*   *dans la Creuse*   *dans la Meuse*   *dans l'Aude*

- Quelques noms en « e » sont masculins :
  dans le Maine   *dans le Vaucluse*   *dans le Finistère*

- Quelques noms masculins ont deux constructions :
  dans le Texas/au Texas   *dans le Colorado/au Colorado*

- Pour les provinces canadiennes, on applique la règle des pays :
  au Québec, au Manitoba, au Yukon, en Ontario, en Alberta   Exception : *en Saskatchewan*

- Pour les départements français d'outre-mer, on dit :
  en/à la Guadeloupe   *en/à la Martinique*   *en Guyane*   *à la Réunion*

Remarques :

- Les **noms de régions** prennent une majuscule : *habiter dans le Nord, dans le Centre*
  Les **points cardinaux** s'écrivent sans majuscule : *être situé au nord/dans le nord de la France*

- On dit : *aller en Andorre/au Luxembourg/au Québec* (pays et États)
  Mais : *aller à Andorre/à Luxembourg/à Québec* (villes)

- On disait : *aller en Avignon* (territoire papal) mais on dit : *aller à Avignon* (ville)

- La région **PACA** signifie *la région Provence-Alpes-Côte d'Azur*.

AUTRES EXPRESSIONS DE LIEUX

- **Ailleurs/Autre part** = dans un autre lieu.   *Il y a trop de bruit ici, allons **ailleurs/autre part**.*
- **Quelque part** = lieu indéfini   *J'ai oublié mon portable **quelque part**. Je ne sais pas où.*
- **Partout** = dans tous les lieux   *On trouve ce produit **partout**.*

> ❯ **Lieu** = portion d'espace   – *Quel est votre **lieu** de naissance ?*
> ❯ **Endroit** = lieu en français standard   – *À quel **endroit** aimeriez-vous vivre ?*
> ❯ **Place** = espace dégagé dans une ville   ~~À quelle place aimeriez-vous vivre ?~~

E X E R C I C E S

D'où viens-tu gitan ?

– D'où viens-tu gitan ?
– Je viens **de** Bohême.
– D'où viens-tu gitan ?
– Je viens **d'**Italie.
– Et toi beau gitan ?
– **De l'**Andalousie
– Et toi vieux gitan, d'où viens-tu ?
– Je viens d'un pays qui n'existe plus.

Court/Giraud

1 A, à la, au, en, dans le. **Complétez.**

Vies

On naît *à* Paris, _____ Lisbonne, _____ Havane ou _____ Cap. On vit _____ Chine ou _____ Pologne, _____ Chili ou _____ Ouganda.

On voudrait vivre _____ Catalogne, _____ Floride ou_____ Jura, passer l'été _____ Provence _____ Toscane ou _____ Vermont, passer l'hiver _____ Tahiti et l'automne _____ Réunion.

2 Produits, pays et régions. **Faites des phrases selon le modèle.**

le parmesan   le « pata negra »   le vinho verde   le lapsang souchong   le calvados   le shiitaké
thé chinois   fromage italien   jambon espagnol   alcool normand   champignon japonais   vin portugais

Le parmesan est un fromage produit en Italie. C'est un produit qui vient d'Italie. _____

_____

3 **On constate sur la carte ci-dessous que le nombre de pays masculins (en bleu) et féminins (en rose) est sensiblement équivalent…**

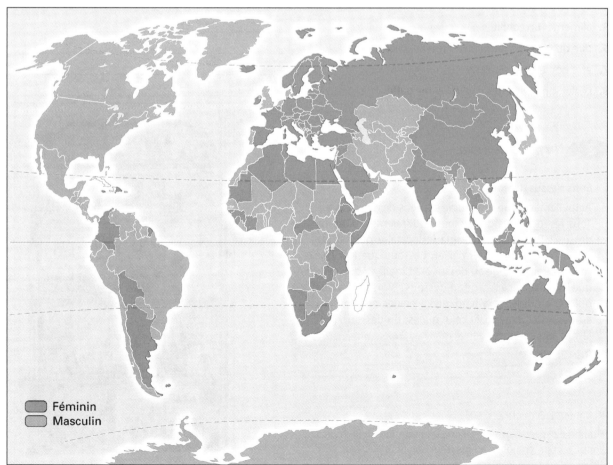

Féminin
Masculin

Récréation n° 1

1 *Expressions avec « dans », « sur », « sous », « dessous ».*

Quelle famille !

Ma mère est une femme pratique qui *a les pieds sur terre* tandis que mon père *est toujours dans la lune*. Du matin au soir, il cherche ses lunettes ou son bouquin[1], il ne sait plus où il a garé sa voiture, il oublie ses rendez-vous… Quant à ma sœur, elle dit n'importe quoi et on lui dit toujours qu'elle devrait *tourner sept fois sa langue dans sa bouche* avant de parler. Elle fait gaffe[2] sur gaffe. C'est un cas pathologique ! Ma tante, elle, adore *casser du sucre sur le dos des gens*. Son grand plaisir est de critiquer les voisins. Eh bien, ma sœur *met les pieds dans le plat* en reprenant ces propos en public, parfois devant les intéressés[3], ce qui provoque des histoires à n'en plus finir. Alors ma tante enfonce le clou[4], elle s'amuse à *jeter de l'huile sur le feu*, mon frère craque et se met à hurler. Toute la famille *est sens dessus dessous*. Moi, quand je ne tiens plus le coup[5], je me réfugie tout en haut de mon arbre, au fond du jardin, avec un bon livre. Et on dit que c'est moi qui ai *une araignée dans le plafond*…

1. bouquin : livre (familier)   2. gaffe : parole ou geste maladroit   3. les intéressés : les personnes concernées
4. enfoncer le clou : insister lourdement   5. tenir le coup : résister

Associez les expressions en gras, dans le texte ci-dessus, avec les définitions proposées.

1. être très réaliste   *Avoir les pieds sur terre*

2. réfléchir avant de parler   _____

3. être rêveur, distrait   _____

4. être fantasque, un peu fou   _____

5. alimenter un conflit   _____

6. dire du mal de quelqu'un en son absence _____

7. être bouleversé   _____

8. parler sans discernement, faire une gaffe _____

2 *Un peu d'humour.*

Sens dessus dessous

Actuellement mon immeuble est sens dessus dessous. Tous les locataires de dessous voudraient habiter au-dessus ! Tout cela parce que le locataire qui est au-dessus est allé raconter par en dessous que l'air que l'on respirait à l'étage au-dessus était meilleur que celui que l'on respirait à l'étage au-dessous ! Alors le locataire qui est en dessous a tendance à envier celui qui est au-dessus et à mépriser celui qui est en dessous. Moi, je suis au-dessus de ça !

RAYMOND DEVOS

Raymond Devos (1922-2006)
Humoriste spécialiste des jeux de mots sur la langue française dont il s'approprie pour lui insuffler une note poétique.

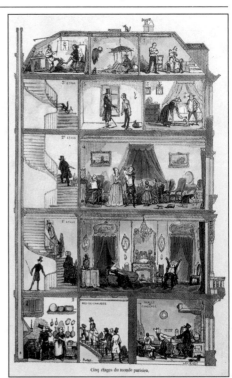

Cinq étages du monde parisien.

3 Étymologie.

Bureau

« Bureau » vient du mot « bure » : tissu rêche dont sont faits les vêtements des moines. On a d'abord appelé « bureau » le meuble sur lequel on étendait ce tissu, puis, par extension, la pièce qui contenait le meuble et, enfin, l'immeuble qui contenait la pièce…

Ainsi, on pose un livre « **sur** un bureau » (plan de travail), on travaille « **dans** un bureau » (espace), on va « **au** bureau » (lieu fonctionnel).

4 Ça s'est passé où* ?

1. dans l'Hexagone : *en France*
2. au pays de l'oncle Sam : _____
3. dans la péninsule Ibérique : _____
4. au pays du Soleil-Levant : _____
5. chez nos voisins transalpins : _____
6. chez nos cousins germains : _____
7. chez les Hellènes : _____
8. dans l'Empire du Milieu : _____
9. dans la Belle Province : _____
10. chez les Helvètes : _____

*Vu par les Français.

5 Lisez ou écoutez.

Joachim Du Bellay (1522-1560) fait partie avec Ronsard du groupe de « la Pléiade » qui souhaitait définir de nouvelles règles poétiques et redonner à la langue un statut noble.

Heureux qui comme Ulysse

Heureux qui, comme Ulysse, a fait un beau voyage
Ou comme cestuy-là* qui conquit la Toison,
Et puis est retourné plein d'usage et raison,
Vivre entre ses parents le reste de son âge !

Quand reverrai-je, hélas, de mon petit village
Fumer la cheminée, et en quelle saison
Reverrai-je le clos de ma pauvre maison,
Qui m'est une province et beaucoup davantage ?

Plus me plaît le séjour qu'ont bâti mes aïeux,
Que des palais romains le front audacieux,
Plus que le marbre dur me plaît l'ardoise fine.

Plus mon Loire gaulois que le Tibre latin,
Plus mon petit Liré que le mont Palatin,
Et plus que l'air marin la douceur angevine.

JOACHIM DU BELLAY, *Les Regrets*

* Cestuy-là : forme ancienne pour celui-là.

Ce poème a été mis en musique en 2007 par le chanteur Ridan qui a ajouté deux strophes où il évoque le drame de l'émigration et de l'exil. Commentez. (clip : You Tube Ridan).

J'ai traversé les mers à la force de mes bras,
Seul contre les dieux,
Perdu dans les marées,
Retranché dans une cale,
Et mes vieux tympans percés,
Pour ne plus jamais entendre,
Les sirènes et leur voix.

Nos vies sont une guerre,
Où il ne tient qu'à nous,
De se soucier de nos sorts,
De trouver le bon choix,
De nous méfier de nos pas,
Et de toute cette eau qui dort,
Qui pollue nos chemins soi-disant pavés d'or.

Sondage-test n° 1 (50 points)

Complétez le sondage, répondez et interrogez votre voisin(e).

1. Habitez-vous _____ rue ou _____ boulevard ? Préférez-vous vivre _____ ville ou _____ banlieue, _____ petit village ou _____ grande ville ? …/ 6

2. Faites-vous les courses _____ supermarché, ou _____ petits commerçants ? Déjeunez-vous _____ cantine, _____ petit restaurant ou _____ maison ? …/ 5

3. Étudiez-vous le français _____ lycée ou _____ école de langue ? Votre professeur vient-il _____ France, _____ Suisse, _____ Belgique, _____ Québec ? …/ 6

4. Préférez-vous travailler assis _____ chaise, _____ fauteuil, ou allongé _____ votre lit ? Aimez-vous lire _____ lit ? Votre lit est-il en face _____ fenêtre ? …/ 5

5. Aimez-vous les éclairages indirects, posés _____ des guéridons ou préférez-vous avoir un lustre _____ la table ? …/ 2

6. Quand vous allez _____ la plage, vous allongez-vous _____ le sable ou _____ une chaise longue ? Vous mettez-vous _____ombre ou _____ soleil ? …/ 5

7. Où aimeriez-vous passer vos vacances : _____ mer, _____ Côte d'Azur ou _____ montagne, _____ Alpes ? Aimeriez-vous monter _____ le Kilimandjaro ? Faire de la plongée sous-marine _____ Papouasie, ou _____ Cuba ? …/ 7

8. Avez-vous déjà voyagé _____ hélicoptère ? _____ moto ? _____ dos d'âne ? Quand vous voyagez _____ avion, préférez-vous être _____ avant ou _____ arrière de l'avion? Arrivez-vous à dormir _____ avion ? …/7

9. Quand vous partez en vacances, quels objets _____ : des livres, un ordinateur, un oreiller, une cafetière ? Est-ce que vous _____ par-fois des amis avec vous ? Est-ce que vous _____ des souvenirs de vos voyages (spécialités gastronomiques, objets d'artisanat, musique) ? …/ 3

10. Selon vous, où a-t-on le plus de chance de rencontrer l'homme ou la femme de sa vie : _____ rue, _____ Internet, _____ café ou _____ amis ? …/ 4

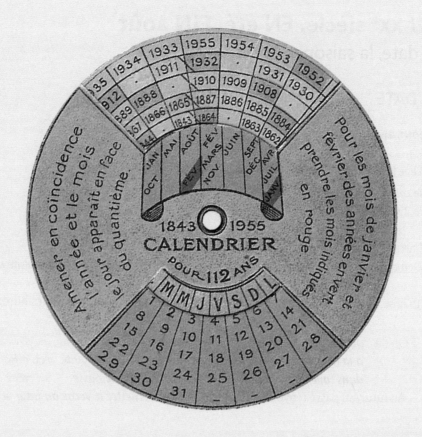

2 - Le moment

10. AU XXᵉ siècle, EN été, FIN août	La date, la saison, le mois
11. À midi, LE matin, DU lundi AU jeudi	L'heure, le moment, l'intervalle
12. CHAQUE jour, TOUS les jours, TOUS les trois jours	La fréquence
13. AN/ANNÉE, JOUR/JOURNÉE	Unités de temps
14. Ce JOUR-LÀ, la VEILLE, le LENDEMAIN	La chronologie
15. PENDANT, EN, DANS, POUR	Le moment et la durée
16. IL Y A, DEPUIS, ÇA FAIT que	L'origine et la durée
17. DÈS, DEPUIS, AUSSITÔT, À PEINE...	La simultanéité et la durée

Récréation n° 2
Sondage-test n° 2

AU XXᵉ siècle, EN été, FIN août
La date, la saison, le mois

LA DATE

■ Jour, année, décennie, siècle

● **Le +** jour

le mardi 2 mai
le 2 mai 1964

● **En +** année

en 1922
en 1964

● **Dans les +** décennie

dans les années vingt
dans les années soixante

● **Au +** siècle

au xxᵉ siècle
au siècle dernier

● L'article disparaît après « aujourd'hui », « demain », « hier » + date.
*Demain, **8 mai**, l'école sera fermée.*   *Avant-hier, **5 mai**, nous avons visité un musée.*

● 1922 se dit : *Mille neuf cent vingt-deux* ou : *Dix-neuf cent vingt-deux.*(dates historiques)

> ❱ On dit : *dans les années **vingt**   dans les années **cinquante**   dans les années vingtième*
> *à la Renaissance   au Moyen Âge*   mais *dans l'Antiquité   À l'Antiquité*
> *dans l'avenir* ou   *à l'avenir,*   mais *dans le passé   au passé*
> – Au futur/au passé renvoient à des conjugaisons : *Mettez le verbe **au** futur et **au** passé.*

> ❱ Avec « dernier/passé/prochain », on utilise **au cours de** plutôt que « pendant ».
> *Au cours des prochaines années/des siècles passés*   pendant les dernières années
> ❱ Avec un nombre on dit : *au cours des **2 dernières** années.* au cours des derniers 2 ans

LA SAISON, LE MOIS

■ Saisons
en hiver   en automne
en été   au printemps (+ consonne)

– avec une précision :
*l'été **dernier** l'automne **dernier***
*l'hiver **1956** au printemps **prochain***

– Avec « été » et « hiver », on peut dire aussi : *L'été je nage. L'hiver je skie.*

■ Mois
*en mars/**au mois de** mars*
*en avril/**au mois d'**avril*
*en juin/**au mois de** juin*

– avec début/milieu/fin
***début** mars*
***mi**-avril*   ou : *à la mi-avril*
***fin** juin*   *à la fin juin*

> ❱ On dit : *au début du mois de mars* ou ***début** mars* : début de mars
> *à la fin du mois d'avril* ou ***fin** avril* : fin d'avril

> ❱ **Mi-/Milieu** = sens local ou temporel
> *Être à **mi**-chemin*
> *Arriver vers **le milieu** du mois*
>
> **Moitié** = quantité
> *Avoir fait **la moitié** du chemin*
> *Passer **la moitié** du mois au lit*
> ❱ On dit : *J'arriverai **mi**-juin/**à la mi**-juin/**au milieu du** mois de juin*   à la moitié de juin

E X E R C I C E S

> **Le vingt-cinq septembre douze cent soixante-quatre**, au petit jour, le duc d'Auge se pointa* sur le sommet du donjon de son château pour y considérer, un tantinet soit peu*, la situation historique.
>
> Raymond Queneau
>
> * se pointer : arriver (argot)
>
> *un tantinet soit peu : un petit peu (vieilli)

1 Complétez, si c'est nécessaire.

1. Aujourd'hui, nous sommes *le* 20 juin. Demain, _____ 21 juin, c'est l'été.

2. Nous partons en vacances _____ août, l'école reprend ____ début _____ septembre

3. _____ Antiquité, Rome se désignait comme « la capitale du monde ».

4. _____ passé et jusqu'___ début ___ XXᵉ siècle, on circulait surtout à cheval.

5. _____ années 40, on mettait plus d'une journée pour traverser la France en train.

6. _____ XVIᵉ siècle, Léonard de Vinci avait déjà inventé les lentilles de contact.

2 Développez, selon le modèle. Donnez vos propres dates de naissance.

1. Mardi – 2 janvier – 1810 – hiver

Auguste est né un mardi.
Le mardi 2 janvier. En mille huit cent dix. Au dix-neuvième siècle. Il est né début janvier (au début du mois de janvier), en hiver.

2. Jeudi – 31 août – 1720 – été

Louis _____
_____
_____
_____

3. Samedi – 3 mars – 2008 – printemps

Agnès _____
_____
_____
_____

3 Au, à la, dans, en, au cours de + articles. Complétez.

Le réfrigérateur

Déjà, *au* VIᵉ siècle avant Jésus-Christ, on conservait les aliments dans de la glace découpée _____ hiver sur les étangs. _____ Antiquité, on stockait la neige dans des jarres humides recouvertes de paille ou on creusait des puits dans le sol. C'est _____ Moyen Âge que commence l'exploitation des grands glaciers et que se développe le transport de la glace sur de larges distances. _____ Renaissance, en Europe, pratiquement tous les citadins possèdent « une glacière » domestique pour conserver les aliments dans des pains de glace achetés dans le commerce.

_____ 1834, l'Anglais Faraday parvient à produire du froid à partir d'un gaz compressé. Il semblerait que le premier réfrigérateur domestique ait été inventé par un moine français, _____ années vingt du siècle dernier. Aujourd'hui plus d'un milliard de réfrigérateurs-congélateurs fonctionnent dans le monde. On a malheureusement constaté, _____ dernières années, que la production massive de froid par l'homme entraînait la fonte du plus grand climatiseur de notre planète : la banquise. Qu'en restera-t-il _____ siècle prochain ?

4 Complétez avec milieu, mi- ou moitié (de) + prépositions et articles.

1. J'ai mangé *la moitié d'une* baguette en rentrant chez moi. **2.** Ne jouez pas _____ route, les enfants, c'est dangereux. **3.** Nous sommes arrivés _____ spectacle et nous avons manqué la première _____ qui était la plus intéressante. **4.** _____ septembre, l'eau est délicieuse en Méditerranée, et les billets d'avion coûtent _____ prix habituel. **5.** Je suis arrivé(e) _____ livre que tu m'as prêté. J'ai déjà lu _____ pages !

11 À midi, LE matin, DU lundi AU jeudi
L'heure, le moment, l'intervalle

L'HEURE, LE MOMENT

◼ **L'heure administrative** se calcule sur vingt-quatre heures : *Il est dix-huit heures.*

◼ **L'heure courante** se calcule sur douze heures : *Il est six heures.*

Heure	– administrative	– courante	
10 h 30	dix heures **trente**	dix heures **et demie**	(**du** matin)
15 h 15	quinze heures **quinze**	trois heures **et quart**	(**de** l'après-midi)
20 h 45	vingt heures **quarante-cinq**	neuf heures **moins le quart**	(**du** soir)
2 h 00	deux heures	deux heures	(**du** matin)

● **À midi** signifie à 12 h ou à la mi-journée. *– Où déjeunez-vous à midi ?*
● **Après-midi** est masculin ou féminin : *Un bel/une belle après-midi d'été.*

> ❱ « Et demie », « et quart », « moins le quart », ne s'utilisent que dans la langue courante.
> ❱ On dit : *Il est six heures et quart. Il est dix-huit heures quinze.*   ~~Il est dix-huit h. et quart~~

> ❱ **De** rattache l'heure au moment de la journée : *Je pars à 10 h du matin.*   ~~à 10 h le matin~~
> ❱ Entre minuit et midi, on dit : *Il est 1 h, 2 h, 3 h du matin.*   ~~Il est 2 h de la nuit~~

● **En avance** = plus tôt que prévu   *Nous sommes en avance : la réunion est dans 15 min.*
● **En retard** = plus tard que prévu   *Nous sommes en retard : la réunion a déjà commencé.*
    – Avec une précision on dit :   *Nous avons un quart d'heure d'avance/de retard.*

> ❱ **À l'avance/d'avance/par avance** = par anticipation, dès maintenant
> *Remercier d'avance/par avance*   *Réserver à l'avance*   ~~je vous remercie en avance~~

● Le moment de la journée s'exprime différemment après une préposition. On dit :

le matin		*au début de la matinée*	*en début de matinée*
l'après-midi	Mais :	*au milieu de la journée*	*en milieu de journée*
le soir		*à la fin de la soirée*	*en fin de soirée*

> ❱ Même chose avec **pendant** et **dans**. *Appelez-moi pendant la matinée.*   ~~pendant le matin~~
>   *Je serai chez moi dans la matinée.*   ~~dans le matin~~

> ❱ On dit : **en ce moment**   *En ce moment, j'étudie.*   ~~au moment, j'étudie~~
>   **au** même **moment**   *On est arrivés au même moment.*
>   **en** même **temps**   *On est partis en même temps.*   ~~au même temps~~

L'INTERVALLE

● **De … à** = intervalle   *On est en vacances de lundi à jeudi, du 15 au 19.*
● **À partir de** = date de départ   *On est en vacances à partir de lundi.*
● **Jusqu'à** = date d'arrivée   *On est en vacances jusqu'à jeudi.*

> ❱ On dit : *de lundi à jeudi.* (= ce lundi /ce jeudi) ou : *du lundi au jeudi* (tous les lundis/jeudis)
> ❱ On dit : *de lundi à jeudi… de lundi jusqu'à jeudi.*   *à partir de lundi jusqu'à jeudi.*
>   ~~à partir de lundi à jeudi~~

E X E R C I C E S

1 Lisez. Observez.

Tremblement de terre

Il était trois heures **du matin** quand la terre a tremblé. On avait été prévenus **à l'avance** et il n'y a pas eu de panique : on s'est tous retrouvés **en même temps** sur la place, en pyjama. **En fin de matinée**, chacun est rentré chez soi. On a senti une autre secousse vers deux heures **de l'après-midi**, mais, dans la journée, c'est moins impressionnant.

2 Donnez l'heure administrative, puis courante.

1. 15 h 15 : *Quinze heures quinze.*

Trois heures et quart.

2. 3 h 45 _____

_____

3. 23 h 30 _____

_____

3 Complétez avec matin ou matinée + articles et prépositions.

– *Le matin*, je me lève tôt, et toi ?

– Moi, je me lève à six heures _____.

– Qu'est-ce que tu fais demain pendant _____ ?

– J'ai un rendez-vous à neuf heures _____,

et un autre en fin _____. Si tu es libre à midi, pour déjeuner, appelle-moi dans _____.

4 Complétez.

1. Les invités sont arrivés *à l'*avance.

2. Le train a une demi-heure _____ avance.

3. Je vous remercie _____ avance.

4. Pour partir en août, réservez _____ avance.

5. Est-ce que tu vis seul _____ moment ?

6. Ne parlez pas tous _____ même temps !

7. Au Brésil, _____ moment, c'est l'été.

8. Nous sommes arrivés _____ même moment.

5 De… à. Continuez.

ouvert lundi/samedi – 8 h/23 h – avril/décembre

fermé 1er janvier/30 mars – 23 h/7 h – dimanche/lundi

L'hôtel est ouvert du lundi au samedi, _____

6 Jusqu'à/au/en. Continuez.

11 h   soir   12 avril   2010

printemps   mois d'août   petit matin

J'ai travaillé jusqu'à onze heures, _____

7 Révision. Complétez avec les éléments manquants. Commentez.

Rythmes scolaires

Les élèves français commencent leur journée vers 8 heures, comme la plupart des jeunes Européens. Mais les élèves travaillent *de 8 h à 13 h* en Hongrie, _____ 9 h _____15 h en Grande-Bretagne, tandis que les élèves français restent à l'école _____ 16 h 30. Ces longues journées s'expliquent en partie par l'importance des vacances. L'année scolaire est découpée tous les deux mois environ par des vacances de deux semaines, _____ automne, _____ Noël, _____ février et _____ printemps. D'autres brèves pauses appelées « ponts » autour d'un week-end ou d'un jour férié ponctuent le travail pour les salariés comme pour les élèves. Les vacances d'été durent, quant à elles, deux mois : _____ 30 juin _____ 3 septembre, environ. Ces longues vacances trouvent leur origine _____ passé, lorsque les enfants devaient aider aux travaux des champs. On constate à l'étranger, avec un sourire, qu'en France, c'est tout le pays qui ralentit son activité _____ été pour la reprendre ___ début _____ automne : on parle ainsi, en parallèle avec la rentrée scolaire, de « rentrée politique, littéraire et sociale »…

CHAQUE jour, TOUS les jours, TOUS les trois jours
La fréquence

CHAQUE, TOUT, PAR, SUR : la fréquence

■ **Chaque** est singulier et n'est **jamais** suivi d'un nombre. On dit :

chaque jour	tous les jours	tous les <u>3</u> jours
chaque mois	tous les mois	tous les <u>6</u> mois
chaque année	tous les ans	tous les <u>4</u> ans
_____	toutes les heures	toutes les <u>2</u> heures

> ❯ **Chaque** est impossible avec une fréquence **horaire** (heure, minute, seconde).
> On dit :   *Un bus passe **toutes les** heures.*   ~~Un bus passe chaque heure~~

● **À chaque seconde/instant** signifie « en permanence », « à tout moment ».
 – *Ne m'interromps pas **à chaque instant** !*   *Je pense à toi **à chaque seconde**.*

■ **Par** s'emploie pour indiquer une fréquence dans une période donnée. Comparez :
 Je pars en vacances chaque année.   *Je pars deux <u>fois</u> **par** an.*
 Prenez ce médicament chaque jour.   *Trois <u>fois</u> **par** jour.*

■ **Sur** met en relation deux quantités.
 *un jour **sur** deux*   *deux mois **sur** trois*   *24 h **sur** 24*   *jours **sur** 7*

> ❯ **Chaque** ne s'emploie jamais avec une fréquence chiffrée. On dit :
> **Tous les** trois jours   **Tous les** deux ans.   ~~chaque 3 jours~~   ~~chaque 2 ans~~
> *Trois fois **par** jour.*   *Une fois **par** an*   ~~trois fois chaque jour~~   ~~une fois chaque an~~

QUESTIONS sur la date, l'heure, l'époque, la fréquence, l'origine...

– Ça s'est passé **quel** jour ?	– Le 18 mai.
en quelle année ?	– En 2000/en 1950.
en quelle saison ?	– Au printemps/en été.
à quelle heure ?	– À midi.
à quel moment ?	– Le matin/le soir.
il y a combien **de** temps ?	– Il y a dix ans.

● Pour le **mois**, on dit :   – *Ça s'est passé à quelle **période** ?*   – *En mai.*
● Pour le **siècle**, on dit :   – *Ça s'est passé à quelle **époque** ?*   – *Au xvᵉ siècle.*
● Pour la **fréquence**, on dit :   – *Vous êtes partis combien de **fois** ?*   – *Trois fois.*
● Pour la **durée**, on dit :   – *Vous êtes partis combien de **temps** ?*   – *Trois ans.*

> ❯ **La fois où** indique un moment précis, **chaque fois que** indique une répétition.
> – *Te rappelles-tu **la fois où** je suis tombé dans la mare ? **Chaque fois que** j'y pense, je ris !*

EXERCICES

Lisez. Observez.

> **Robinson**
>
> Robinson, sur son île déserte, tenait un calendrier. **Chaque** jour, il traçait une marque sur un arbre, il faisait une croix **tous les** trente jours et un cercle à la fin de **chaque** année. **Tous les** sept ans, il changeait d'arbre. Robinson n'avait pas besoin de marquer l'heure : trois fois **par** jour, le matin, l'après-midi et le soir, son estomac lui indiquait l'heure des repas.

2 **Donnez une fréquence**

4 ans	2 mois	~~2 sec~~
3 min	24 h	10 ans

1. Un enfant naît *toutes les 2 secondes.*

2. Les jeux Olympiques ont lieu _____

3. Le magazine *Côté Sud* paraît _____

4. Une rame de métro passe _____

5. Un portable se recharge _____

6. On recense la population _____

3 **Trouvez un (ou plusieurs) synonymes.**

~~chaque jour~~	1 jour sur 2	tous les 15 jours
1 an sur 2	tous les 6 mois	tous les ans

1. Je me lave les cheveux <u>tous les jours.</u>/*chaque jour*

2. Je pars en Grèce <u>chaque année.</u>/_____

3. J'ai cours de français <u>tous les 2 jours.</u>/_____

4. Je passe un test <u>2 fois par mois.</u>/_____

5. Je retourne chez moi <u>tous les 2 ans.</u>/_____

6. Je vois ma famille <u>2 fois par an.</u>/_____

4 **Tous les, toutes les, sur, par, (à) chaque. Complétez.**

1. Le facteur passe *chaque* jour.

2. Il y a une navette pour l'aéroport _____ heures.

3. Paul garde son fils une semaine _____ deux.

4. Les bébés mangent six fois _____ jour.

5. Faites une pause en voiture _____ deux heures.

6. Les enfants sont en congé _____ deux mois.

7. Ne m'interromps pas _____ seconde !

8. La pharmacie est ouverte 24 h _____ 24.

5 **Posez des questions sur l'année, le siècle, le mois, le jour, la fréquence… et complétez les réponses.**

1. – *En quelle année* John Lennon a-t-il été assassiné ? — *En* 1980.

2. – _____ fête-t-on la Saint Valentin ? — _____ 14 février.

3. – _____ naît-il le plus d'enfants ? — _____ printemps.

4. – _____ les enfants sortent-ils de l'école ? — _____ quatre heures et demie.

5. – _____ l'homme a-t-il marché sur la lune ? — _____ 1969.

6. – _____ faut-il éviter de manger les huîtres ? — _____ été.

7. – _____ le facteur apporte-t-il le courrier ? — _____ matin.

8. – _____ a vécu Molière ? — _____ XVIIᵉ siècle.

9. – _____ est apparu le rock'n roll ? — _____ années soixante.

10. – _____ a lieu le carnaval de Rio ? — _____ février.

11. – _____ avez-vous fini vos études ? — L'année _____ je me suis marié.

12. – _____ a-t-on construit Notre-Dame de Paris ? — _____ Moyen Âge.

13. – _____ a duré la construction de la cathédrale ? — Presque deux siècles.

14. – _____ Liz Taylor s'est-elle mariée ? — Huit fois avec sept hommes différents.

AN/ANNÉE, JOUR/JOURNÉE
Unités de temps

AN/ANNÉE, JOUR/JOURNÉE et l'expression de la quantité

■ **An** s'utilise avec les **nombres** jusqu'à 1 million (non inclus).

> 1, 2, 3 *ans*   1 000 *ans*
> 10 000 *ans*   100 000 ans
> mais : 1 million d'**années**

■ **Année** s'utilise avec toutes les autres expressions de quantité.

> quelques **années**   une dizaine d'**années**
> chaque **année**   des **années** et des **années**
> comptez les **années**   combien d'**années** ?

■ **Jour** s'utilise avec toutes les expressions de quantité.

> 10 **jours**   quelques **jours**
> une dizaine de **jours**

■ **Journée** s'utilise seulement avec **demi**.

> Une <u>demi</u>-**journée**

> ❱ « Mille » est un nombre invariable : *Ça s'est passé il y a **mille** ans.*   ~~il y a mille années~~
> ❱ « <u>Un</u> millier », « <u>un</u> million » sont des noms et ils sont suivis par **de** + années.
>   <u>un</u> millier <u>d'**années**</u>/<u>des</u> millions <u>d'**années**</u>   ~~un millier d'ans~~   ~~des millions d'ans.~~

> ❱ Avec une **fréquence**, on dit : *chaque **année*** mais : *une fois **par** an*   ~~une fois par année~~
>   On dit : *1 **an** sur 2* ou *1 **année** sur 2* mais au-delà on dit : *2 **années** sur 3, 3 **années** sur 4…*

> ❱ Pour donner un effet de ralenti ou amplifier la durée, on peut dire :
>   *Dix **ans** passèrent.* ou : *Dix **années** passèrent.*

ANNÉE, JOURNÉE, MATINÉE, SOIRÉE et l'expression de la durée

● On ajoute le suffixe « ée » (expression de la durée) après :

– les adjectifs, en général

> une longue journ<u>ée</u>   une bonne ann<u>ée</u>
> une charmante soir<u>ée</u>   une belle matin<u>ée</u>

– certaines prépositions

> **Dans** la matin<u>ée</u>   **En fin** de journ<u>ée</u>
> **En cours** d'ann<u>ée</u>   **En début** de soir<u>ée</u>

– On dit : *trois ans* mais : *trois <u>belles</u> années   trois <u>longues</u> années   la <u>troisième</u> année.*
– *Un <u>beau</u> jour, le <u>nouvel</u> an, un <u>triste</u> soir* indiquent une **date**, pas une durée.

<u>Remarques :</u>

– **Bonsoir/bonjour** sont des salutations.
  Bonne journée/bonne soirée (après 18 heures) sont des souhaits.
– **Bonne nuit** ne s'emploie qu'au moment d'aller dormir.
– **Une nuitée** = une nuit d'hôtel (hôtellerie).
– **Spectacle en matinée et soirée** = spectacle qui a lieu l'après-midi et le soir.
– **En plein jour/en pleine nuit** = au milieu de la journée/de la nuit.

EXERCICES

1 Lisez. Observez.

> **Couple**
>
> Ça faisait neuf **ans** et trois cent soixante-quatre **jours** qu'ils s'étaient rencontrés. Presque dix **ans**. Dix merveilleuses **années**, qui s'étaient écoulées comme dans un rêve, pleines d'intenses **journées** de travail partagé, de **matinées** tendres et de délicieuses **soirées** de détente. Des **jours** et des **jours** d'entente, des **années** et des **années** de bonheur. Combien de temps encore durerait ce petit miracle ?

2 An ou année. Complétez.

cinquante *ans*	plusieurs _____	une vingtaine _____	un million _____	environ quinze _____
trois cents _____	quelques _____	huit _____	un grand nombre _____	plus de cinquante _____

3 An/année, jour/journée. Complétez et répondez.

Petit quiz

1. La Première Guerre mondiale a-t-elle duré 4 ou 5 *ans* ?   – *Elle a duré 4 ans.*
2. Pendant le Déluge, il a plu 40 ou 50 _____ ?   – _____
3. L'homme vit sur terre depuis 300 000 _____ ou 3 millions d'_____ ?   – _____
4. L'aube se situe en début ou en fin de _____ ?   – _____
5. La Saint-Sylvestre se fête en fin ou en début d'_____ ?   – _____
6. _____ bissextile contient 364 ou 366 _____ ?   – _____
7. Le Tour de France a lieu une ou deux fois par _____ ?   – _____
8. Qui a dit : « Passé 40 _____, un homme est responsable de son visage » : Léonard de Vinci ou Leonardo DiCaprio ?   – _____

4 An/année, jour/journée, soir/soirée. Choisissez.

> **Heureuse jeunesse**
>
> Il y a cinquante *ans/années*, quand j'étais jeune, les vacances d'été étaient très longues. On avait deux mois et demi de vacances par *an/année*, soixante-dix-sept *jours/journées*, entre la fin et la reprise des cours. On se levait à l'aube*, on passait de magnifiques *jours/journées* nus dans la rivière, jusqu'au crépuscule*, et de formidables *soirs/soirées* couchés dans un hamac, à regarder les étoiles. Nous construisions des cabanes dans les bois, des barrages dans les ruisseaux. C'était des *ans/années* magiques. Seuls les feux d'artifices, *le soir/la soirée* du 14 juillet et du 15 août, rythmaient le passage du temps. Quand arrivait *le jour/la journée* de la rentrée, on était redevenus sauvages.
>
> * aube : début de la journée   * crépuscule : fin de la journée

5 Écrit. Racontez des souvenirs de vacances sur le modèle de l'exercice 4.

CE JOUR-LÀ, LA VEILLE, LE LENDEMAIN
La chronologie

SITUATION PAR RAPPORT AU PRÉSENT

Avant-hier	**Hier**	**Aujourd'hui**	**Demain**	Après-demain
matin	matin	**Ce** matin	matin	matin
après-midi	après-midi	**Cet/cette** après-midi	après-midi	après-midi
soir	soir	**Ce** soir	soir	soir
La semaine **d'avant/précédente**	La semaine **dernière/passée**	**Cette** semaine	La semaine **prochaine**	La semaine **d'après/suivante**
Le mois **d'avant/précédent**	Le mois **dernier/passé**	**Ce** mois-**ci**	Le mois **prochain**	Le mois **d'après/suivant**
L'année **d'avant/précédente**	L'année **dernière/passée**	**Cette** année _____	L'année **prochaine**	L'année **d'après/suivante**
Il y a un mois/un an… **Dans le** passé, autrefois, jadis		**En ce** moment (-ci) Maintenant Actuellement	**Dans** un mois/un an… **À l'**avenir, **dans** l'avenir…	

SITUATION PAR RAPPORT AU PASSÉ ET AU FUTUR

Deux jours **avant/plus tôt** L'avant-veille	**La veille** au matin au soir	**Ce jour-là** **Ce** matin-**là** **Cet** après-midi-**là** **Ce** soir-**là**	**Le lendemain** matin après-midi soir	Deux jours **après/plus tard** Le surlendemain
Deux semaines **avant/plus tôt**	La semaine **d'avant/précédente**	**Cette** semaine-**là**	La semaine **d'après/suivante**	Deux semaines **après/plus tard**
Deux mois **avant/plus tôt**	Le mois **d'avant/précédent**	**Ce** mois-**là**	Le mois **d'après/suivant**	Deux mois **après/plus tard**
Deux ans **avant/plus tôt**	L'année **d'avant/précédente**	**Cette** année-**là** _____	L'année **d'après/suivante**	Deux ans **après/plus tard**
Plus tôt **Au cours des années** précédentes		**À** ce moment-**là** **À** cette époque-**là**	**Plus tard,** **Au cours des années** suivantes	

❱ On dit : *un mois **avant***   Mais : *le mois **d'**avant*   ~~le mois avant~~
           *un an **après***   Mais : *l'année **d'**après*   ~~l'année d'après~~

❱ Quand **après** signifie **plus tard** on le place en fin de phrase.
   On dit : *Il est parti et il est revenu une heure **après**.*   ~~Il est revenu après 1 heure~~

❱ **-là** renvoie à un moment du passé ou du futur.
   Tu es passé(e) hier. **À ce moment-là**, *j'étais sorti(e).*
   Repasse demain. **À ce moment-là**, *je serai libre.*

E X E R C I C E S

> **Les deux guitares**
>
> Que vivons-nous ?
> Pourquoi vivons-nous ?
> Quelle est la raison d'être ?
> Tu es vivant **aujourd'hui**,
> Tu seras mort **demain**
> Et encore plus **après-demain**.
>
> Charles Aznavour

> Il ne faut jamais remettre au **lendemain** ce qu'on aurait pu faire l'**avant-veille** du **surlendemain**.
>
> Pierre Dac

1 La veille, le lendemain, plus tôt, d'avant, plus tard. **Lisez et rapportez les paroles de M. Blanc.**

Interrogatoire :
Inspecteur : – Quand avez-vous vu votre comptable pour la dernière fois ?
M. Blanc : – <u>Il y a deux jours.</u> Mardi soir. Il travaillait encore quand je suis parti.
Inspecteur : – Que vous a-t-il dit ?
M. Blanc : – Il m'a dit : « <u>Demain</u>, je ne pourrai pas venir au bureau. »
Inspecteur : – Quand avez-vous appris sa mort ?
M. Blanc : – <u>Hier</u>. Ça m'a fait un choc : André avait acheté sa voiture la <u>semaine dernière</u>.
Elle était neuve. Et puis, il conduisait très bien et il ne buvait pas. C'est bizarre.
Inspecteur : – Quand aviez-vous embauché André Juliard ?
M. Blanc : – Il y a <u>dix ans.</u>
Inspecteur : – Était-il dépressif ?
M. Blanc : – Il avait pris un mois de congé pour dépression <u>l'année dernière</u>.
Inspecteur : – Aurait-il commis des fautes professionnelles ?
M. Blanc : – <u>Il y a un mois</u>, j'ai remarqué certaines irrégularités dans les comptes.
Un inspecteur devait faire un audit comptable chez nous <u>dans deux semaines.</u>

M. Blanc a dit qu'il avait vu son comptable deux jours plus tôt. _____

_____

2 **Complétez puis transformez.**

Journal de Félix Gouvard   29/06/1948

Quelle semaine, mes aïeux ! Aujourd'hui, 29 juin, je me marie ! _____, 28 juin, j'ai vendu

ma maison. _____, 27 juin, j'ai passé (et réussi) mon diplôme d'ingénieur agronome.

_____, 30 juin, je pars pour l'Australie. Une nouvelle vie va commencer pour Rose et moi.

On va acheter une ferme en Australie et on va vivre comme on en a toujours rêvé. Une voyante m'a prédit que

je deviendrais riche _____ : en 1949 ! Et je le deviendrai !

J'ai trouvé le journal de mon grand-père Félix.

Ce jour-là, le vingt-neuf juin mille neuf cent quarante-huit, mon grand-père s'est marié, _____

_____

15

PENDANT, EN, DANS, POUR
Le moment et la durée

PENDANT et EN

■ **Pendant** met l'accent sur le **développement** de l'action.

> *Paul a marché **pendant** 3 heures.*
> = il a marché, et marché, et marché…

● L'action est **continue**.
Le verbe exprime une idée de **durée**.
Ex. : marcher, voyager, réfléchir…

■ **En** met l'accent sur la **quantité de temps** que demande une action.

> *Il a traversé Paris **en** 3 heures.*
> = Il a mis 3 heures pour traverser.

● L'action est **finie**.
Le verbe exprime une idée de **résultat**.
Ex. : trouver, obtenir, finir…

● Certains verbes peuvent avoir les deux valeurs.
Ex. : manger, se préparer, faire, etc.

> *Il s'est préparé **pendant** 2 heures.*
> = action continue

> *Il s'est préparé **en** 5 minutes.*
> = résultat de l'action

● **Pendant** peut être omis devant un nombre, sauf à la forme négative :

> *Il a dormi (pendant) huit heures.*
> *Il n'a pas dormi **pendant** 48 heures.*

> *Il a travaillé (pendant) dix jours.*
> *Il n'a pas mangé **pendant** trois jours.*

> ⟩ **En** met **souvent** en relation <u>deux quantités</u>, **ce qui est impossible** avec **pendant**.
> *Ils ont fait <u>8</u> km **en** <u>2</u> h*   ~~Ils ont fait 8 km pendant 2 h~~
> *Elle a eu <u>2</u> bronchites **en** <u>3</u> mois.*   ~~Il a eu 2 bronchites pendant 3 mois~~

DANS et POUR

■ **Dans** : moment du **futur**

> *Je prendrai ma retraite **dans** 5 ans.*
> *Le stage commence **dans** 10 jours.*
> = pas avant une date donnée

● **Dans + le/la/les** désigne la période qui vient, à partir de maintenant.

> *Il faut s'inscrire **dans** <u>les</u> 10 jours.*
> *On doit payer **dans** <u>les</u> 2 jours.*

■ **Pour** : **durée** prévue

> *J'ai été engagé **pour** <u>1 an.</u>*
> *J'ai loué une voiture **pour** <u>le week-end.</u>*
> = durée du contrat

● Le verbe est **ponctuel**, sans durée.
Ex. : s'engager, partir, louer… Comparez :

> *J'ai loué un studio **pour** 6 mois.* (louer = signer)
> *J'ai loué un studio **pendant** 6 mois.* (louer = vivre)

■ **Verbes exprimant la durée :**

● **Mettre à** met l'accent sur un **résultat** :

> *J'ai **mis** 1 heure **à** me garer !*   = J'ai mis 1 heure *(pour réussir)* **à** me garer !
> *J'ai **mis** du temps **à** comprendre.*   = J'ai **mis** du temps *(pour arriver)* **à** comprendre.

● **Mettre pour** met l'accent sur un **processus.**   *J'ai **mis** 1 heure **pour** me garer correctement.*
– On l'emploie notamment avec « combien » : *Vous avez **mis** combien de temps **pour** apprendre l'arabe ?*

● **Passer … à**   *J'ai **passé** 3 jours **à** ranger !   Marc a **passé** sa vie **à** voyager.*

● **Formes impersonnelles :** *Il m'a **fallu** 3 jours **pour** finir. <u>Ça</u> m'a **pris** 3 jours. <u>Ça</u> m'a **demandé** 3 jours.*

E X E R C I C E S

1　Lisez. Observez.

Retour au pays natal

Je rentre de Grèce. J'ai vu Yorgos. Huit ans après… C'était émouvant. On a bavardé **pendant** des heures et on a mangé baklava sur baklava **pendant** une semaine. J'ai pris 5 kilos **en** huit jours. Je vais **mettre des** mois **pour** les perdre. Yorgos pense venir nous voir **dans** un an. Ça me semble loin, mais ce serait **pour** une longue période. Il voudrait louer un appartement au moins **pour** trois mois. Il me le confirmera **dans les** semaines qui viennent.

2　Pendant, en, dans, pour. **Complétez.**

1. Mes parents ont vécu à Rome *pendant* dix ans.

2. On a signé un contrat de location _____ deux ans.

3. Bill s'est engagé dans l'armée _____ cinq ans.

4. L'acteur a joué _____ six heures, sans interruption.

5. J'ai dépensé tout mon salaire _____ une semaine.

6. La prochaine réunion aura lieu _____ un mois.

7. Le train fait huit cents kilomètres _____ trois heures.

8. L'équipe a réalisé six épisodes télé _____ deux mois.

3　Pendant, en, dans, pour. **Complétez le texte. Soulignez les verbes associés aux prépositions.**

Le poumon de la terre

Le gouvernement brésilien a étudié *pendant* plusieurs années le problème de la sauvegarde de la forêt amazonienne. La forêt a perdu 30 % de sa superficie *en* cinquante ans, et le processus de déforestation s'accélère. Un dispositif de surveillance par satellite a fonctionné sans succès _____ des années. Le gouvernement est impuissant et la forêt est livrée sans merci* à toutes sortes d'exploitations sauvages : ainsi un entrepreneur brésilien a gagné une fortune _____ deux ans, en s'appropriant cinq millions d'hectares de forêt . Flore et faune : l'homme a détruit _____ quelques décennies ce que la nature avait élaboré _____ des siècles. En désespoir de cause*, et avec le soutien de Greenpeace, le gouvernement a décidé de privatiser une partie de la forêt. Les parcelles* seront attribuées _____ une période de quatre ans à des sociétés dont la gestion sera rigoureusement contrôlée _____ toute la période du contrat. Privatiser pour sauver la planète ? Est-ce une solution ? On connaîtra la réponse _____ quelques années.

*sans merci : sans pitié　　*en désespoir de cause : solution désespérée　　*parcelle : portion de terrain

4　Repérez les verbes et les prépositions dans le texte ci-dessus et réemployez-les, selon le modèle.

1. Magda a *étudié* à l'université *pendant* quatre ans.

2. Léo est distrait : il _____ six parapluies _____ un an.

3. Le feu _____ mille hectares _____ quelques jours.

4. Au cours des fêtes, le métro _____ sans interruption _____ trois jours.

5. Chaque année, une bourse d'étude _____ aux meilleurs élèves _____ une période de six mois.

6. La police _____ un plan _____ plusieurs jours pour libérer les otages.

7. Mon fils _____ mille euros _____ une semaine en jouant dans un film publicitaire.

8. Il faut _____ les effets des médicaments _____ des mois avant de les mettre sur le marché.

9. On _____ les résultats de l'examen _____ un mois.

5　Faites des dialogues avec :

changer le pneu – remplacer le fusible – imprimer 500 pages – installer Windows

– Tu as mis combien de temps pour changer le pneu ?
– Il m'a fallu une heure. / J'ai mis une heure. / Ça m'a pris une heure. / J'ai fait ça en une heure.

16

IL Y A, DEPUIS, ÇA FAIT que
L'origine et la durée

IL Y A et DEPUIS remontent à l'origine d'un événement ou d'une situation.

■ **Il y a** + moment du **passé**
s'emploie toujours avec un **passé**.

*J'ai passé le permis **il y a** 15 ans.*
*Jo s'est couché **il y a** une heure.*

■ **Depuis** + situation toujours **actuelle**
s'emploie surtout avec le présent.

*Je conduis **depuis** 16 ans.*
*Jo dort **depuis** une heure.*

● **Depuis** s'emploie avec un présent
ou un passé composé à valeur de présent.

● Passé composé « négatif »

*Je n'ai pas dormi **depuis** 2 jours*
(et je ne dors toujours pas).

● Passé composé « durable »

*J'ai arrêté de fumer **depuis** 2 mois*
(et je n'ai pas recommencé).

■ Les verbes pouvant exprimer un « passé durable » sont des verbes contenant une idée de :

● <u>début/fin</u> : commencer, finir, arrêter, abandonner, disparaître, décoller, atterrir...

● <u>modification</u> : grandir, grossir, maigrir, rajeunir, embellir, augmenter, diminuer...

● <u>évolution</u> : empirer, s'améliorer, se dégrader, se stabiliser, se renforcer, s'effondrer...

● <u>état</u> (être + participe passé) : être marié, être divorcé, être associé, être fâché...

● <u>déplacement</u> (avec être) : arriver, partir, rentrer, sortir, revenir... + naître et mourir...

❱ On dit : *Je me suis marié **il y a** 2 ans.*   *Je suis marié **depuis** 2 ans.*
*J'ai arrêté de fumer **il y a** 6 mois.*   *J'ai arrêté de fumer **depuis** 6 mois.*
= accent sur l'événement passé   = accent sur la situation actuelle

ÇA FAIT ... que, IL Y A ... que, VOILÀ ... que **placent la durée en début de phrase.**

● Le verbe peut avoir une valeur de présent, de passé durable ou de passé ponctuel.

| **Ça fait**
Il y a
Voilà | *15 ans* | que | *j'ai passé le permis/je conduis.*
je me suis marié(e)/je suis marié(e).
j'ai arrêté de fumer/je ne fume plus. |

❱ Avec **ça fait ... que**, on met souvent l'accent sur ce qui n'a pas eu lieu :
*Ça fait longtemps que **je ne t'ai pas vu** !*   *Ça fait longtemps que **je n'ai pas dansé**...*
~~ça fait longtemps depuis que je t'ai vu~~   ~~ça fait longtemps que j'ai dansé~~

<u>Remarques</u> : **dans un récit au passé** les verbes sont transposés au passé.
*Charles **dort** depuis une heure.*   *Charles **dormait** depuis une heure quand je suis entré.*
*Il y **a** des années que je ne l'ai pas vu.*   *Il y **avait** des années que je ne l'avais pas vu.*

E X E R C I C E S

> **Ça fait** 15 jours **que** je suis au régime et j'ai déjà perdu 2 semaines.
>
> Woody Allen

1   Depuis, il y a (ou les deux). **Continuez.**

1. travailler	**6.** habiter ici
2. être marié(e)	**7.** s'être marié(e)
3. quitter son pays	**8.** suivre des cours
4. conduire	**9.** passer le permis
5. changer de voiture	**10.** arrêter de fumer

– Vous travaillez depuis combien de temps ?
– Il y a combien de temps que vous travaillez ?

2   Complétez avec le verbe correct, selon le modèle.

1. (se) fâcher   Les Montaigu et les Capulet *sont fâchés* depuis des siècles et on ne sait plus pourquoi.
     Mes frères _____ il y a deux ans, après des vacances ratées. C'est idiot.

2. (s') associer   Le boucher et le traiteur du quartier _____ depuis un an et ils ont doublé leur bénéfice.
     Plusieurs médecins de l'arrondissement _____ il y a dix ans pour créer un dispensaire.

3. (se) marier   Mes voisins _____ il y a six mois et ils ont divorcé tout de suite après.
     Paul et Julie _____ depuis six ans et ils sont toujours très amoureux.

4. (s')installer   Trois boutiques de téléphonie _____ dans ma rue il y a 6 mois et une autre va ouvrir !
     Les stands de la brocante _____ depuis deux jours et il n'a pas cessé de pleuvoir.

3   Depuis, ça fait que. **Trouvez le verbe puis transformez comme dans l'exemple.**

1. On craint des inondations : *il pleut* depuis 8 jours.   *Ça fait 8 jours qu'il pleut !*

2. Va réveiller ton frère : il _____ depuis plus de 12 heures. _____

3. Mange quelque chose : tu _____ depuis 48 heures. _____

4. Je ne sais pas si je reconnaîtrai Joseph : je _____ depuis plus de 10 ans. _____

5. La poste est en grève : le facteur _____ depuis 3 jours. _____

4   Faites des phrases, selon le modèle.

1. manger des crevettes/avoir une intoxication
J'ai eu une intoxication, il y a 2 ans, en mangeant des crevettes et, depuis, je n'en ai plus jamais mangé.

2. faire du ski/se casser la jambe

_____

3. jouer au casino/perdre 500 euros

_____

4. manger des cacahuètes/s'étouffer

_____

5   Il y a, depuis + verbes. **Complétez. Indiquez les différentes possibilités, selon le modèle.**

~~arriver~~   gagner   disparaître   baisser   atterrir   arrêter   dormir   perdre   se stabiliser   s'installer

1. Le train *est arrivé* en gare *depuis/il y a* dix minutes.   **2.** La police recherche l'enfant qui _____ en rentrant de l'école _____ plus de dix jours.   **3.** Mon voisin _____ 10 000 euros au Loto _____ quelques jours.   **4.** L'avion _____ sur la piste 21 _____ dix minutes.   **5.** Monsieur Rameau, le fleuriste, _____ dans le quartier _____ trois ans.   **6.** Il fait froid. La température _____ d'au moins dix degrés _____ un mois. **7.** Anne a des soucis : elle a les yeux cernés, elle ne_____ plus _____ trois jours, elle _____ son beau sourire.   **8.** – Marc ne fume plus ? – Non, il _____ de fumer _____ trois mois.   **9.** _____ quelques jours, l'état du malade _____ et les médecins sont optimistes.

DÈS, DEPUIS, AUSSITÔT, À PEINE...
La simultanéité et la durée

DÈS et DEPUIS (que) : point de départ d'une action ou d'une situation

■ **Dès** : point de départ **instantané**

*Je travaille **dès** l'aube.*
*J'ai appelé Jo **dès** mon arrivée.*

*J'ai mal **dès que** je marche.*
*Je l'ai aimé **dès que** je l'ai vu.*

■ **Depuis** : point de départ + **durée**

*Je travaille **depuis** l'aube.*
*Je suis malade **depuis** mon arrivée.*

*J'ai mal **depuis que** je suis tombé.*
*J'aime **depuis que** je le connais.*

> **Dès** est impossible avec une durée. On dit :
> *Je travaille **depuis** 3 mois.* ~~Je travaille dès 3 mois~~ (= dès l'âge de 3 mois !)
> *J'ai appelé mes parents **dès** mon arrivée.* ~~depuis mon arrivée~~ (= sans cesse !)

> **Depuis que** + **présent** = situation qui a commencé à un âge donné.
> *Je joue du piano **depuis que** j'<u>ai</u> 3 ans.* ~~depuis que j'avais 3 ans~~
> *Je fais du football **depuis que** je <u>suis</u> petit.* ~~depuis que j'étais petit~~
>
> – Il est préférable d'employer une tournure sans verbe : *Je joue **depuis l'âge de** 3 ans.*

● **Désormais/dorénavant** (langage soutenu) : « à partir de maintenant »
   Désormais*/*Dorénavant *les réunions auront lieu dans le bâtiment B.*

● **D'ores et déjà** (langage soutenu) : maintenant + déjà
   *Les inscriptions aux examens sont **d'ores et déjà** ouvertes.*

AUSSITÔT/SITÔT/À PEINE : « dès que » à l'écrit

***Aussitôt** qu'il arriva, Charles m'appela.*
***Sitôt que** je le vis, je le reconnus.*
*Il était **à peine** arrivé **qu'**il dut repartir.*

● Avec l'expression « Sitôt dit, sitôt fait », l'action suit immédiatement la parole.
   *On avait envie d'aller à la plage ? **Sitôt dit, sitôt fait,** on enfilait nos maillots.*

● **À peine** se place en début de phrase en langue soutenue et on fait l'inversion du verbe et du sujet. Lorsque le verbe se construit avec *être*, on peut alléger les constructions.

   À *peine* <u>était-il</u> arrivé **qu'**il dut repartir.
   À *peine* arrivé, il dut repartir.

   À *peine* <u>s'était-il</u> couché **qu'**il s'endormait.
   À *peine* couché, il s'endormait.

■ Différents sens de (à) peine :

À peine = petite quantité	*J'ai pris **à peine** une semaine de vacances, c'est peu.*
De la peine = du chagrin	*L'enfant pleure : on s'est moqué de lui et il a **de la peine**.*
De la peine à = des difficultés	*J'ai bu trop de café et j'ai eu **de la peine à** m'endormir.*
Pas la peine = pas nécessaire	*– Faut-il confirmer le vol ? – Non, ce n'est **pas la peine**.*

E X E R C I C E S

1 Lisez. Observez.

Allergie ?

Dès les premiers jours du printemps, je commence à éternuer. **Dès qu**'il y a un chien ou un chat dans les parages*, je tousse. C'est comme ça **depuis que** je suis petite. Ou plutôt **depuis que** ma famille s'est installée à la campagne. **À peine** arrivée dans la maison, je m'étais mise à enfler. On avait dû appeler les pompiers. Je déteste la campagne ! **Dès que** je serai majeure, je retournerai vivre en ville. Mais Pierrot, mon ami d'enfance, m'attendra-t-il jusque-là ?

*Dans les parages : dans le voisinage

2 Depuis, dès. Complétez.

1. *Depuis* notre rencontre, on ne se quitte plus.

2. _____ l'âge de 12 ans, j'ai commencé à fumer.

3. _____ l'âge de 12 ans, je fume.

4. _____ le matin, je me mets au travail.

5. _____ ce matin, je n'ai rien mangé.

6. _____ mon arrivée, je dors mal.

3 Depuis que, dès que. Complétez librement.

1. Viens me voir *dès que tu pourras*.

2. Le chien aboie _____

3. J'achèterai une voiture _____

4. Tu as meilleure mine _____

5. Il faut servir le café _____

6. Je n'ai plus de migraine _____

4 Depuis que, dès que. Complétez, selon le modèle.

~~voir un radar~~   voir un chat   faire un régime   avaler une arête   naître

découvrir un vaccin   entendre l'alarme   élargir la chaussée   commencer à pleuvoir   brancher la prise

1. Les automobilistes ralentissent
dès qu'ils voient un radar.

2. Je ne mange plus de poisson
_____

3. Ma mère éternue
_____

4. Anna a perdu 5 kilos
_____

5. Les chevaux peuvent marcher
_____

6. Le chat rentre dans la maison
_____

7. On circule nettement mieux
_____

8. La maladie a régressé
_____

9. Les voleurs se sont enfuis
_____

10. Les fusibles sautent
_____

5 Dès que/aussitôt que. Transformez.

1. Dîner/se coucher .

2. Lire le courrier/l'archiver

3. Finir mon roman/te le prêter

4. Emménager/faire une fête

5. Recevoir son visa/partir

6. S'habiller/sortir

Je me coucherai dès que j'aurai dîné.

Je me coucherai aussitôt que j'aurai dîné. _____

_____

6 La peine (de) / à peine / de la peine (à). Complétez.

1. Aliona a *de la peine*, car son petit chat est mort.

2. Adrian est distrait et il a _____ se concentrer.

3. Ne vous dérangez pas pour moi : ce n'est pas _____.

4. La nuit commençait à tomber ; on y voyait _____.

5. Restez encore un peu avec nous : il est _____10 h.

6. Depuis son accident, ma mère a _____ marcher.

7. Le spectacle est bon. Ça vaut _____ y aller.

8. _____ Jean était-il arrivé qu'il dut repartir.

EXPRESSIONS de l'origine, de la simultanéité et de la durée

	présent	futur	passé composé	imparfait
Dans	Je pars **dans** 5 min.	Je reviendrai **dans** 2 jours.		
En	Je me prépare **en** 5 min.	Je me préparerai **en** 5 min.	Je me suis préparée **en** 5 min !	Avant, je me préparais **en** 5 min.
Pour	Je loue un appartement **pour** 2 ans.	Je louerai un appartement **pour** 2 ans.	J'ai loué un appartement **pour** 2 ans.	Avant, on se mariait **pour** la vie.
Pendant	Je dors (**pendant**) 8 heures.	Je dormirai (**pendant**) 8 heures.	J'ai dormi (**pendant**) 8 heures. Je n'ai pas dormi **pendant** 8 heures.	Quand j'étais jeune, je pouvais dormir (**pendant**) 12 heures d'affilée.

	présent	passé composé ponctuel, fini, négatif ou à effet durable	imparfait ou plus-que-parfait (récit au passé)
Il y a		Je me suis marié **il y a** 10 ans.	Je suis arrivé à Paris **il y a** 5 mois. / **Il y a** 5 ans, j'habitais Rome et j'avais fini mes études.
Depuis	Max dort **depuis** 48 h.		Il n'est pas sorti **depuis** longtemps. Il est parti **depuis** 3 jours. / Quand on s'est connus, j'habitais à Rome **depuis** 3 mois et j'avais fini mes études **depuis** 6 mois.
Il y a… Ça fait… Voilà… que	Il y a / Ça fait / Voilà 6 h **qu'**il dort.	Il y a / Ça fait / Voilà 6 h **qu'**il a fini.	Il y a 3 mois **qu'**il n'est pas venu. Ça fait 3 mois **qu'**il est parti. Voilà 3 mois **qu'**il s'est marié. / Quand je suis arrivé(e), il y avait 3 h **qu'**il dormait. Ça faisait 3 h **qu'**il était parti.
Depuis que	Max ne conduit plus **depuis qu'**il habite à Paris.	Max a vendu sa voiture **depuis qu'**il a déménagé.	Max n'a plus conduit **depuis qu'**il a vendu sa voiture. / Max ne conduisait plus **depuis qu'**il avait déménagé.
Dès que	Le chien aboie **dès qu'**il voit son maître.	Le chien a aboyé **dès qu'**il a vu son maître.	Le chien aboyait **dès qu'**il voyait son maître.

QUESTIONS sur l'origine et la durée

– *Depuis combien de temps étudiez-vous le français ?*
– *Ça fait combien de temps que vous étudiez le français ?*
– *Il y a combien de temps que vous étudiez le français ?*
– *J'étudie le français depuis cinq ans.*

– *Vous avez passé le permis il y a combien de temps ?*
– *Ça fait combien de temps que vous avez passé le permis ?*
– *Il y a combien de temps que vous avez passé le permis ?*
– *J'ai passé le permis il y a 15 ans.*

– *Le matin, vous mettez combien de temps pour vous préparer ?*
– *Le matin, il vous faut combien de temps pour vous préparer ?*
– *Je me prépare en vingt minutes.*

– *Vous avez travaillé à Rome (pendant) combien de temps ?*
– *(Pendant) combien de temps avez-vous travaillé à Rome ?*
– *J'ai travaillé à Rome (pendant) 3 ans*

– *Vous partez en vacances dans combien de temps ?*
– *Dans combien de temps partez-vous en vacances ?*
– *Je pars dans deux mois.*

– *Vous partez pour combien de temps ?*
– *Pour combien de temps partez-vous en vacances ?*
– *Je pars pour tout l'été.*

E X E R C I C E S

1 Complétez la lettre avec il y a…/ça fait… (que), dans, depuis, dès que, pour, pendant, en.

Exp. : Marie Brunel **Dest. :** Charlotte Brunel Puget, le 14 février

Ma grande fille,

J'espère que tu vas bien. Je n'ai plus écrit _____ longtemps et cette fois je t'écris allongée dans mon lit. Je suis tombée _____ trois jours. J'ai glissé en sortant de la boulangerie. Rien de cassé, mais j'ai mal partout.

Il pleut _____ une semaine sans interruption et Urssaf * se plaint : il gratte à la porte ou tourne dans la chambre en remuant la queue. Le pauvre n'est pas sorti _____ trois jours et sa promenade lui manque. _____ il voit entrer ton père, il se précipite, plein d'espoir. Mais papa n'a pas le temps. Il s'occupe de moi et je dois dire même qu'il me chouchoute*. Ce matin, il y avait un joli bouquet de roses sur le plateau du petit déjeuner avec ce mot :
_____ 21 140 jours _____ nous vivons ensemble. C'est vrai, on s'est mariés _____ 58 ans aujourd'hui. À l'époque, le 14 février était un jour comme les autres. Maintenant, on dit que c'est la Saint-Valentin. Peut-être que ça nous a porté bonheur.

_____ deux ans on fêtera nos noces de diamant ! Tu te rends compte ? Ton père et moi, on a vécu ensemble _____ 58 ans et je crois qu'on ne s'est séparés que deux fois, quand je suis allée à l'hôpital. Deux fois _____ 58 ans, ça semble incroyable… Hier soir, à la télé, il y avait des couples qui étaient interviewés. À la fin de l'émission, un psychologue a dit : « Désormais*, on se marie _____ cinq ou six ans. Avant, on se mariait _____ la vie. » Mais il s'est trompé et il a dit « on se marrait * pour la vie ». Nous, ça nous a fait rire. Tu vois, avec ton père, on s'amuse toujours de rien. Bon, je te quitte : on mange _____ cinq minutes.

À bientôt, ma chérie. Maman

PS : Ton frère Paul a arrêté de fumer _____ un mois (il a pris 6 kilos _____ un mois, mais ça lui va bien).

Depuis, il s'est remis au piano et à la politique : de rouge* il est devenu vert*…

Est-ce que tu sais aussi qu'il va partir en Inde _____ six mois, mardi prochain ?

*Urssaf, le nom du chien, est le sigle de la caisse de Sécurité sociale. *chouchouter : s'occuper avec amour
* désormais (littéraire) : maintenant * se marrer (fam) : s'amuser *rouge : communiste *vert : écologiste

---

2 À partir du texte ci-dessus, complétez les questions avec depuis, dans, pour, il y a… que, puis répondez.

1. *Depuis combien de temps* monsieur et madame Brunel sont-ils mariés ? – *Ils sont mariés depuis 58 ans.*

2. _____ madame Brunel est tombée ? – _____

3. _____ le couple fêtera-t-il ses noces de diamant ? – _____

4. _____ Urssaf n'est-il pas sorti ? – _____

5. _____ Paul a-t-il arrêté de fumer ? – _____

6. _____ Paul va-t-il partir en Inde ? – _____

3 Écrit. **Faites une recherche et écrivez un article sur la fête de la Saint-Valentin dans différents pays.**

1 *Trouvez les expressions.*

Caractères

Marthe aime se lever **au petit jour**, dès le lever du soleil. Son mari, Jean, adore au contraire **faire la grasse matinée** et il ne se sent vraiment en pleine forme qu'à **la tombée de la nuit.**

Marthe a besoin de tout prévoir : elle réserve les locations de vacances plusieurs mois à l'avance, elle fait des stocks d'alimentation et pense sans cesse à l'avenir. Jean, lui, **vit au jour le jour.** Il dit que la vie est assez pénible comme ça, et qu'il ne faut pas **chercher midi à quatorze heures**. « Pourquoi se faire du souci à l'avance, dit-il : **à chaque jour suffit sa peine**. Nous ne serons peut-être plus là demain. » Marthe jette les vieux papiers, **au fur et à mesure**, elle **remet à jour** régulièrement son agenda et son ordinateur. Jean a tendance à remettre au lendemain ce qu'il aurait dû faire la veille : son ordinateur est saturé, son bureau encombré, et il se balade avec quatre ou cinq agendas, tous incomplets ! Du point de vue du caractère, on peut dire que Jean et Marthe, **c'est le jour et la nuit**, mais ils vivent ensemble **depuis belle lurette** et ils s'adorent…

---

très tôt, à l'aube : *au petit jour*

traîner au lit : _____

ne pas se compliquer la vie : _____

c'est l'opposé : _____

progressivement : _____

au crépuscule : _____

vivre sans penser à l'avenir : _____

ne pas penser aux difficultés à venir : _____

actualiser : _____

depuis très longtemps : _____

2 *Savez-vous que…*

Janvier

Le mois de janvier vient de Janus, dieu romain aux deux visages. En janvier, on déposait une bûche sculptée avec deux visages opposés sur le seuil des maisons pour montrer qu'une partie de nous est encore tournée vers l'année précédente tandis que nous attaquons l'an neuf avec confiance.

Le 1er mai

Le 1er mai est le jour de la fête du Travail. Il est marqué par un jour férié et des manifestations. Symbole de lutte sociale en France depuis le 1er mai 1889 – avec la revendication de la journée de 8 heures –, il est aussi associé au renouveau du printemps. Le muguet, considéré comme porte-bonheur, est ce jour-là en vente libre de toutes taxes.

La saint-glinglin

La saint-glinglin est un jour fictif du calendrier utilisé pour renvoyer à plus tard, voire* à jamais l'accomplissement d'un événement. « Avoir lieu à la saint-glinglin est synonyme de « remettre aux calendes grecques », « à la semaine des quatre jeudis » ou « quand les poules auront des dents ».

Source Wikipédia   *voire : et même

---

3 *Textes. Les courants de pensées, les époques.*

Les cafés

Louis XIV n'aima pas le café qu'il but en 1669, mais la cour fut séduite et la mode s'en répandit rapidement. En 1723, Francesco Procopio créa le « Café Procope ». Écrivains et philosophes tels que Rousseau, Voltaire, d'Alembert ou Beaumarchais le fréquentèrent assidûment* et c'est dans cet établissement qu'apparurent les premiers pamphlets* contre la royauté. Le Procope fut bientôt imité par beaucoup d'autres. Au XVIIIᵉ siècle, Paris comptait plus de 700 cafés où les conversations, en l'absence de presse, propageaient les informations et les idées philosophiques.

Au XIXᵉ siècle, ce sont les peintres qui investissent les cafés des Grands Boulevards : le jeudi, à 5 heures de l'après-midi, Manet, Monet puis Cézanne, Renoir et Degas se rassemblent au Guerbois où naît le mouvement impressionniste. Le café est un lieu convivial et un véritable laboratoire d'idées : « On y faisait des provisions d'enthousiasme qui, pendant des semaines et des semaines, vous soutenaient*, jusqu'à la mise en forme définitive de l'idée », déclarait Monet.

Peintres, écrivains, réfugiés politiques apprécient ces lieux d'échanges ouverts tard la nuit et chauffés. À Saint-Germain-des-Prés, dans les années trente, « le Café de Flore » et « les Deux Magots », après avoir été le fief* d'André Breton et des Surréalistes furent, au cours de la Second Guerre Mondiale, la base de repli* du mouvement existentialiste. Mais c'est surtout la fréquentation du couple mythique de la littérature, Jean-Paul Sartre et Simone de Beauvoir, qui rendit ces lieux célèbres.

*assidûment : intensivement   *pamphlets : courts textes subversifs   *soutenir : aider, donner du courage
*fief : domaine du seigneur au Moyen Âge   *repli : retraite, abri

impressionnisme :

mouvement qui cherche à libérer la peinture des académismes en travaillant la lumière, sous forme de « touches » à partir de sujets « réels » (nature, portraits).

surréalisme :

mouvement qui tente de libérer la littérature de ses formes conventionnelles en puisant dans l'inconscient (hypnose, écriture automatique, jeux, etc.).

existentialisme :

mouvement philosophique né après la Seconde Guerre mondiale qui montre que l'homme est libre de ses choix et engagé par ses actes.

4 *Savez-vous que…*

Le café a vite été considéré comme un stimulant intellectuel qui permet de veiller longtemps et de garder l'esprit clair. Le premier café, Kiva Han, ouvre au XVᵉ siècle en Turquie, l'engouement* est tel qu'une loi turque de l'époque sur le divorce précise qu'une femme peut divorcer de son époux si celui-ci ne parvient pas à lui fournir une dose quotidienne de café.

Source Wikipédia   *engouement : goût vif, caprice

Humour : Le café est un breuvage qui fait dormir quand on n'en prend pas.

Alphonse Allais

Sondage-test n° 2 *(50 points)*

Complétez le sondage, répondez et interrogez votre voisin(e).

1. _____ heure êtes-vous né(e) ? _____ saison ?
Êtes-vous plus en forme _____ printemps ou _____ automne, _____ matin
ou _____ soir ?   ... / 6

2. Êtes-vous né(e) _____ XXᵉ siècle, _____ années 60, 80, 90 ?
En quelle _____ aurez-vous soixante _____ ? Qu'aimeriez-vous faire
_____ prochaines années ?   ... / 5

3. Dormez-vous plus de huit heures _____ nuit ? Vous couchez-vous tard : avant ou
après une heure _____ ? Faites-vous la grasse matinée _____ dimanche
matin ?   ... / 3

4. Travaillez-vous toute la journée : _____ huit heures _____ dix-huit heures
sept jours _____ sept, ou seulement _____ lundi _____ vendredi ?   ... / 5

5. Pendant combien d'_____ êtes-vous allé(e) à l'école primaire ?
Restiez-vous à l'école toute la journée ou seulement _____ demi-_____ ?   ... / 3

6. Si vous deviez vivre _____ passé, préféreriez-vous vivre _____ Moyen Âge,
_____ Antiquité, _____ Renaissance ou _____ époque préhistorique ?   ... / 5

7. Êtes-vous organisé(e) : réservez-vous vos billets de train longtemps _____ avance ?
Arrivez-vous _____ avance ou _____ retard à vos rendez-vous ?
Vous _____ combien de temps _____ vous préparer ce matin ?   ... / 5

8. Mangez-vous une, deux ou trois fois _____ jour ? Allez-vous chez le coiffeur
_____ les mois ? _____ deux mois ? Vous n'êtes pas allé(e) chez le dentiste
_____ combien de temps ? Il y a _____ vous avez passé votre
permis de conduire ?   ... / 5

9. Êtes-vous prudent(e) ? Attachez-vous votre ceinture de sécurité _____ vous
montez dans votre voiture, freinez-vous _____ vous voyez un radar,
vous arrive-t-il de conduire et de téléphoner _____ même temps ?   ... / 3

10. Partez-vous en vacances _____ été ? Où êtes-vous parti(e) _____ été dernier ?
Partez-vous une ou plusieurs fois par _____ ? Partez-vous _____ de longs week-ends ? ... / 4

11. Vous étudiez le français _____ combien de temps ? Vous avez des cours _____ jour,
_____ deux jours ? Combien d'heures _____ semaine ?   ... / 4

12. Vous avez répondu aux questions de ce sondage _____ combien de temps ?
Avez-vous eu _____ peine à répondre aux questions ?   ... / 2

3 - Le nom

Récréation n° 3
Sondage-test n° 3

18

UNE femme, LA femme
L'article défini et l'article indéfini

Un même article peut, selon les cas, avoir une valeur particulière ou une valeur générale.

Valeur particulière de l'article

■ **UN, UNE** = 1, parmi d'autres

Un	*chien aboie.*
Une	*femme chante.*

article **indéfini**

■ **LE, LA** = 1, unique

Le	*chien d'Hector aboie.*
La	*femme d'Hector chante.*

article **défini**

● L'article défini **reprend** un nom déjà introduit ou connu par le contexte.
Un garçon et une fille passent. Le garçon se dirige vers la boulangerie.
1re introduction   le = ce   la = du quartier, connue

● L'article défini **désigne** une chose **unique**, **célèbre** ou un concept **connu** de tous**.**
– chose unique : *le soleil, la lune, le pape, la tour Eiffel, la mer Méditerranée*
– pays, langues, peuples, saisons : *la France, le français, les Français, l'été, l'hiver*
– matières, qualités, couleurs : *le pain, le vin, la joie, la peur, le bleu, le vert, le froid*

> ❭ On n'emploie jamais d'article défini quand un élément n'est ni connu ni unique.
> *Un garçon passe. C'est un tout petit garçon.*   ~~C'est le tout petit garçon.~~
> *Mon fils cherche un travail. Un travail de serveur.*   ~~Il cherche le travail de serveur.~~

Valeur générale de l'article

■ **UN, UNE** = tous

Un chien aboie, par nature.
Une vache produit du lait.

■ **LE, LA** = tous

Le chien aboie, par nature.
La vache produit du lait.

> ❭ Le pluriel de **un/une** au sens générique est **les**.
> *Les chiens détestent les chats.*   ~~Des chiens détestent les chats.~~

● **Un**, **le** et **les** généralisent, mais avec des nuances.

Un chien vit environ quinze ans.	= représente le vivant
Le chien est le meilleur ami de l'homme.	= représente une idée
Les chiens détestent les chats (mais le mien les adore).	= généralise « en gros »

♪ ● **Élision** de **le** et **la** devant **voyelle** ou **h** muet :   *l'enfant   l'école   l'homme*

● **Liaison** de **un**, **des**, **les** devant **voyelle** ou **h** muet :   *un enfant   des amis   les hommes*
                                                                                          n   z   z

– **Pas d'élision** avec « un », « onze », « oui » et « y » : *Le un le onze le oui le yaourt le yen*
– **Ni liaison, ni élision** devant h aspiré. <u>Mots principaux :</u> *la haie, la hache, la haine, les halles, le hamburger, le hangar, la hargne, le hareng, le hasard, le haschich, la hâte, la hausse, le héros, le Hollandais, le homard, la honte, le hors- d'œuvre, la houille, le hurlement.*

> ❭ Lisez : *Les // Hollandais sont des // héros dans le // haut de la rue des // Halles, ils chassent les // homards avec des // haches en poussant des // hurlements.*

E X E R C I C E S

1 Lisez. Observez.

Le mystère de la Femme

« *Cherchez la femme* », s'exclame **le** policier face à **un** crime ou **le** psychanalyste face à **une** névrose. Mais s'agit-il d'**une** femme en particulier, ou d'**une** femme en général, de **la** femme avec **un** « petit f » ou de **la** Femme avec « **un** grand F » ? Ah, **les** femmes, quel mystère, soupirent… **les** hommes.

2 Un, le, l'. **Continuez.**

J'ai trouvé *un* emploi, ____ bon emploi, _____ emploi de guide, ____ emploi que je cherchais, ____ emploi à durée indéterminée dans ___ musée de Bruxelles.

3 Un, une **ou** le, la. **Complétez.**

Je cherche *un* vélo d'enfant, ____ roman pour l'été, _____ dernier livre de Roth, ___ route de Dijon, _____ stylo noir, _____ passeport de mon fils.

4 Complétez avec le nom et l'article manquants. Le même nom peut apparaître plusieurs fois.

| soleil | radio | ~~fenêtre~~ | chien | chanson | air* |
| moment | sourire | panier | rue | homme | appartement |

Onyx

J'étais devant *la fenêtre* de mon bureau qui donne sur _____ petite _____ calme. Dehors, _____ brillait et _____ était doux et chaud. J'avais allumé _____ et j'écoutais en fredonnant _____ joyeuse de Charles Trenet. J'avais travaillé dix heures d'affilée* et c'était _____ de détente agréable. C'est à ce moment-là que je vis _____ du voisin traverser_____. Onyx est_____ noir, minuscule, adorable qui fait souvent les courses pour son maître, _____ âgé, très doux, qui vit seul dans _____ immense. Ce jour-là Onyx portait fièrement _____ plein de tulipes multicolores. _____de fleurs se balançait au rythme de _____de Trenet et j'ai cru voir, dans les yeux du chien, _____ de tendresse. Je suis retourné à mon travail, ravi, léger, songeur.   * d'affilée : sans s'arrêter   * air : climat/mélodie/expression

5 L'homme, un homme, **ou les deux ?** Complétez les citations.

1. *L'homme* est un loup pour _____. (Plaute)
2. « _____ ne pleure pas ! » disait mon grand-père.
3. Je suis _____ qui pense à autre chose. (Hugo)
4. La femme est le nègre de _____. (Lennon/Ono)
5. Quel beau métier que d'être _____ ! (Gorki)
6. _____ descend du songe*. (Blondin)

* jeu de mot avec « singe » et « songe »

6 Complétez avec le, la **ou** l'. Mettez au pluriel. Lisez.

*l'*enfant ____ héros ____ arbre _____ écran

___ habitant ___ yaourt ____ hôpital ____ hache

___ Hollandais ___ hareng ___ horloge ___ agence ___

hangar _____ outil _____ haie____ hôtel

____ hasard ___ homard ___ urgence ____ hurlement

Les enfants les // héros _____

LES enfants, DES enfants, DE beaux enfants
L'article pluriel

Absent dans de nombreuses langues, l'article pluriel a, en revanche, différentes formes et valeurs en français, ce qui rend son emploi souvent problématique.

DES ou LES ?

■ **DES** = « plus de 1 » ou « pas tous »

*J'ai invité **des** voisins.*
***Des** voisins sont venus.*

■ **LES** = « tous » ou « connus »

*J'ai invité **les** voisins.*
***Les** voisins (du 5ᵉ) sont venus.*

> On dit : *Il y a **des** problèmes au bureau. On se pose **des** questions.* = plus de 1
> ~~il y a les problèmes~~ ~~on se pose les questions~~

> On dit : *J'aime **les** parfums français.* = tous, en général
> Mais : *J'ai acheté **des** parfums français.* = pas tous !
> ~~j'ai acheté les parfums français~~

● Avec les verbes de sentiments (aimer, détester, adorer, préférer, haïr), on emploie en général **un article défini,** sauf si on renvoie à une expérience concrète. Comparez :

*Je n'aime que **les** hommes intelligents.* = en général
*Je n'ai aimé que **des** hommes intelligents.* = expérience concrète

DES, LES ou DE ?

● **De + les = des**

On dit : *J'aime **les** pâtes.* Mais : *J'ai horreur **des** pâtes.* (avoir horreur **de** + les)
*J'adore **les** raviolis.* *Je raffole **des** raviolis.* (raffoler **de** + les)

● **De + des = de**

On dit : *Je prends **des** vacances.* Mais : *J'ai besoin **de** vacances* (avoir besoin de ~~des~~)
*Je mange **des** fruits.* *J'ai envie **de** fruits.* (avoir envie de ~~des~~)
*Je cherche **des** distractions* *Je manque **de** distractions.* (manquer de ~~des~~)

● **Des + adjectif = de** surtout à l'écrit et devant une voyelle

On dit : *J'attends **des** amis romains.* Mais : *Ce sont **de** grands amis.*
*Vous avez fait **des** progrès étonnants.* *Vous avez fait **d'**énormes progrès.*

> On conserve **des** avec les noms de type « composé ».
> ***des** petites annonces* ***des** grands-parents* ***des** petits pois*
> ● **Des** contracté + adjectif ne change pas : *Je suis content **des** nouveaux cours.* (de + les)

> Le pluriel de **un autre** est **d'autres**. *Je voudrais **d'autres** enfants.* ~~des autres~~
> Mais on dit : *Je garde les enfants **des autres**.* (de + les autres)

E X E R C I C E S

1   Lisez. Observez.

> **Enfants**
>
> **Les** enfants font **des** dessins qui représentent souvent **des** maisons, **des** arbres ou **des** animaux. Ils aiment **les** formes simples et emploient **des** couleurs vives. Ces dessins sont parfois **de** véritables œuvres d'art. Les « œuvres **des** enfants ont leur place à côté **des** chefs-d'œuvre **des** grands artistes », a écrit Henry Miller. D'où vient le génie **des** enfants ?

Caroline, huit ans.

2   Des, les **ou** de ?

Mon samedi

J'ai fait *les* lits, j'ai changé_____ draps,

j'ai reçu _____ lettres, j'ai archivé___ mails reçus,

j'ai passé ___ coups de fil, j'ai cherché _____idées

de décoration, j'ai lu _____ magazines, j'ai acheté _____

rideaux blancs et _____ nouveaux coussins.

J'ai fait _____ beaux rêves.

3   Des, les, de, d' ?

Mes goûts

J'adore *les* fruits. J'ai horreur_____ légumes.

J'aime___ jeans. Je préfère_____ jeans étroits.

J'aime porter _____ vêtements colorés.

Je me pose ____questions tout le temps.

Je déteste ____conflits. J'ai besoin ____amis.

Je hais___ contraintes. J'ai envie _____ émotions.

4   Des, les, de ou d' ? **Complétez. Commentez.**

> **Interview :** – Qu'est-ce qui vous frappe chez *les* jeunes d'aujourd'hui ?
>
> **Gisèle :** _____ jeunes passent _____heures sur ____écrans de leurs ordinateurs. Ils ont tous ____ téléphones portables, ____consoles vidéo et ____autres trucs* informatiques incroyables. Il y a _____milliers d'informations qui leur tombent dessus, en vrac*, tout le temps. Comment font-ils pour digérer tout ça ? Moi, je ne sais pas… Pour moi, ____jeunes sont _____mutants.
>
> **Daniel :** Moi, ce qui me frappe, c'est la confusion _____genres. Je connais_____ jeunes de dix-sept ans qui vivent déjà en couple. Je trouve que ___parents ne devraient pas encourager _____enfants à s'installer si tôt ! C'est dommage. À mon époque, _____jeunes rêvaient_____ voyages. On vivait ____nombreuses expériences avant de s'installer et d'avoir _____responsabilités.
>
> **Marianne :** Oui, et quand le couple se défait, quand il y a _____problèmes, hop, _____jeunes reviennent à la maison et là, du coup* ils ne partent plus. Ils vivent comme _____divorcés qui ont peur ____autres échecs. On a l'impression que quelque chose cloche*, que ça ne tourne pas rond*.
>
> * truc : chose   *en vrac : en désordre   * du coup : alors, par conséquent   * cloche/*ne tourne pas rond : fonctionne mal

5   Un autre/d'autres. **Continuez librement.**

un ordinateur – des chaussures – un frigo – des lunettes – une montre – des cahiers – un stylo – des verres

Je dois acheter un autre ordinateur, d'autres chaussures _____

LE directeur DE LA banque, UN directeur DE banque
Le complément du nom

Lorsque deux noms sont reliés par la préposition « de », on omet parfois l'article.

DE + nom avec article : valeur particulière, concrète

	de + article + nom		appartenance
Le directeur	**de la**	*banque*	= son directeur
Le livre	**du**	*professeur*	= son livre
Les chaussures	**des**	*bébés.*	= leurs chaussures

❯ Les deux noms renvoient à **deux** objets, idées ou personnes.
  *Je connais **le** directeur*   (en particulier) ***de la** banque.* (en particulier)
  *Je cherche **les** chaussures* (en particulier) ***des** enfants.* (en particulier)

● **Valeur particulière** :
  – Le 1er nom et le 2e nom sont précédés d'un article défini.
  ***La** robe **de la** mariée était rose à pois verts !*   la robe = sa robe

DE + nom sans article : valeur générale, abstraite

■ Le complément du nom exprime une **fonction**, un **type**, une **catégorie**.

	de + nom		fonction, type, catégorie
Un directeur		*banque*	= type de directeur
Un livre	**de**	*français*	= type de livre
Des chaussures		*bébés*	= type de chaussures

● Le deuxième nom **qualifie** le premier, à la manière d'un adjectif.
  *Un directeur **de** banque/**de** cinéma/**d**'orchestre/**d**'école*
  *Une robe **de** mariée/**de** soirée/**de** chambre*

❯ Les deux noms renvoient à **une** seule idée, comme un mot « composé ».
  *Un directeur **de** banque*   (en général) *gagne bien sa vie.*
  *Les chaussures **d**'enfants* (en général) *coûtent cher.*

● **Valeur générique** :

  – Le 1er nom est précédé d'un article indéfini ou défini, le 2e nom est sans article.
    ***Une** robe **de** mariée coûte cher.*   une robe = toutes les robes
    ***La** robe **de** mariée est généralement blanche.*   la robe = toutes les robes

  – Le 1er nom est précédé d'un article défini, le 2e nom d'un article indéfini.
    ***Le** directeur **d**'une banque a des responsabilités.* le directeur = tous les directeurs
    ***Le** chef **d**'un restaurant doit être très organisé.*   le chef = tous les chefs

E X E R C I C E S

1 Lisez. Observez.

> **Une robe de mariée**
>
> Dans le grenier, j'ai retrouvé **la** robe **de** mariée de ma grand-mère : **une** robe **de** satin blanc avec **un** nœud **de** velours gris que je connaissais pour l'avoir vue sur **les** photos jaunies **de** l'album **de** famille. Sur ces photos, tous **les** personnages s'étaient effacés, seule **la** robe **de la** mariée restait éclatante, comme **un** habit **de** neige.

2 Avec ou sans article ? Complétez.

C'est *la* fin *des* vacances

On attend____ rentrée_____ classes en profitant ___dernières journées____ chaleur. On cueille ____ bouquets ____feuilles. On fait _____ confitures ____ abricots. On range ___ vêtements ___été, on sort____ vêtements ___hiver. On perd ___bronzage____ été et on se prépare à ____reprise ___travail.

3 Avec article, sans article ou les deux ?

On oublie souvent les amours *d'été.*

J'aime la chaleur *de l'été.*

Je déteste l'heure _____

Nous sommes au début _____

Les écoles ferment pendant les mois _____

On attend impatiemment l'arrivée _____

Ils sont juteux les fruits _____

4 Du, de la, de l' ou de. Complétez.

> **Un patron de bar**
>
> Le patron _____ bar, en bas de chez moi, s'appelle Roger. Comme beaucoup de patrons _____ bar, Roger aime parler. Les jours ____ chaleur, il parle de la chaleur, les jours _____ pluie, il parle de la pluie et le jour _____ élections, il parle de politique. Les problèmes ____circulation, les questions _____ société, le monde ____sport, la qualité _____vie : tous les sujets _____ conversation sont passionnants pour Roger. À midi, les secrétaires ____ bureau d'en face viennent déjeuner. Elles prennent une bouteille _____ vin avec le menu ___jour et passent l'heure _____déjeuner à raconter leurs histoires ___amour. Roger écoute, ravi, et le soir, à l'heure ____apéritif, j'ai un compte rendu complet _____ dernières nouvelles _____ petit groupe…

5 Du, de la, de l', des, de + **articles définis ou indéfinis si c'est nécessaire. Complétez.**

1. J'aime _____goût _____ citron, c'est frais et c'est stimulant. Je déteste le goût_____ anis.

2. Nous avons trouvé au marché aux puces _____ vieille lampe _____ bureau belle et fonctionnelle.

3. J'ai trouvé _____ clés _____ voiture dans _____ garage : ce ne sont pas les tiennes ?

4. Ce matin, j'ai oublié _____ clés _____ voiture sur _____ porte_____ garage. Tu les as vues ?

5. _____ chauffeur _____taxi dans lequel je suis monté ce matin était un fou dangereux !

6. Dans_____ chauffeur _____taxi, il y a souvent un champion ____ course qui sommeille.

7. Tous les bâtiments publics doivent avoir _____sortie _____secours.

8. – Où est _____sortie _____secours ? – Elle se trouve juste à l'arrière _____bâtiment.

9. Il n'y a rien de plus charmant et de plus touchant que _____sourire _____enfant.

10. Ce qui caractérise Isabelle, c'est le sens _____humour, le goût ____vie, l'esprit____ famille, l'absence _____ mesquinerie, la force_____ caractère, l'amour ____enfants, l'absence _____ambition et le respect_____ autres.

Le nord DE LA France L'histoire DE France
Le complément du nom : difficultés

Noms de pays, de régions, d'États

■ **L'appartenance** se marque par la présence d'un article.

*La géographie **de la** France* *L'économie **de la** Suède*
*L'histoire **du** Pérou* *Le drapeau **du** Brésil*
*La capitale **de la** Belgique* *Le sud **de la** France*

❯ On dit : *Le nord **de l'**Angleterre* ~~Le nord d'Angleterre~~
  *Le sud **de la** France* ~~Le sud de France~~

● **Avec les noms de pays féminins**, l'article disparaît dans certains cas. Comparez :

– **Provenance** *Le café **du** Brésil* *Le café **de** Colombie*
– **Titres** *Le roi **du** Maroc* *La reine **d'**Angleterre*
– **Représentation** *L'équipe **du** Brésil* *L'équipe **de** France*

● Remarques : Il semble que l'on considère l'histoire de son pays comme un « tout »
ou un monument. On dit : *L'histoire **de** France* Mais : *L'histoire **de l'**Italie*
(En Italie, on dit : *La storia **d'**Italia* mais : *La storia **della** Francia*.)

■ Après un nom de **ministère**, d'**institution**, de **manifestation**, on emploie un article.

*Le ministère **de l'**Intérieur* *Le musée **du** Cinéma* *Le Palais **des** sports.*
*La Maison **de la** radio* *Le Salon **de l'**auto* *Les Journées **du** patrimoine*

● Mais on dit : *L'hôtel **de** ville* (= la mairie) *Le palais **de** justice* (= le tribunal)

Quantités

■ On n'emploie généralement **pas d'article** avec les termes exprimant une **idée de** :

● **Quantité/mesure** ● **Manque/perte/excès**

*Le taux **de** chômage* *La perte **de** poids*
*Le pourcentage **de** réussite* *Le manque **de** sommeil*
*L'indice **de** satisfaction* *L'excès **de** vitesse*

■ **La majorité, la plupart, bien, les pourcentages et les fractions** sont suivis d'un **article**.

*La moitié **de la** classe* *La majorité **des** élèves* *20% **des** étudiants*
*Bien **des** Français* *La plupart **des** habitants* *Un tiers **de la** population*

● L'accord des verbes est variable. Les règles suivantes sont les plus suivies :

*La plupart des Norvégiens **font** du ski.* accord pluriel
*La majorité des Norvégiens **fait** du ski.* accord singulier
*La majorité des Norvégiens **sont** blonds*.* accord pluriel avec être
*80 % de la population **a** voté « non ».*
  accord selon le complément du nom
*80 % des gens **ont** voté « non ».*

❯ On peut supprimer le complément du nom sauf avec le verbe ~~être~~ :
*La plupart **font** du ski. La majorité **fait** du ski.* ~~La majorité est blonde/sont blonds.~~

E X E R C I C E S

1 Lisez. Observez.

Sed fluctuat nec mergitur*

Savez-vous pourquoi le blason **de la** ville de Paris représente un navire ? C'est parce que ce bateau était le symbole **de la** corporation **des** « marchands **d'**eau » qui gérait la municipalité au Moyen Âge. On retrouve ce blason sur la façade **de** l'Hôtel **de** Ville, sur l'uniforme des agents **de** police et sur de nombreux équipements publics parisiens.

*Il vogue et ne sombre pas

2 Répondez.

1. Comment s'appelle l'édifice où siège l'autorité communale dans une grande ville ? _____

2. Le blason ci-dessus était le symbole de quelle corporation ? _____

3. Comment s'appelle une personne chargée de maintenir l'ordre dans la ville ? _____

4. Comment s'appelle le ministre chargé de l'ordre dans le pays ? _____

5. Comment s'appelle l'édifice où s'exerce la justice ? _____

6. Comment s'appelle le ministère chargé de la politique étrangère ? _____

3 De l' ou d'. Transformez.

L'amour : le miracle   la recherche
               la force   le manque
               l'excès   les chagrins
               la puissance   l'absence

Le miracle de l'amour, _____
_____

4 De la, ou de. Transformez.

La France : géographie   nord
                 histoire   relief
                 drapeau   ambassade
                 image   vins

La géographie de la France _____
_____

5 Complétez selon le modèle.

1. – Tous les étudiants ont-ils réussi ?
   – La majorité *des étudiants a réussi.*

2. – Tous les jeunes enfants font-ils la sieste ?
   – La plupart _____

3. – Tous les vacanciers partent-ils en août ?
   – La majorité _____

4. – Tous les Asiatiques ont-ils les yeux noirs ?
   – La plupart _____

5. – Tous les Nordiques sont-ils blonds ?
   – La majorité _____

6 Complétez en conjuguant les verbes.

1. (vivre) 25 % *de la* population mondiale *vit* en dessous du seuil de pauvreté.

2. (souffrir) Bien _____ personnes âgées _____ d'un manque _____ sommeil.

3. (se rendre) Un fort pourcentage _____ hommes _____ au Salon _____ auto.

4. (craindre) La majorité _____ gens _____ une augmentation _____ prix _____ loyers.

5. (perdre) Un grand nombre _____ automobilistes _____ des points pour excès ____ vitesse.

7 Du, de l', des, de ou d'. Complétez.

La municipalité de Nice a créé un site qui donne des indications quotidiennes ou permanentes sur :

la qualité _____ air	les programmes _____ cinéma	le nombre _____ places en crèche
la température _____ eau	les projets _____ aménagement	le montant _____ impôts locaux
le taux _____ pollution	l'emplacement _____ pharmacies	l'évolution _____ travaux en cours

LE ou DU : article défini ou partitif ?

■ **L'article défini** désigne **un tout**.

J'aime
le	pain.
la	musique.
les	vacances.

■ **L'article partitif** désigne un **extrait** indéfini.

Je mange | **du** | pain.
J'écoute | **de la** | musique.
Je prends | **des** | vacances.

■ **L'article défini** désigne une **idée**. **L'article partitif** désigne sa **manifestation concrète**.

Le bruit et **la** fumée me gênent.
La vie est un bien précieux.
Les hommes ont inventé **le** feu.

S'il y a **du** bruit ou **de la** fumée, je quitte la pièce.
Tant qu'il y a **de la** vie, il y a **de l'**espoir.
Ils ont fait **du** feu avec **du** silex et **du** bois.

■ Le partitif précède tout ce qui est variable en quantité : matière, qualité, sentiment, etc.

La Norvège produit **du** gaz et **du** pétrole.
Aujourd'hui il y a **du** vent et **du** soleil.
L'enfant a **de la** fièvre et **des** frissons.

On peut dire « un peu »,
« beaucoup » mais la quantité
elle-même **n'est pas exprimée**.

■ On emploie un partitif lorsqu'on identifie une matière à partir d'un extrait.

– au pressing : – C'est quoi, cette tache ? – C'est **de l'**encre/**de l'**œuf.
– à la radio : – C'est quoi, ce morceau ? – C'est **du** Bach/**du** Schubert.

> ❯ On dit : Retirer **de l'**argent à la banque ~~retirer l'argent~~ = pas « tout l'argent »
> Ressentir **de la** joie ~~ressentir la joie~~ = manifestation concrète
> Éprouver **du** chagrin ~~éprouver le chagrin~~

UN, LE ou DU : article défini, indéfini ou partitif ?

■ La valeur d'un nom varie avec le choix de l'article. Comparez :

J'aime **le** steak.
= matière abstraite

Achète **du** steak.
= matière concrète

Prends **un** steak.
= 1, unité indéfinie

Mets **le** steak au frigo.
= 1, unité définie

● **L'article indéfini** s'emploie dès qu'on peut découper **une forme** dans une matière.
du fromage → **un** fromage   du pain → **un** pain   (1 forme = 1 unité).

● Avec une **précision** (adjectif, complément du nom), on emploie un **article indéfini**.
Achète **du** steak.   Achète **un** gros steak.   J'ai **de la** fièvre.   J'ai **une** fièvre de cheval.

> ❯ **Des** peut être un article **indéfini** ou un **partitif** :
> Faites des exercices (1, 2, 3), vous ferez des progrès (une certaine quantité).
> • Dans la pratique, « des » a surtout une valeur partitive opposée à « les » (totalité).
> Je vois **des** gens qui mangent **des** crêpes. = une certaine quantité de gens/de crêpes

EXERCICES

> C'est la chaude loi des hommes
> **Du** raisin, ils font **du** vin
> **Du** charbon, ils font **du** feu
> **Des** baisers, ils font **des** hommes.
>
> Paul Eluard

> Je boirai **du** lait quand les vaches
> mangeront **du** raisin.
>
> Jean Gabin

1 Défini, indéfini **ou** partitif. **Complétez.**

Carnivores

Léa : J'ai envie de manger _____ bon steak au poivre !

Isa : Tu vas voir, j'ai acheté _____ autruche ! C'est encore plus tendre que _____ bœuf.

Léa : Comment tu cuisines ça ?

Isa : Je masse _____ viande à la main avec _____ huile d'olive puis je la saisis à la poêle.

Léa : Qu'est-ce que tu écoutes : c'est : _____ Mozart ?

Isa : Non, j'écoute toujours _____ Wagner quand je cuisine _____ viande.

2 Défini, indéfini **ou** partitif. **Complétez. Commentez.**

Le luxe

Journaliste : – Qu'est-ce que *le* luxe pour vous ?

Erik : Pour moi, qui suis né dans le nord de l'Europe, _____ soleil, _____ chaleur, c'est ça, _____ luxe. J'aimerais vivre dans un pays où il y a _____ soleil toute l'année. Et puis je voudrais aussi avoir _____ argent suffisamment pour vivre sans soucis. Avoir _____ toit, _____ nourriture et _____ livres.

Jean : Ah non ! Pour moi, _____ luxe, c'est manger _____ caviar, boire _____ champagne et dormir dans _____ satin. Vive ce qui brille ! Vive ce qui est inutile et futile.

Malika : Moi, c'est le contraire : je voudrais vivre dans _____ nature, manger _____ fruits frais, boire _____ eau de source, faire _____ feu de bois. Allumer _____ beau feu de bois en hiver, quel plaisir…

Bill : Pour moi, qui vit dans une chambre d'étudiant, c'est avoir _____ espace. Je veux dire, _____ espace assez grand pour y recevoir _____ amis, et y faire _____ musique. J'imagine une belle pièce équipée d'une super sono pour écouter _____ rock, _____ Bach, _____ salsa.

3 Répondez au sondage.

1. Que boit-on et que mange-t-on dans votre pays pour le petit déjeuner ? – *On boit du café et* _____ .

2. Que mange-t-on lors d'un repas de mariage ? – _____

3. Quelles sont vos couleurs préférées ? – _____

4. Quelles couleurs portez-vous aujourd'hui ? – _____

5. Citez quatre noms de matières que vous utilisez au quotidien (tissus, métaux). – _____

6. Quelles matières portez-vous aujourd'hui ? – _____

7. Quels types de musiques écoutez-vous le plus souvent ? – _____

8. Quelles qualités doit avoir un bon professeur ? – _____

9. Que ressentez-vous face à l'injustice ? – _____

Un kilo DE sucre, 200 g DE sucre, PAS DE sucre
La quantification

UN KILO DE, UN VERRE DE, PAS DE

■ **Du/de la/des** deviennent **de** quand la quantité, le poids ou la mesure sont exprimés, y compris la quantité zéro.

200 g		sucre
Un litre		vin
Un paquet	**de**	biscuits
Un verre		lait
Beaucoup		fruits
Pas de		

● Un partitif répond à la question :

    « Quoi ?»

– *Vous mangez quoi ?*

– ***Du** pain et **du** fromage.*

● Un quantitatif répond à la question :

    « Combien ?»

– *Combien de pain ? 100 g **de** pain.*

– *Un peu **de** pain. Pas **de** pain.*

■ On emploie **de** après **toutes les négations**.

    *Il **ne** mange **pas de** poisson.*   *Il **n'**y a plus **de** café.*   *Elle **n'**a jamais **d'**argent.*

    *Je **ne** bois guère **de** vin.*   *Je ne mange **pas de** viande **ni de** poisson.*

● Après **ni ... ni** ou **sans ... ni**, on emploie un nom sans déterminant.

    *Ne manger **ni** viande **ni** poisson.*   *Vivre **sans** regrets **ni** remords.*

> ❱ Avec **sans** + infinitif on dit :
> *Partir **sans** faire **de** bruit.*   ~~sans faire du bruit~~
> *Travailler **sans** trouver **de** repos.*   ~~sans trouver du repos~~

■ Distinguer **ne ... pas** (négation) et **ne ... que** (restriction)

    *Il ne mange pas **de** poisson. Il ne mange pas **de** légumes.*   = quantité zéro

    *Il ne mange que **du** poisson. Il ne mange que **des** légumes.*   = seulement

> ❱ **Que,** en début de phrase, à l'oral, peut signifier la restriction ou la quantité.
> ***Que** <u>de la</u> bonne qualité ! **Que** <u>des</u> affaires !* = ici il y a <u>seulement de la</u> bonne qualité...
> ***Que** <u>de</u> monde ! **Que** <u>de</u> bruit !*   = quelle <u>grande</u> quantité <u>de</u> monde/de bruit !

■ On conserve **du, de la, des** avec :

    – le verbe **être** :   – *Ce n'est **pas de** l'or, mais **du** cuivre.*

    – les **interro-négatives** de politesse :   – *Vous n'auriez **pas du** feu, s'il vous plaît ?*

    – **encore** (= de nouveau) :   – *Voulez-vous encore **du** café ?*

    – Pas **du tout**/rien **du tout*** :   – *Que veux-tu ? – Rien **du tout**.*

> ❱ On dit : – *Tu es triste ?* – *Pas **du tout**.*   = absolument pas   ~~Pas de tout~~
>   – *Que veux-tu ? – Rien **du tout**.*   = absolument rien   ~~Rien de tout.~~

Voir *la plupart, la majorité, bien des*, p. 60

E X E R C I C E S

1 Lisez. Observez.

> **Luxe**
>
> Donnez-moi **des** livres,
> **des** fruits, **du** vin français,
> **du** beau temps,
> **un peu de** musique dehors
> jouée par quelqu'un
> que je ne connais pas.
>
> Keats

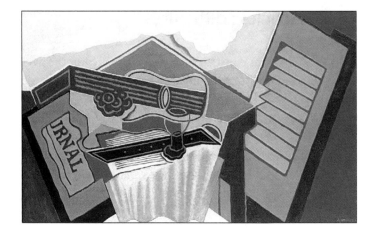

2 Complétez avec du, de la, de l', des, de **si c'est nécessaire.**

1. Il y a beaucoup _____monde dans la rue.

2. Ajoute une pincée _____sel dans la sauce.

3. Il n'y a plus_____ pain, je vais en acheter.

4. Je ne bois que _____eau pendant les repas.

5. Le tube _____ dentifrice est fini.

6. Il ne reste guère _____ temps pour tout finir.

7. Voulez-vous encore _____ café ?

8. On n'a que _____ problèmes avec cette machine.

9. Ma sœur ne mange pas _____ viande de porc.

10. Goûte ça : c'est ___ cheval ! Ce n'est pas ___ bœuf.

11. Mes parents ont toujours agi avec _____ sagesse.

12. La plupart _____ étudiants sont partis.

13. Bien _____gens voudraient changer de travail.

14. La majorité_____ électeurs a voté « non ».

15. Que_____ bruit dans cette salle !

16. Vous avez _____biscottes sans _____sel ?

17. Mon voisin ne fait guère _____progrès au piano.

18. Vous n'auriez pas _____ feu, s.v.p. ?

19. On ne peut pas vivre sans _____espoir

20. – Tu es fâché avec moi ? – Mais pas _____tout !

21. On voit une quantité__ choses étonnantes sur Internet.

22. Les enfants sont entrés sans faire _____bruit.

23. Des milliers _____personnes ont manifesté.

24. Il ne reste plus à manger que _____ pâtes.

3 Le/la/les, un/une/des, du/de la/des/de. **Complétez et faites l'élision si c'est nécessaire.**

Mars et Vénus

Selon John Gray, l'homme et la femme ont des priorités différentes en amour.

La Femme veut, avant tout :   1. _____ attention   2._____ compréhension.   3. _____ gestes rassurants

L'homme veut, avant tout :   1. _____ acceptation   2. _____ approbation   3. ___ marques d'admiration

Que _____ malentendus dans un couple, que _____souffrances absurdes ! La plupart _____ femmes, lorsqu'elles se plaignent ou qu'elles manifestent leurs émotions n'attendent que _____ écoute et _____gestes d'amour. Face à ces plaintes, l'homme ne doit pas leur donner _____ conseils, dire « Fais ceci » ou « Arrête de faire cela ». Bien _____ hommes tentent (en toute bonne foi) de proposer_____ solutions quand la femme ne voudrait, en réalité, qu'un peu _____ attention.

La majorité _____ hommes a, en revanche, un besoin vital _____ acceptation. Si la femme exprime, même pour la plus petite chose, _____ admiration, l'homme éprouvera ___ gratitude, il ressentira _____ tendresse et pourra l'exprimer, ce qui renforcera le sentiment de sécurité des femmes, qui ont toujours besoin de ressentir ___ affection. Si, en revanche, ces dernières cèdent à leur tendance à vouloir « améliorer » les hommes, ces derniers perdront _____ assurance et tout le couple en souffrira.

D'après John Gray, *Les hommes viennent de Mars, les femmes viennent de Vénus.*

24

Faire DU judo, avoir LA grippe, être fou DE joie
Articles : difficultés

Certaines constructions s'emploient toujours avec un article partitif, certaines avec un article défini, d'autres avec un article indéfini.

DIFFICULTÉS

■ **Activités «productrices»** : « faire », « créer », « produire », etc. + **partitif**

Faire **du** sport / **des** études / **de la** politique / **des** affaires / **du** commerce / **du** bruit
Donner **du** courage / **de** l'énergie   Créer **du** travail / **des** emplois   Produire **de la** croissance

● **Faire de** + tous les sports
Faire **du** foot.
Faire **de la** voile

● **Faire/jouer de** + instruments de musique
Je fais **du** piano le jeudi. (activité)
Bill Evans joue **du** piano. (art, profession)

– Avec un **jeu** ou un **sport d'équipe**, on dit aussi **jouer à** : Jouer **au** scrabble. Jouer **au** foot
– Avec un **sport solitaire** ou un **sport de combat**, on emploie seulement **faire de** : Faire **de la** boxe

> **Faire** + activités domestiques. On dit :
> Faire **les** lits, faire **la** cuisine, faire **les** comptes   = tâche finie
> Faire **de** l'ordre, faire **du** rangement.   = tâche infinie…   ~~faire l'ordre~~
> Faire **les** courses ou Faire **des** courses   mais :   Faire **des** achats.

■ **Constructions avec « avoir »** : article variable

Avoir **de la** fièvre, **de** l'asthme, **des** allergies   = réaction du corps
Avoir **une** pharyngite, **une** otite, **un** ulcère, **un** rhume   = organe enflammé
Avoir **la** grippe, **le** cancer, **le** sida, **la** tuberculose   = épidémie ou maladie grave

Avoir **du** charme, **de la** classe, **de** l'allure   = caractère physique
Avoir **du** courage, **du** culot, **de la** constance   ou moral

● Sans article : Avoir peur, avoir mal (au dos, à la tête)   = sensation de douleur
Avoir sommeil, faim, froid.   ou de manque

● Avec une **précision**, on emploie un article **indéfini** :
avoir faim   avoir **une** faim de loup   avoir **du** charme   avoir **un** charme fou

> On dit : Avoir **le** temps de :   Vous avez le temps de passer à la maison ?
> Avoir **du** temps pour :   Il faut du temps pour apprendre une langue.
> À la forme négative absolue, on dit : Je n'ai **pas le** temps.   ~~Je n'ai pas de temps~~

■ **De + du/de la/des = de**

Avoir envie **de** soleil   Manquer **d'**argent   Avoir besoin **de** vacances
de + du = de   de + de l' = de   de + des = de

> On dit : Être mort **de** faim   Être fou **de** joie   Être entouré **d'**eau   (de = avec)
> Être plein **d'**énergie   Être écrasé **de** travail   Être vert **de** peur

E X E R C I C E S

1 Du, de la, de l', de, d' ou le, la, les. **Complétez.**

Autoportrait

J'aime *le* sport depuis mon enfance. Tous les jours,
sauf le week-end, je fais____ basket ou ____natation.
C'est vital : j'ai besoin ____sport, ça me donne
____énergie. Je vais au gymnase tôt le matin, avant
de travailler. C'est le seul moment où j'ai ____temps
pour moi. Le week-end, je ne peux pas faire____
sport car je fais ____musique dans une fanfare où
je joue ____clarinette. Le dimanche, je fais____ ordre.
Je fais aussi____ courses pour la semaine et je n'ai
pas____ temps de faire autre chose. Mais j'attends
impatiemment le lundi, car j'ai besoin ____
mouvement et dès que je cesse de bouger,
je manque____ air.

2 **Complétez avec les éléments manquants.**

1. Le docteur dit que je manque____ fer.

2. Elisa a _____ classe et beaucoup _____ charme.

3. Toute son enfance, mon fils a eu _____ eczéma.

4. Je n'ai pas eu ___ temps de terminer mon rapport.

5. Léa est fatiguée : elle a ____ rhume et ___ otite.

6. Il faut ____ temps pour bien faire _____ cuisine.

7. Le jour du spectacle, l'acteur était mort __ trac*.

8. Jules a fait _____ études de commerce.

9. J'aimerais savoir jouer _____ piano.

10. Je suis fou ___ joie à l'idée de te revoir.

11. Notre maison est entourée _____ arbres.

12. Le tourisme donne ____ travail à toute la région.

13. Charles dépense _____ argent fou

*trac : angoisse face au public

3 Synthèse. Complétez si c'est nécessaire.

Au restaurant

Cliente 1 : Bonjour, Monsieur, nous sommes deux. On peut déjeuner ?

Serveur : Bien sûr, jolies mesdames. Asseyez-vous. Voilà un peu ____ feu pour la petite bougie, une corbeille
____ pain et un peu _____ beurre pour patienter, et puis _____ musique pour adoucir ___ mœurs*.

Cliente 2 : Dis-donc, ça a changé ici. Il y a ___ ambiance* ! Le serveur a ____ charme, ____ humour et il est
efficace. Qu'est-ce qu'il y a au menu ? Ah ! « Poisson et légumes du jour ».

Cliente 1 : Apparemment, ____ poisson, c'est _____ cabillaud. Et c'est servi avec _____épinards.
Moi, je vais prendre _____ steak du Chef avec beaucoup _____ frites. J'ai ____ faim de loup !

Cliente 2 : Hmm, je ne reconnais plus rien ici. Tout a changé : ____ cadre*, ___ musique, ____carte.
Et puis _____ banquettes sont si moelleuses qu'on y passerait bien ___ après-midi…

Cliente 1 : ____ jeunes pleins d'énergie ont repris ce local, il y a un an. Avant, c'était _____ brasserie
tristounette*, avec ____ serveurs amorphes. Maintenant, c'est super. Écoute, c'est _____ Schubert ! Et
juste avant c'était Nina Simone. La classe* !

Cliente 2 : Hier, j'ai vu Stella. Tu connais la dernière* ? Elle se soigne « par le blanc ». Quand elle mange ____
pain, elle laisse ____ croûte, quand elle mange ____ œufs, elle laisse _____ jaune.
Elle ne porte que ____ blanc et elle ne se teint plus ___ cheveux… Elle a même remplacé son canari
par ____ colombe.

Cliente 1 : Bon, et ce régime*, ça lui fait du bien ?

Cliente 2 : À vrai dire*, je l'ai trouvée… un peu pâle. Mais ça doit faire partie du programme.

* « La musique adoucit les mœurs » : proverbe (mœurs = manière de vivre)   *il y a de l'ambiance : il y a une bonne atmosphère
* le cadre : le décor   *tristounet : triste (familier)   * C'est la classe : c'est chic, distingué   * la dernière : la dernière nouvelle
*régime : alimentation contrôlée (diète : absence d'alimentation)   * à vrai dire : en réalité

LE ciel, LE soleil, LA mer
Le genre du nom

Pour les **objets** et les **notions,** le genre est arbitraire. Mais la terminaison des mots peut parfois donner une indication du genre.

GÉNÉRALITÉS

■ **Noms masculins**

-age : le garage, le tournage, le ménage…
   Sauf : la plage, la cage, la page, la nage, l'image

-ment : le gouvernement, le monument…

-eau : le bureau, le couteau, le carreau…
   Sauf : l'eau, la peau

-aire : un salaire, un commentaire
   Sauf : la grammaire, une affaire

-o / -é / -u / -i / -a : le métro, le dé, le revenu
   le suivi, le panorama, le pyjama
   Sauf certaines abréviations : la météo(rologie)
   la photo(graphie)…

-scope / -phone : le téléphone, le caméscope

-al / -ail / -euil : le cheval, le métal, le travail,
   le fauteuil, le réveil

■ **Noms féminins**

-té : la société, la réalité, la bonté, la quantité
   Sauf : le côté, le comité, le pâté, l'été et… le décolleté !

-tion / -sion : la situation, la solution, la nation

-ance / -ence : la connaissance, la présence…
   Sauf : le silence

-ette / -esse : la bicyclette, la dette (sauf : le squelette)
   la paresse, la gentillesse, la politesse

-ure : la culture, la peinture, la nourriture
   Sauf les produits chimiques : le bromure, le cyanure, etc.
   et : le murmure, le parjure

-ode / -ade / -ude : la méthode, la salade, la certitude
   Sauf : le grade, le jade, le stade, le prélude, l'interlude

-aille : la bataille, la faille, la maille**…**

PARTICULARITÉS

❯ **Masculins en -e fréquents** :

un axe	un chapitre	un contexte	un contraste	un domaine	un exemple	un groupe
un mélange	un modèle	un musée	un nombre	un paragraphe	un phénomène	un problème
un programme	un rêve	un risque	un rôle	un siècle	un symbole	un système
un volume	un texte	Notez : le problème est masculin, la solution est féminin !				

❯ **Féminins en -eur** :

la douleur	la douceur	la peur	la chaleur	la vapeur	la valeur une odeur,
une couleur	une fleur	une saveur	une erreur	une horreur	Mais : le bonheur, le malheur

■ Certains noms ont un **double genre**

le poste (emploi)	≠ **la** poste (courrier)	**le** tour (promenade)	≠ **la** tour (construction)
le mode (manière)	≠ **la** mode (habits)	**le** voile (tissu)	≠ **la** voile (bateau)
le manche (de la poêle)	≠ **la** manche (de la veste)	**le** livre (de lecture)	≠ **la** livre (monnaie)

● On écrit : le **foie** (organe) / la **foi** (religion) / la **fois** (la 1re fois)
   le **cours** (de langue) / la **cour** (de l'immeuble) / le **court** (de tennis)

E X E R C I C E S

1 **Lisez. Observez.**

> **Les mots et les choses**
>
> « **La** femme est **un** arbre »,
> dit le poète portugais.
> « **La** mer est mon père,
> **la** terre est ma mère »,
> dit le marin italien.
> « **La** mer, c'est **la** Mère »,
> dit le psychanalyste français.
>
> Jean Lécuyer

2 **Reconstituez les proverbes ou citations.**

sûreté   ~~prudence~~ guerre   douceur
printemps   guérison   blessure   beauté

1. *La prudence* est la mère de _____.

2. Une hirondelle ne fait pas _____.

3. L'argent est le nerf de _____.

4. _____ plaît aux yeux, _____ charme l'âme.

5. _____ est moins rapide que _____.

3 **Continuez selon le modèle.**

C'est nouveau

médicament – invention – téléphone
bureau – société – recette – méthode
groupe – modèle – rôle – texte – édition
parti – affaire – phénomène – problème
système – saveur – couleur – grammaire

C'est un nouveau médicament, une nouvelle invention

_____

4 **Un, une, le, la. Complétez.**

1. Nous avons fait ____tour de _____tour Eiffel. – **2.** Jean a trouvé _____poste de conseiller à _____ poste de son quartier. **3.** Mon voisin donne____ cours de tai-chi dans ____ cour de l'immeuble. – **4.** Lorsque _____ voile d'un bateau apparaît à l'horizon, les villageois agitent _____ voile de couleur pour accueillir les voyageurs. – **5.** Lis____mode d'emploi avant de brancher l'appareil. – **6.** Ma nièce est une victime de _____ mode ! – **7.** J'ai failli m'ébouillanter : j'ai accroché _____ manche de la casserole avec _____ manche de mon pyjama !

5 **Complétez avec les terminaisons des adjectifs et les articles manquants.**

1. Nous avons assisté à *une* présentation intéress*ante* sur ___ gestion financ____ des entreprises.

2. Il y a _____virage danger_____ juste à _____sortie de _____ ville.

3. C'est _____groupe franç_____ qui a racheté _____ société italien_____ « Olmi ».

4. Dans son livre, l'auteur propose _____approche origin_____ de _____ biologie.

5. C'est ____ parti conservat ___ qui a remporté les élections _____ année dern_____.

6. Nous avons fait _____ partie de bowling très amus_____ avec les enfants.

7. J'ai fait faire _____ estimation approximati____ des travaux de peinture de _____ cage d'escalier.

8. Il y a _____contraste surpren____ entre ____ caractère réserv___ de Max et sa façon de rire.

6 **Un, une. Complétez. Imaginez des phrases avec des mots au choix.**

Une bicyclette _____ voiture _____ virage _____ collision _____ ambulance _____ musée _____ exposition _____ tableau _____ reproduction _____ image _____ bateau _____ voyage _____ plage _____ village _____ rêve _____ nuage _____ bureau _____ téléphone _____ conversation _____ agenda _____ problème _____ affaire_____ risque _____ erreur _____ système _____ modèle _____ solution _____ texte _____ rôle

HAUSSE de la température, BAISSE des prix
Nominalisations

On peut former des noms à partir d'un adjectif ou d'un verbe.

Quelques nominalisations à partir d'un verbe

-uction	construire	la construction	détruire	la destruction	réduire	la réduction
-ation	arrêter	l'arrestation	évacuer	l'évacuation	manifester	la manifestation
	condamner	la condamnation	installer	l'installation	libérer	la libération
-tion **-sion**	démolir	la démolition	exploser	l'explosion	protéger	la protection
	disparaître	la disparition	opposer	l'opposition	sélectionner	la sélection
	élire	l'élection	percuter	**la collision**	se rendre	**la reddition**
-ure	blesser	la blessure	lire	la lecture	rompre	la rupture
	fermer	la fermeture	ouvrir	l'ouverture	signer	la signature
-ment	acquitter	l'acquittement	développer	le développement	s'effondrer	l'effondrement
	changer	le changement	licencier	le licenciement	s'accroître	l'accroissement
-age	passer	le passage	tourner	le tournage	voyager	le voyage

Et : arriver : l'arrivée   partir : le départ   revenir/retourner : le retour
naître : la naissance   mourir : la mort/**le décès**   trouver/découvrir : la découverte
vaincre : **la victoire**   perdre : la perte/**la défaite**   tomber/chuter : **la chute**
voter : le vote   retirer : le retrait   diminuer/baisser : la diminution/la baisse
assassiner : l'assassinat   augmenter : l'augmentation/**la hausse**
tuer : **le meurtre/le crime**   accroître : l'accroissement

Quelques nominalisations à partir d'un adjectif

	beau	la beauté	fidèle	la fidélité	ponctuel	la ponctualité
	bon	la bonté	gai	la gaieté	rapide	la rapidité
-té	curieux	la curiosité	généreux	la générosité	responsable	la responsabilité
	efficace	l'efficacité	honnête	l'honnêteté	sensuel	la sensualité
	facile	la facilité	méchant	la méchanceté	sobre	la sobriété
-ance/ **-ence**	absent	l'absence	intelligent	l'intelligence	tolérant	la tolérance
	élégant	l'élégance	présent	la présence	violent	la violence
-ie	diplomate	la diplomatie	fou	la folie	hypocrite	l'hypocrisie
	étourdi	l'étourderie	jaloux	la jalousie	mesquin	la mesquinerie
-esse	adroit	l'adresse	paresseux	la paresse	riche	la richesse
	gentil	la gentillesse	poli	la politesse	tendre	la tendresse
-ude	certain	la certitude	incertain	l'incertitude	seul	la solitude
-ise	bête	la bêtise	franc	la franchise	gourmand	la gourmandise

Et : courageux : le courage   doux : la douceur   fort : la force   calme : le calme
respectueux : le respect   sérieux : le sérieux   chaud : la chaleur   amusant/drôle : **l'humour**
discret : la discrétion   précis : la précision   traître : la trahison   aimable : l'amabilité

E X E R C I C E S

1 Créez des titres de journaux, selon le modèle.

1. Un nouveau centre commercial va <u>être construit.</u>   *Construction d'un nouveau centre commercial.*

2. Les villages inondés <u>ont été évacués.</u>   _____

3. Martin X a <u>été arrêté.</u>   _____

4. Un nouveau parti politique <u>est né.</u>   _____

5. Le prix du gaz <u>a augmenté.</u>   _____

6. La direction du journal *Le Monde* <u>a changé.</u>   _____

7. Le procès de Martin X <u>s'est ouvert</u> hier.   _____

8. Une joggeuse de 32 ans <u>disparaît</u> près de Nice.   _____

9. Le nouveau musée d'Art moderne <u>a ouvert</u> hier.   _____

10. Martin X <u>a été acquitté.</u>   _____

11. Les groupes armés rebelles <u>se sont rendus.</u>   _____

12. La température <u>a baissé.</u>   _____

2 Transformez.

1. <u>On a fermé</u> des écoles, ce qui a provoqué la colère des parents d'élèves.
2. Les cyclistes du Tour de France <u>sont partis</u> ce matin, ce qui a attiré une grande foule.
3. Le capitaine de l'équipe <u>a été blessé,</u> ce qui l'empêchera de participer au prochain match.
4. Le gouvernement <u>est tombé,</u> ce qui a entraîné des perturbations en Bourse.
5. Un camion a <u>percuté</u> une voiture, ce qui a provoqué un carambolage.
6. L'équipe de Barcelone <u>a vaincu</u> celle de Manchester, ce qui la place en tête de son groupe.
7. Lyon a <u>perdu</u> 3 à 1 face à Cavaillon, ce qui a surpris le monde du football.

La fermeture des écoles a provoqué la colère des parents d'élèves. _____

_____

3 Lisez. Soulignez les adjectifs. Transformez selon le modèle.

La recherche de l'absolu

Q : – Comment décririez-vous l'homme idéal ?
R : – Il est <u>intelligent</u> ! Mais il est aussi très tendre. Et puis si l'on rêve, pourquoi se limiter : disons qu'il est beau, simple, doux, amusant, compréhensif, généreux, élégant, sensuel et sobre !
Q : – Comment décririez-vous l'élève idéal ?
R : – Il est sérieux, gentil, gai, poli, sociable, franc, curieux, autonome et il est de bonne humeur.
Q : – Vous cherchez un bon artisan. Quelles qualités doit-il avoir ?
R : – Il doit être efficace, adroit, propre, précis, rapide, honnête…
Q : – Quelles sont les qualités d'un bon président ?
R : – Il est intelligent, diplomate, honnête, responsable, sérieux, tolérant, courageux.

Qualités de l'homme :

l'intelligence, _____

Qualités de l'artisan :

_____

Qualités de l'élève :

_____

Qualités du président :

_____

4 Écrit. Imaginez la femme idéale, le professeur idéal.

E X E R C I C E S

1 Transformez.

1. Mes voisins sont aimables et discrets, et j'apprécie leur *amabilité et leur discrétion.*

2. Adèle est mesquine et hypocrite. J'ai horreur de la _____

3. Le temps est chaud et humide et je souffre de la _____

4. Ce commerçant est gentil et poli. C'est rare de nos jours, la _____

5. Ivan est paresseux et gourmand. Ses seuls défauts sont la _____

6. Cet homme est jaloux, violent et méchant. Sa femme craint sa _____

7. Jean est un garçon calme, sérieux et courageux. J'apprécie son _____

8. Notre vieux professeur était intelligent et amusant. On adorait son _____

9. Marie est belle, fine et élégante. Tout le monde admire _____

2 Créez des titres de journaux, en indiquant le lieu ou le moment, selon le modèle.

1. **Cannes** : le nouveau film de Malick a été nominé.   *Nomination du dernier film de Malick à Cannes.*

2. **Moscou** : le plafond d'un supermarché s'est effondré.   _____

3. **Printemps** : le chômage a diminué.   _____

4. **Marseille** : un boss de la drogue a été assassiné.   _____

5. **Été :** les accidents de la route ont augmenté.   _____

6. **Chine** : le commerce intérieur se développe.   _____

7. **Proche-Orient :** la tension s'est accrue.   _____

8. **21 mars, minuit** : on passe à l'heure d'été.   _____

9. **Mer du Nord** : un parc d'éoliennes a été installé.   _____

10. **15 septembre** : le Salon de l'auto s'est ouvert.   _____

11. **Alpes** : un œuf géant de dinosaure a été découvert.   _____

12. **Bretagne** : le navigateur solitaire est revenu.   _____

13. **Oslo :** une charte écologique a été signée.   _____

14. **Centre** : un barrage s'est rompu.   _____

15. **Nord** : 10 000 ouvriers ont été licenciés.   _____

16. **Jeux olympiques** : l'athlète tombe sur la ligne d'arrivée.   _____

3 Transformez, selon le modèle.

Il faut :   Nous réclamons :

pénaliser la discrimination à l'embauche.   *la pénalisation de la discrimination à l'embauche.*

construire des crèches en banlieue.   _____

interdire les heures supplémentaires imposées.   _____

développer la formation professionnelle.   _____

retirer la réforme des retraites.   _____

allonger les congés de maternité et de paternité.   _____

créer un service public de la petite enfance.   _____

4 Quels sont d'après vous les défauts qui sont insupportables et ceux qui sont excusables ?

Ex : violence, mensonge, cruauté, paresse, gourmandise, jalousie, mépris, lâcheté.

Je trouve insupportables _____

Je trouve excusables _____

EXERCICES

1 Faire de la/du + nom. Transformez.

1. Peindre : *faire de la peinture*

2. Repasser : _____

3. Dessiner : _____

4. Coudre : _____

5. Ranger : _____

6. Nettoyer : _____

7. Chanter : _____

8. Nager : _____

2 Faire un/une/des + nom. Transformez.

1. Commenter : *faire un commentaire*

2. Se promener : _____

3. Acheter : _____

4. Calculer : _____

5. Se tromper : _____

6. Étudier : _____

7. Avouer : _____

8. S'excuser : _____

3 Révision. Complétez avec les éléments manquants. Faites l'élision si c'est nécessaire.

La violence à l'école

De nouveau, *le* gouvernement est confronté *au* casse-tête* _____ violence _____ école dans _____ quartiers _____ banlieue. À chaque agression spectaculaire, ___ gouvernements annoncent, dans _____ précipitation, _____ plans pour endiguer* _____ phénomène. Ainsi, après ____ coups de couteau que _____ jeune enseignante d'Étampes a reçus de _____ élève, _____ ministre _____ Éducation nationale a envisagé d'instaurer _____ permanences _____ policiers dans _____ établissements scolaires.

Cette annonce (…) tend à accréditer* _____ idée selon laquelle _____ ennemi viendrait _____ extérieur. Or, toutes _____ études montrent que _____ violence est d'abord _____ phénomène interne, qui se développe quotidiennement dans ____ établissements. Cette violence (…) est d'autant plus difficile à maîtriser que _____ équipes pédagogiques _____ zones sensibles sont instables. _____ ministère nomme _____ jeunes professeurs inexpérimentés qui, pour beaucoup, tentent de quitter ces établissements le plus vite possible. Or, d'après ____ recherches menées aux États-Unis, _____ mobilité trop importante _____ enseignants est davantage associée _____ violence que ____ difficultés _____ familles. (…)

L'idée selon laquelle ____ professeurs auraient pour seule mission ____ transmission ____ savoirs, idée très solidement ancrée ____ France, est _____ illusion. ____ France est le seul pays à avoir _____ conseillers principaux d'éducation chargés _____ discipline, tandis que _____ futurs enseignants n'apprennent rien, ou si peu, sur _____ gestion _____ classes difficiles. (…) _____ répression n'empêche pas _____ violence de _____ part _____ élèves, qui de toutes façons, passent à l'acte parce qu'ils ont perdu leurs repères. _____ efficacité commanderait plutôt d'établir _____ « routine de prévention », selon _____ formule _____ sociologue Éric Debarbieux.

(d'après *Le Monde*, 01/2006)

* casse-tête : situation difficile à régler   * endiguer = contenir dans des digues   *accréditer : soutenir l'idée que

4 Écrit. Que pensez-vous de la violence à l'école ? Est-ce, selon vous, un phénomène récent ? Quelles solutions apporter ? _____

27 LES YEUX NOIRS, DES YEUX MAGNIFIQUES
L'article et les parties du corps

L'article et les parties du corps

■ Quand le possesseur est mentionné, **l'article défini** remplace le possessif :

– avec une sensation ou un mouvement du corps :

> _Elle_ a mal à **la** tête. _Elle_ a mal à **la** gorge. _Elle_ ferme **les** yeux.
> _Elle_ lève **le** bras. _Elle_ marche **la** tête basse. _Elle_ tourne **la** tête.

– avec un verbe pronominal ou un pronom indiquant le possesseur :

> _Il s'est cassé **la** jambe._ _Je me suis fait couper **les** cheveux._
> _Il m'a donné **la** main._ _Il lui caresse **la** joue._

– Par extension, on peut dire, avec des vêtements :

> _Il met **les** mains dans **les** poches. Il a **les** chaussettes qui tombent sur **les** chaussures._

> ❭ On dit : _**Sa** tête est brûlante._ Mais : _Elle a mal à **la** tête._ ~~Elle a mal à sa tête.~~
> _**Sa** jambe est dans le plâtre._ Mais : _Il s'est cassé **la** jambe._ ~~Il s'est cassé sa jambe.~~

> ❭ On réintroduit le possessif avec une précision : _Elle ferme **ses** yeux fatigués._
> _Elle lève **sa** tête adorable. Elle a coupé **ses** longs cheveux._

■ Dans une **description objective** (forme, aspect, couleur), on peut employer :

● Un article indéfini	● Un article défini
Elle a **des** yeux noirs.	_Elle a **les** yeux noirs._
Elle a **des** cheveux frisés.	_Elle a **les** cheveux frisés._
Elle a **un** nez droit.	_Elle a **le** nez droit._

– L'article défini est possible lorsqu'on se réfère à un critère « standard », c'est-à-dire reconnaissable par tous. (ex. : les yeux en amande, la taille fine, etc.)

> ❭ Avec deux adjectifs, on emploie toujours **un article indéfini**.
> _Elle a **des** cheveux noirs frisés._ ~~Elle a les cheveux noirs frisés.~~
> _Elle a **des** yeux bleus écartés._ ~~Elle a les yeux bleus écartés.~~

■ Dans une **description subjective** (jugement), **l'article indéfini** est obligatoire.

> On dit. _Elle a **les** cheveux noirs._ Mais : _Elle a **des** cheveux magnifiques._
> _Elle a **les** yeux bleus._ _Elle a **des** yeux splendides._

> ❭ On emploie un article **indéfini** avec tous les compléments du nom imagés.
> _Elle a **des** yeux de biche._ _Elle a **des** doigts de fée._ _Elle a **une** peau de pêche._

● On emploie un article indéfini si l'adjectif est placé **devant** le nom.
> On dit : _Elle a **le** nez droit._ Mais : _Elle a **un** petit nez._
> _Elle a **des** yeux verts._ _Elle a **de** grands yeux._ (des + adjectif = de)

EXERCICES

1 Lisez. Observez.

Les yeux bleus

Il lui caressa **les** cheveux. Elle avait **les** cheveux blonds. **Des** cheveux blonds, légers et vaporeux, comme les anges. Elle leva **la** tête et le regarda dans **les** yeux. Elle avait **des** yeux bleus, lumineux, troublants.

Il murmura en souriant :

« – Tu as **de** beaux yeux, tu sais…* »

*citation du film *Quai des brumes*

2 **Des, les** ou les deux.

ronds – cruels – gris – étonnés – bleus très doux – en amande – fascinants – de biche – immenses

Elle a les/des yeux ronds, des yeux cruels,

_____

_____

3 **Des** ou **de. Continuez selon le modèle.**

cheveux magnifiques   jambes superbes

petits pieds adorables   oreilles ravissantes

Elle avait des cheveux magnifiques.
Vraiment de magnifiques cheveux.

_____

4 Complétez selon le modèle.

se couper   se casser   se laver   se serrer
se ronger   se sécher   se frotter   se raser

1. Max a le doigt bandé : il *s'est coupé le* doigt.

2. Jo a l'air plus jeune depuis qu'il _____ barbe.

3. Vous avez le pied plâtré : vous _____ pied ?

4. Avant de te coucher, pense à _____ dents.

5. Cet enfant est très nerveux : il _____ ongles.

6. Quand on se rencontre, on _____ main.

7. Regarde : le bébé a sommeil, il _____ nez.

8. À la sortie de la piscine, je _____ cheveux.

5 Complétez selon le modèle.

ventre   ~~épaules~~   torse
sourcils   pointe des pieds   tête

Madame, pour avoir une belle silhouette :

rejetez *les épaules* en arrière,

rentrez _____, bombez _____,

marchez _____ haute.

Pour avoir de beaux mollets :

juchez-vous sur _____ .

Pour éviter d'avoir « les rides du lion »,

ne froncez pas _____.

6 Attribuez un sens aux expressions.

avoir le cœur sur la main   avoir un poil dans la main   avoir la gueule de bois
~~avoir une langue de vipère~~   avoir un caractère de cochon   avoir le bras long
se serrer la ceinture   se mettre le doigt dans l'œil   se casser la tête

1. Anna est très médisante. Elle critique tout le monde. *Elle a une langue de vipère.*

2. Ma mère donne tout ce qu'elle a : elle est très généreuse : elle _____

3. Monsieur Tabourot est un homme très influent dans le milieu politique : il _____

4. On ne peut rien dire à Arthur sans qu'il se mette en colère. Il a _____

5. Nous avons fait trop de dépenses. Maintenant on devra _____

6. Léa a bu trop de champagne pour son anniversaire et le lendemain, elle _____

7. Tu te trompes lourdement si tu crois qu'on va t'augmenter bientôt : tu _____

8. Rémi est incroyablement paresseux : il laisse tout faire aux autres. Il a vraiment _____

9. Arrête de réfléchir comme ça. Arrête de chercher toujours à mieux faire. Arrête de _____

Un PETIT commerçant, un commerçant PETIT
La place des adjectifs

La majorité des adjectifs se placent après le nom, mais les plus courants se placent avant le nom et certains se placent indifféremment avant ou après le nom. Nous donnerons quelques indications d'usage.

Adjectifs placés APRÈS le nom :

■ Adjectifs de **forme, nationalité, catégorie.**

> un vélo **rouge** une table **ovale** une voiture **allemande**
> un film **comique** des élections **législatives** un dépliant **touristique**

● Lorsqu'il y a **plusieurs** adjectifs, la catégorie la plus large précède les autres termes descriptifs.

> un <u>vélo électrique</u> rouge une <u>table basse</u> ovale une <u>voiture allemande</u> luxueuse

■ **Les participes passés** se placent généralement en dernier :

> un vélo électrique **cassé** une voiture bleue **métallisée** une clé ronde **argentée**

Adjectifs placés AVANT le nom :

■ Adjectifs **courts** et **fréquents** indiquant **la taille, l'aspect, la nature** :
petit – grand – gros – haut – long – beau – joli – jeune – vieux – gentil – bon – mauvais – faux – nouveau – autre

> une **grosse** voiture allemande une **petite** clé ronde un **beau** vélo rouge
> une **vieille** maison un **bon** professeur un **mauvais** vin

● Beaucoup d'adjectifs courts se placent cependant après le nom :

> un vélo **neuf** un pull **chaud** un temps **froid** une viande **crue**.

■ **Premier, dernier, prochain** se placent :
– devant le nom pour les séries : le **premier** candidat le **prochain** arrêt de bus
– après le nom pour la date : le mois **dernier** l'été **prochain**

> ❭ Les **nombres** précèdent **dernier/premier/prochain/autres** :
> les **deux** <u>derniers</u> mois les **trois** <u>prochains</u> jours les **deux** <u>autres</u> possibilités

■ **Lorsqu'il y a plusieurs adjectifs,** « beau », « bon », « joli » précèdent les autres :

> un **beau** petit vélo un **bon** gros livre une **jolie** petite fille

● Avec un adverbe **long** (ex : adverbes en -ment), les adjectifs se déplacent **après** le nom.

> On dit : Une très **belle** femme. Mais : Une femme exceptionnellement **belle**.
> Un très **mauvais** roman. Un roman extrêmement **mauvais**.
> Un assez **long** discours. Un discours affreusement **long**.

EXERCICES

28. La place des adjectifs

Quand la pierre tombe sur l'œuf,
pauvre œuf.
Quand l'œuf tombe sur la pierre,
pauvre œuf.

Proverbe chinois

1 Placez les adjectifs selon le modèle.

J'aime…

1. italiennes *les voitures italiennes*
2. grosses _____
3. rouges _____
4. rapides _____
5. confortables _____
6. belles _____

2 Placez et accordez les adjectifs, selon le modèle.

1. Une fleur (bleu/petit) *Une petite fleur bleue*
2. Une femme (blond/joli) _____
3. Un balai (cassé/vieux) _____
4. Un livre (gros/illustré) _____
5. Une montagne (enneigée/haute) _____
6. Un salaire (mensuel/bon) _____
7. Un chat (perdu/petit) _____
8. Un chien (gros/bon) _____

9. Un bébé (petit/ beau)_____
10. Une table (rectangulaire/bas) _____
11. Une voiture (joli/petit/bleu) _____
12. Un homme (brun /beau/bronzé) _____
13. Un pull (joli/ décolleté/blanc) _____
14. Un immeuble (rose/vieux/classé) _____
15. Un chien (gros/furieux/noir) _____
16. Des yeux (grand/pétillant/noir) _____

3 Insérez les adjectifs selon le modèle.

bon – reposant
grec – petit
joli – ensoleillé
gros – bon
typique – vieux
long – agréable
petit – familial
grillé – délicieux
beau – folklorique

Vacances paradisiaques !

J'ai passé des <u>vacances</u> au bord de la mer.
J'étais dans une <u>île</u>. Tous les matins, je me baignais
dans une <u>crique</u>. Tous les après-midi, je m'allongeais
à l'ombre, dans mon hamac, et je lisais un <u>roman</u>.
Vers 18 h, j'allais boire un ouzo* dans un <u>café</u>,
puis faisais une <u>promenade</u> jusqu'au village.
Le soir, je dînais souvent dans un <u>restaurant</u> où je
mangeais des <u>brochettes</u> et un yaourt au miel en
écoutant des <u>chansons</u>.

J'ai passé *de bonnes vacances reposantes.*
J'étais dans _____
Je me baignais dans _____
Je lisais _____
Je buvais un ouzo dans _____
Je faisais _____
Je dînais dans _____
Je mangeais _____
J'écoutais _____

*ouzo : boisson grecque alcoolisée anisée

4 Transformez, selon le modèle.

1. Le premier jour de vacances semble très long. *Les deux premiers jours de vacances semblent très longs.*
2. Pendant la première année d'école, on apprend à lire et à écrire. _____
3. Le dernier jour d'école, on ne travaille presque plus. _____
4. Je voudrais assister au prochain spectacle en plein air. _____
5. Je n'ai pas aimé le dernier film de Spielborg. _____

5 Faites de commentaires, selon le modèle. Continuez librement

Un beau film (très)   Une œuvre originale (extrêmement)   Une histoire touchante (incroyablement)

Une bonne actrice (très)   Une musique magnifique (absolument)   Un film réussi (tout à fait)

Un très beau film ! _____

77

La place des adjectifs : particularités

■ Quelques adjectifs **changent de sens** selon leur place.

un **ancien** élève	qui a été élève	une armoire **ancienne**	vieille, antique
un **brave** homme	qui a bon cœur /honnête	un homme **brave**	courageux
un **certain** âge	pas très jeune	un âge **certain**	plutôt âgé
un **cher** ami	proche/qu'on aime	un stylo très **cher**	d'un prix élevé
une **curieuse** fille	étrange	une fille **curieuse**	qui est désireuse de savoir
différents avis	plusieurs	des avis **différents**	pas les mêmes
une **drôle** d'histoire	étrange	une histoire **drôle**	amusante
un **grand** homme	célèbre	un homme très **grand**	de grande taille
un **pauvre** homme	qui fait pitié	un homme **pauvre**	qui n'a pas d'argent
un **petit** commerçant	modeste	un commerçant **petit**	de petite taille
mes **propres** affaires	personnelles	des affaires **propres**	pas sales
un **sale** type	méprisable/mauvais	un type **sale**	pas propre
une **seule** personne	pas deux	une personne **seule**	solitaire
une **sacrée** journée	formidable	une journée **sacrée**	sens religieux
un **triste** individu	méprisable	une personne **triste**	pas gaie

● Autres cas particuliers :

un scénario **parfait** (excellent)   un **parfait** crétin (extrêmement bête)
un **faux** policier (prétendu/pas authentique)   un **faux** numéro (inexact)
un **pur** hasard (hasard complet)   un air **pur** (non contaminé)
un **chic** type (très sympathique)   une femme **chic** (élégante)

un comportement **fou** (délirant), un travail **fou** (énorme), un **fou** rire (incontrôlable)

■ Certains adjectifs à valeur **subjective** (jugement, impression) prennent une valeur plus emphatique lorsqu'on les place devant le nom.

un cadeau **magnifique**   un **magnifique** cadeau
un repas **délicieux**   un **délicieux** repas
une chien **énorme**   un **énorme** chien
un chagrin **profond**   un **profond** chagrin
une valise **lourde**   une **lourde** valise
un personnage **étonnant**   un **étonnant** personnage
une jeune fille **charmante**   une **charmante** jeune fille
un accident **tragique**   un **tragique** accident
une méprise **affreuse**   une **affreuse** méprise

♪ ● Beau, fou, vieux, nouveau + voyelle = **bel, fol, vieil, nouvel** : un **vieil** immeuble

● **Des** + adjectif = **de** : des petits pois délicieux   →   **de** délicieux petits pois

● On fait la liaison entre l'adjectif et un nom commençant par voyelle ou h muet.
un premier‿amour   de bons‿amis   un grand‿homme
        r   z   t   (d se prononce t)

– On ne fait pas la liaison devant h aspiré : de grands // héros   un grand // hangar

E X E R C I C E S

1 Notez les changements de sens en fonction de la place. Expliquez le sens.

Mon frère

Mon frère et moi, c'est deux mondes. On est différents, ça oui !
Lui, on dit que c'est un **homme curieux**, un intellectuel toujours   = *qui s'intéresse à tout*
étonné ; moi, on dit que je suis un **curieux homme**, un type spécial.   = *bizarre*
J'intrigue.

Sur **différents points**, on est très **différents**. Bon, pour commencer   = _____
mon frère, il vit avec une **seule femme**, tandis que moi, je vis avec   = _____
plusieurs… **femmes seules**. C'est comme ça. J'attire.   = _____

Je suis un **homme grand** et élégant alors que mon frère fait 1,58 m !   = _____
Et pourtant c'est lui « le **grand homme** », le savant qui   = _____
découvre des trucs. Mais bon, c'est pas pour ça qu'il est riche, hein ?
C'est un **homme pauvre,** pauvre et respectable qu'il dit, alors   = _____
que moi je serais plutôt un **pauvre homme** riche, vous voyez,   = _____
qui porte des montres chères, des **chemises chères**, qui a des
amis qui coûtent cher mais pas de **chers amis,** des **amis**   = _____
qui deviennent **vieux** sans devenir **de vieux amis**. Mais ça   = _____
m'est égal. J'assume.

Pour diriger mes trusts, Les Savonneries réunies,
je n'ai peut-être pas toujours gardé les **mains propres,**   = _____
il a fallu parfois un peu blanchir* les capitaux, mais j'ai tout
construit de mes **propres mains**. Et je n'ai jamais eu peur   = _____
des mafieux de tous poils*. Je ne suis peut-être pas un
brave homme, enfin, disons, une bonne poire*, comme   = _____
mon frère, mais je suis un **homme brave**. J'assure*.   = _____

Mon **ancien comptable**, par exemple, un type tout jeune,   = _____
qui collectionnait les **voitures anciennes**, un gros garçon   = _____
avec des **yeux tristes,** vous voyez, eh bien j'avais remarqué   = _____
qu'il traînait avec de **tristes individus**. Même mon frère, il m'avait   = _____
dit que ce type était louche*, « pas net ». Eh bien je l'ai blanchi*
moi-même : à l'usine ! Il faut pas me défier. Je pulvérise* !

* blanchir de l'argent : investir de l'argent illicite dans une entreprise légale.   *de tous poils : de toutes sortes
* une bonne poire : quelqu'un de naïf   *assurer : prendre en main, affronter la réalité   * louche, pas « net » : suspect
*je l'ai blanchi à l'usine/je l'ai pulvérisé : Jeu de mots : je l'ai transformé en poudre à laver

2 Placez les adjectifs selon le modèle.

petit   beau   bruyant   bon marché   nouveau   moderne   vieux   confortable   grand   central

restaurant : *un petit restaurant , un beau* _____

hôtel : _____

3 Lisez en faisant ou non la liaison. Mettez au pluriel.

un gros hareng	un bel enfant	un vieil hôpital	un petit hélicoptère	un grand hangar
un grand homme	une hache aiguisée	un bon ami	un bel écran plat	un grand Hollandais
un hurlement terrible	un grand artiste	un gros hamburger	un hors-d'œuvre délicieux	

Récréation n° 3

1 *Quelques expressions françaises*

Claude Duneton raconte l'origine de l'expression « *Cherchez la Femme* ».

La femmina dov'è !

« *Tout aboutit* toujours à des choses de sentiment* », raconte un chroniqueur du journal *La Semaine*. À chaque procès qu'on lui donnait à instruire*, un juge sicilien ne manquait* jamais de demander :

« – *Où est la femme ? La femmina dov'è !* »

Un jour, on vint à dire au juge qu'un pauvre homme, en réparant un toit, était tombé sur un passant et l'avait tué raide*.

« *Où est la femme ?* demanda le juge avec son calme ordinaire.

Mais, Monsieur, il n'y a point* de femme ; le pauvre diable* était en train de poser une ardoise*, la tête lui a tourné malheureusement et il est tombé. »

Le juge chercha tant qu'il finit par découvrir que la cause de cet homicide involontaire était une femme coupable d'avoir donné des distractions au pauvre couvreur*.

*aboutir : se terminer	*instruire : juger	*ne pas manquer : faire systématiquement	*tuer raide : tuer d'un coup
*il n'y a point : il n'y a pas (ancien)		*un pauvre diable : un pauvre homme	*ardoise : tuile noire et plate
*couvreur : profession de celui qui recouvre les toitures			

Claude Duneton, écrivain, linguiste, enseignant et comédien, est passionné par le langage, il s'intéresse à l'origine des expressions de la langue française notamment dans son ouvrage *La Puce à l'oreille* et *Parler croquant*.

2 *Essayez d'abord de deviner le sens du texte, puis trouvez les équivalences.*

Pas de pot...

Elle, c'était **une bonne pomme**,
Qui avait **le cœur sur la main**.
Lui, c'était **un petit malin**,
Qui avait **un poil dans la main**.
Il lui **posa plusieurs lapins**.
Elle lui **passa un savon**,
Puis trouva un autre garçon.
Il voulait **qu'elle passe l'éponge**,
Il était rempli de remords.
Il disait **qu'il perdait le nord**.
Elle, **elle se la coulait douce**,
Au bras de son nouvel amant.
Je reviendrai, répondit-elle,
« **Lorsque les poules auront des dents.** »

Pas de chance : *Pas de pot*

Faire de vifs reproches : _____

Être bon et un peu naïf : _____

Être très généreux : _____

Être très paresseux : _____

Vivre sans souci : _____

Devenir fou : _____

Être un peu rusé, un peu filou : _____

Ne pas aller à un rendez-vous : _____

Pardonner complètement : _____

Ça n'arrivera jamais, c'est-à-dire : _____

_____

3 *Associez les synonymes en précisant le genre selon le modèle.*

un chemin
_____ foulard
_____ tentative
_____ thérapie
_____ boutique

_____ écharpe
_____ traitement
une route
_____ magasin
_____ essai

_____ soulèvement
_____ discussion
_____ poésie
_____ square
_____ combinaison

_____ poème
_____ mélange
_____ révolte
_____ place
_____ débat

Récréation n° 3

4 *Le genre des mots...*

Ordinateur

Une enseignante expliquait à sa classe qu'en français les noms ont un genre, masculin ou féminin. Par exemple : maison est féminin... *une maison*, crayon est masculin... *un crayon*. Un élève lui demanda quel était le genre du nom ordinateur. Au lieu de donner la réponse, l'enseignante sépara la classe en deux groupes, garçons et filles, et leur demanda de décider par eux-mêmes et de donner 3 bonnes raisons pour justifier leur choix.

Les garçons décidèrent à l'unanimité qu'ordinateur devait être féminin parce que :
1. Personne ne comprend sa logique intérieure.
2. Même la plus petite erreur est gardée en mémoire pour être ramenée à la surface plus tard.
3. On dépense la moitié de sa paie en accessoires pour elle.

Le groupe de filles conclut que l'ordinateur est masculin parce que :
1. Il est bourré de matériel de base, mais ne peut penser par lui-même.
2. Il est censé régler beaucoup de problèmes, mais souvent, c'est lui le problème.
3. Dès qu'on l'utilise régulièrement, on réalise que si on avait attendu on aurait eu un meilleur modèle.

5 *Étymologie.*

Homme

Le mot **homme** vient de « humus », qui signifie « la terre » et qui est aussi à l'origine du mot « humble ».
Le nom « Adam » signifie « la boue » à partir de laquelle le premier homme aurait été créé.

Femme

Le mot **femme** vient d'« allaiter » : la femme est avant tout un principe « nourricier. »
Il semble que le mot « femme » et le mot « foin » aient la même racine.

Robinet

Le mot **robinet** est le diminutif du mot « robin », qui désignait un mouton au Moyen Âge. En effet les premiers robinets, qui équipèrent les fontaines publiques pour laisser couler ou retenir l'eau, sortaient de têtes de mouton en pierre ou en bronze. On trouve aussi des têtes de lion.

Source : *Dictionnaire historique de la langue française*, Alain Rey, Le Robert.

Alain Rey, linguiste et lexicographe, est un observateur attentif de l'évolution de la langue française. Rédacteur en chef des éditions Le Robert, il a dirigé de nombreux ouvrages dont le *Dictionnaire historique de la langue française*.

Sondage-test n° 3 (50 points)

Complétez le sondage, répondez et interrogez votre voisin(e).

1. Classez par ordre de préférence les loisirs suivants :
   _____ bricolage, _____ cinéma, _____ jardinage, _____ sport.

   ... / 4

2. Est-ce que _____ télévision vous distrait plus que_____ lecture ? Avez-vous _____ téléviseur dans votre chambre ? Est-ce que vous souffrez dans _____ appartement sans _____ télévision ?

   ... / 5

3. Aimez-vous _____ reportages, les sujets _____ société, les débats _____ idées ? Regardez-vous _____ séries américaines ? Préférez-vous _____ films doublés ou sous-titrés ? Passez-vous _____ longues heures devant la télé ?

   ... / 6

4. Écoutez-vous _____ musique classique, _____ rock, _____ techno ? Connaissez-vous _____ chansons françaises ? Lesquelles ? Jouez-vous _____ piano ?

   ... / 5

5. Le matin, vous buvez _____ café, _____ tisane, _____ champagne ? Préférez-vous _____ café avec _____ sucre et un peu _____ lait ou ne prenez-vous jamais_____ sucre ni _____ lait ?

   ... / 8

6. Vous préparez-vous rapidement le matin ou avez-vous besoin _____ temps ? Faites-vous _____ yoga ou quelques mouvements _____ gymnastique ? Portez-vous _____ vêtements décontractés pour aller au travail ?

   ... / 4

7. Chez un homme/une femme, vous remarquez en premier :
   _____ yeux, _____ silhouette, _____ chaussures, _____ sourire ?

   ... / 4

8. Quels métiers pourriez-vous faire : chauffeur _____ taxi, ministre_____ Intérieur, président(e) _____ République, professeur(e) _____ français ?

   ... / 4

9. Classez par ordre de priorité ce qui vous paraît important dans la vie :
   _____ beauté, _____ courage, _____santé, _____chance, _____ argent.

   ... / 5

10. Dans votre apprentissage _____ français, pensez-vous avoir fait :
    _____ énormes progrès, peu _____ progrès ou pas_____ progrès _____ tout ?

    ... / 5

4 - Le pronom

Récréation n° 4
Sondage-test n° 4

ÇA ou IL ?
Pronom sujet neutre ou impersonnel

ÇA, pronom démonstratif neutre, renvoie à un sujet identifiable.

– *Ça* sent bon...	On peut dire	= un parfum, la cuisine de ma mère
– *Ça* pique !	« Quoi » ?	= l'herbe, les ronces
– *Ça* marche...		= cette machine

● Distinguer : *Ça* m'énerve.   *Ça* me plaît.   *Ça* me manque. = Quoi ? (impersonnel)
                Il m'énerve.   *Il* me plaît.   *Il* me manque. = Qui ? (personnel)

》 On dit : *Vous partez demain ?* – *Ça dépend* (*du temps*). il dépend du temps
》 On dit : *Arrêtez : ça suffit !* (= c'est assez) Mais : *Il suffit d'*<u>*attendre*</u>**.** (= il faut attendre)

● Ça/C'est s'utilisent dans de nombreuses expressions figées :

Ça va ?	*Ça y est !*	*Ça marche.*	*Ça roule.*
Ça vaut la peine.	*C'est ça.*	*C'est clair.*	*C'est génial.*

IL, pronom impersonnel, ne renvoie à aucun sujet identifiable.

■ On l'emploie pour se référer à un phénomène de la nature ou à une « loi » générale :

● Météo, éclairage, température, heure, etc.

Il pleut. Il neige. Il fait froid. Il fait 30°.   On ne peut dire ni « Qui », ni « Quoi ».
Il fait beau/mauvais. Il fait clair/sombre.   Le sujet est vide ou... divin.
Il est 8 h/tard/tôt, etc.

● Contraintes, obligations (suivies de **que** ou **de**).

Il faut <u>que</u> je parte !   *Il s'agit <u>de</u> travailler.*
Il vaut mieux <u>que</u> tu partes.   *Il suffit <u>d'</u>attendre.*
Il semble <u>qu'</u>il fasse moins froid.   *Il convient <u>d'</u>accepter.*

》 Pour interroger sur le temps, on dit :
  – *Vous avez eu beau temps ? Il a fait beau ? Quel temps a-t-il fait ?*   quel était le temps
On dit : *Il faisait nuit. Il pleuvait. Il faisait froid*   = phénomène naturel   c'était froid
Mais : *C'était lundi. C'était le matin. C'était en 2001.* = période de temps   Il était le matin

》 Devant une **quantité**, on dit : **Il** manque/**Il** reste/**Il** suffit **de** :
  Il manque <u>deux euros</u>.   *Il reste <u>trois poires</u>*   *Il suffit de <u>peu</u> pour vivre*
  Ça manque   Ça reste 3 poires   Ça suffit de peu pour vivre

● **Il paraît** et **on dirait** peuvent prêter à confusion :

Il paraît qu'il neige dans le Sud.   = On dit que (information rapportée)
On dirait qu'il neige (mais c'est de la poussière). = Apparence (il semble que)

E X E R C I C E S

> **Il vaut mieux** aimer qu'être aimé.
> **C'est** plus sûr.
>
> Sacha Guitry

> Dans un monde qui bouge, il **vaut mieux** penser
> le changement que changer le pansement.
>
> Francis Blanche

1 Lisez. Observez.

> **Vélos de ville**
>
> – Brr… c'est bien le mois de mars : **il** pleut, **il** fait
>   beau, **il** grêle. Attention : **ça** glisse !
> – Allez : on pose nos vélos. **Ça** m'énerve. **Ça** suffit
>   comme ça ! **Il** vaut mieux continuer en métro.
> – Mais non, **ça** va passer. **Il** suffit d'attendre un peu.
> **Il** reste à peine 500 mètres, **ça** vaut la peine…

2 Ça ou Il + verbes manquants. Complétez.

1. *Il est* minuit, _____ froid et _____ sombre. _____ mieux rentrer en taxi.

2. – Qu'est-ce que c'est :_____ sent drôlement bon ! – C'est du curry de poisson : _____ te plaît ?

3. Arrêtez de bavarder les enfants : _____ suffit ! _____ reste encore 15 minutes avant la pause !

4. Deux melons pour 1 euro. Profitez de notre promotion : _____ la peine !

5. Si on est en bonne santé et qu'on a des amis, _____ suffit de peu pour être heureux.

6. La réunion est reportée à demain matin : _____vous convient ou vous préférez un autre jour ?

7. – _____ reste de l'argent dans la caisse ? – Non, au contraire _____ manque 5 euros.

8. – Vous partez en week-end ? – _____dépend du temps.

9. – Je ne comprends rien à cet appareil ! – Regarde, ____marche comme ça :____suffit d'appuyer là !

10. – _____ vous dérange, si je fume ? – Non, _____ m'est égal. _____ ne me dérange pas.

3 Ça ou il. Continuez, selon le modèle.

1. Ton frère me plaît… *Il me plaît beaucoup.*

2. Danser me plaît. *Ça me plaît beaucoup.*

3. Le voisin me dérange. _____

4. Le bruit me dérange. _____

5. La politique m'intéresse. _____

4 Il était, c'était, il faisait, il y avait. Complétez.

Quand je suis parti pour l'aéroport, _____ six heures, _____ le matin, _____ très tôt mais _____ déjà chaud. _____ le début de l'été et _____ vingt degrés au soleil, pourtant _____ un peu de vent.

5 Il paraît ou on dirait. Complétez.

1. Regarde ce nuage : *on dirait* un éléphant. **2.** Mangez des carottes : _____ que c'est bon pour la santé ! **3.** Jean a une vie amoureuse très riche : _____ qu'il s'est marié dix fois ! **4.** Cette plante perd ses feuilles, _____ qu'elle est malade. **5.** Mon nouveau voisin est écrivain et _____ qu'il a écrit plus de cent livres… **6.** Goûtez ce vin blanc : _____ du champagne !

6 Complétez avec les expressions ci-dessous.

Ça alors ! = surprise	Ça y est ! = c'est fait	Ça a été ? = ça s'est bien passé ?
Ça ne se fait pas = ce n'est pas correct	C'est déjà ça = c'est un petit avantage	Ça roule= ça marche, c'est ok
Ça vaut la peine = c'est intéressant	Ce n'est pas la mer à boire = c'est facile	

1. Ouf, _____ j'ai terminé mon travail ! **2.** Vous avez bien déjeuné, messieurs-dames : _____ ? **3.** C'est toi, David ? _____ ! Je te croyais au Canada ! **4.** Il y a plus de 50 % de soldes dans certaines boutiques : _____ ! **5.** On ne passe pas devant les autres dans la queue : _____. **6.** Je n'ai pas gagné au Loto, mais mon billet a été remboursé : _____ ! **7.** Allez, finissez vos devoirs, il ne reste que deux petits exercices :_____ ! **8.** Bon, je fais le ménage et toi, tu fais la vaisselle ? – _____, Raoul.

ÇA, C'EST, IL EST
Le commentaire. L'identification et la description.

ÇA ou C'EST

■ **Ça/c'est** reprennent une **phrase** et ajoutent un **commentaire.**

Il ne pleut pas depuis des mois.	***Ça** inquiète les agriculteurs.*	Ça + verbe
Il ne pleut pas depuis des mois.	***C'est** inquiétant.*	C'est + adjectif

● **Cela** s'emploie à l'écrit ou dans un style soigné.

Il ne pleut pas depuis des mois. ***Cela** inquiète les agriculteurs.* ***Cela** est inquiétant.*

● On détache souvent **ça** ou **c'est**, à l'oral, pour mettre en relief le commentaire.

Travailler fatigue.	*Travailler, **ça** fatigue.*
Travailler est fatigant.	*Travailler, **c'est** fatigant.*

> ❱ On dit : *La pluie, **ça** ne me dérange pas.* ~~la pluie, il ne me dérange pas~~
> *Dormir, **ça** fait du bien.* ~~dormir, il fait du bien~~

■ **Il est** + adjectif **annonce ce qui suit** :   ■ **C'est** + adjectif **reprend ce qui précède** :

***Il est** fatigant **de** travailler.*	*Travailler, **c'est** fatigant.*
***Il est** agréable **de** dormir.*	*Dormir, **c'est** agréable.*
***Il est** facile **de** faire des pâtes.*	*Les pâtes, **c'est** facile à faire.*

● **À l'oral**, on accepte **c'est** en début de phrase : ***C'est** facile **de** faire des pâtes.*

● **C'est ... à** s'emploie seulement **en fin de phrase** avec un verbe **sans complément**. Comparez :

*Les pâtes, **c'est** facile à <u>faire</u>.*	***C'est** facile **de** faire <u>des pâtes</u>.*
*Les pois chiches, **c'est** long à <u>cuire</u>.*	***C'est** long **de** faire cuire <u>des pois chiches</u>.*

> ❱ On dit : – ***Il est** facile **de** faire <u>du riz</u> ?*   – *Oui, **c'est** facile à faire.*
> – ~~C'est facile à faire du riz.~~   – ~~Oui, c'est facile de faire.~~

■ **Ça** s'emploie **en fin** et **en début** de phrase.

*Travailler, **ça** fatigue.*	***Ça** fatigue **de** travailler.*
*Sortir, **ça** me plaît.*	***Ça** me plaît **de** sortir.*
*Restons, **ça vaut la peine**.*	***Ça vaut la peine de** rester.*

Mais on dit : *Partons, **ça vaut mieux**.*   ***Il vaut mieux** partir.*

> ❱ **Ça**, sujet, est toujours repris par un pronom sujet.
> ❱ **Ça,** complément, est toujours repris par un pronom complément.
>
> On dit : ***C'est** intéressant.*   ou :   <u>**Ça,** c'est</u> *intéressant*   ~~ça est intéressant~~
> *J'ai déjà dit <u>**ça**</u>.*   ***Ça,** je **l'**ai déjà dit.*   ~~ça j'ai déjà dit~~
> *On a déjà parlé de <u>**ça**</u>.*   ***Ça,** on **en** a déjà parlé.*   ~~ça on a déjà parlé~~

EXERCICES

1   **Lisez. Observez.**

Jardin à la française

– Le jardin est tout fleuri. **Ça sent** bon et **c'est joli** !
– Oui, mais regarde, tout est interdit : s'asseoir
   sur la pelouse, **c'est interdit, il est défendu
   de** jouer au ballon, faire du vélo, **c'est impossible**…
– Oui, et ça, **c'est difficile à** expliquer à un enfant.
   C'est difficile à comprendre.
– Et même pour des adultes. Heureusement, **ça fait**
   du bien de marcher et en plus, **c'est gratuit**…
– **Ça, c'est** vrai…

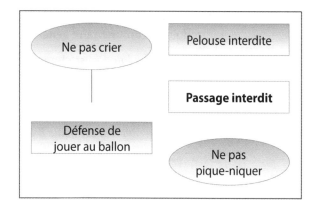

2   **C'est ou ça. Complétez.**

Le mimosa, *c'est* beau, _____ sent bon, _____fragile, _____ fleurit en hiver, _____craint le vent, _____éphémère.
La mode, _____change souvent, _____ amusant, _____me plaît, _____ influence mes choix, _____ humain.

3   **C'est, ça ou il est. Transformez, selon le modèle.**

1. Contrôler son alimentation est important !

2. Vivre sans espoir est terrible.

3. Boire du thé vert fait maigrir.

4. Travailler la nuit fatigue.

5. Prendre un bain chaud est agréable.

6. Gouverner est difficile !

7. Se garer en ville devient infernal.

8. Fumer dans un lieu public est interdit !

9. Rester au soleil abîme la peau.

10. Traverser sans regarder est dangereux.

Contrôler son alimentation, c'est important. Il est important de contrôler son alimentation. _____

_____

_____

4   **Complétez avec** c'est/ça… **et les prépositions** à **ou** de.

1. Le couscous, _____ bon _____ manger mais _____long ____préparer.

2. _____risqué _____dépasser les limitations de vitesse. Une amende, _____ coûte cher.

3. Anna a refusé le poste de directeur ! _____ difficile _____comprendre…

4. – Croyez-vous que l'économie va se redresser ? – _____ difficile _____prévoir.

5. Parler longtemps au téléphone portable, _____me fatigue et _____me fait mal à la tête.

6. Ce supermarché est ouvert jusqu'à minuit ? _____bon _____savoir !

7. _____vaut la peine _____faire des courses au moment des soldes.

8. – Partez avant la nuit, _____vaut mieux. – Oui, _____vaut mieux circuler de jour.

5   **Complétez selon le modèle.**

Ça, c'est joli. Mais c'est trop petit.

_____ me plaît. C'est très élégant.

_____ coûte cher. Une vraie folie !

_____ horrible ! Ça fait vieux !

_____ trop grand. Essaye le 36.

_____ te va bien… Prends-le !

6   **Continuez selon le modèle.**

expliquer   *Ça, je l'ai déjà expliqué.*

parler _____

raconter _____

noter _____

manger _____

voir _____

C'EST ou IL EST

■ **C'est /Il est** + adjectif reprennent un **nom**.

● **C'est** reprend un nom générique
et introduit un **commentaire général**.

> *Un pull en laine, **c'est** chaud.*
> *Un petit chat, **c'est** mignon.*
> *Les femmes rousses, **c'est** beau.*

● **Il est** reprend un nom en particulier
et introduit une **description particulière**.

> *Ton pull, **il est** chaud.*
> *Mon petit chat, **il est** mignon,*
> *Cette femme rousse, **elle est** belle.*

> ❱ On dit : <u>Ton pull</u> // **il est** beau. **Il est** beau // <u>ton pull</u>. ~~Ton pull c'est beau.~~ ~~C'est beau ton pull~~
> <u>Ce pull</u> // **il est** doux. **Il est** doux // <u>ce pull</u>. ~~Ce pull c'est doux.~~ ~~C'est doux ce pull~~

● **C'est** reprend un **nom propre** de lieu, de chose ou d'œuvre.

> *Paris, **c'est** beau.*   *La tour Eiffel, **c'est** haut.*   *Anna Karénine, **c'est** bouleversant.*
>
> *On dit : Lauris, **c'est** petit.*   *Mais : <u>Mon village</u>, **il est** petit.*

> ❱ **C'est** est neutre (l'adjectif est masculin singulier). On dit :
> *Une rose, **c'est beau**. La tour Eiffel, **c'est haut**.*   ~~Une rose, c'est belle~~ ~~La tour Eiffel, c'est haute~~
> ❱ On dit : *Une glace, **c'est** quelque chose de **froid**.* ~~c'est (quelque chose de) froide~~

Identification, description, commentaire

● **C'est** + **nom** identifie
une chose ou une personne.

> *C'est une amie.*
> *C'est une rose.*

● **Il/elle est** + **adjectif** décrit
une chose ou une personne.

> ***Elle est** acrobate.*
> ***Elle est** belle.*

● **C'est** + **adjectif** décrit
une situation en général.

> ***C'est** original !* (ça)
> ***C'est** beau !* (ça)

> ❱ On emploie **c'est** devant un nom. **:** *C'est <u>Jo</u>. C'est <u>un bel homme</u>.*   ~~Il est un bel homme~~
> ❱ **C'est** + adjectif ne renvoie jamais à une personne. *Il est sympa, Jo.*   ~~C'est sympa, Jo.~~

● Avec une **chose,** on peut dire **il/elle est** ou **c'est** + adjectif.

> – *Comment est l'eau du bain ?*   → – ***Elle est** froide !*   = l'eau
> → – ***C'est** froid !*   = ça

■ Pour indiquer **une identité** professionnelle, politique, religieuse ou sociale, on emploie :

C'est + nom **avec article** (ou autre déterminant) ou **Il est** + nom **sans article**.

> *C'est **mon** médecin. C'est **un** socialiste.*   *Il est médecin. Il est socialiste.*
> *C'est **un** catholique. C'est **un** végétarien.*   *Il est catholique. Il est végétarien.*

● Avec une **précision**, on emploie un article, sauf si la précision fait partie de l'identité professionnelle :

> *C'est **un** médecin <u>compétent</u>.*   *Il est <u>médecin généraliste.</u>*
> *C'est **un** professeur <u>sympathique</u>.*   *Il est <u>professeur de mathématiques</u>.*

> ❱ **Il est** répond à : « Il est comment ? » : – *Il est grand. Il est beau.*   = description
> ou à : « Il est quoi ? » :   – *Il est avocat. Il est musulman.*   = identité.
> ~~il est un avocat/il est un musulman~~

E X E R C I C E S

1 Lisez. Observez.

Paris

– Paris, **c'est** gris et **c'est** triste. Regarde ce ciel, comme **il est** triste et ces gens, comme **ils sont** gris !

– Moi, j'adore cette ville. Ce ciel, **il est** beau comme un Renoir, la Seine, **elle est** sensuelle comme une femme, la tour Eiffel, **c'est** un air de Charles Trenet.

– Ah, et les embouteillages, **c'est** drôle comme une pièce de Molière, et oppressant comme un polar* de Simenon, je suppose.

*polar : roman policier

2 Choisissez.

C'est petit – il est petit – elle est petite.

1. – Je te raccompagne, ma voiture est garée là.

– Dis donc, _____, ta voiture !

– Ben oui, une Fiat 500, _____, par définition !

2. – Comment tu fais pour faire une fête ici :

_____, ton studio ! Et puis, change-toi :

_____, cette robe, depuis que tu as grossi…

3. – _____, ton village !

– Oui, Sainte-Anne, _____ : il n'y a que 170 habitants. Mais on a une église, une poste et même une gare.

3 Choisissez.

Il est/Elle est/C'est.

1. – J'adore ton écharpe. *Elle est* chaude,

_____ souple et _____ très légère…

– _____ un cadeau de ma sœur.

2. – Charles est riche. _____ grand,

_____ beau et _____ célibataire…

– Mais _____ bête : _____ dommage…

3. – Regarde ce bébé : _____ mignon !

– Oui, un bébé, _____ mignon,

mais regarde sa mère : _____ antipathique,

et son père, _____ affreux.

4 Transformez, selon le modèle.

– bon/une tarte Tatin : *C'est bon, une tarte Tatin.*

– bon/ta tarte Tartin : *Elle est bonne, ta tarte Tatin.*

– chaud/un pull en laine : _____

– chaud/ton pull bleu : _____

– beau/les yeux de Marlène : _____

– beau/les yeux verts : _____

5 C'est ou Il/Elle est. Complétez.

1. J'adore Vanessa : *elle est* magnifique…

2. Ne touchez pas l'assiette : _____ chaude !

3. _____ une chipie, cette fille…

4. _____ sympathique, ton professeur ?

5. Ce garçon, _____ un ange !

6. _____ belle, ta chemise.

6 C'est ou Il est + profession, religion, etc. Continuez selon le modèle.

1. professeur/grand archéologue   *C'est un professeur/Il est professeur. C'est un grand archéologue.*

2. député/socialiste convaincu   _____

3. écrivain africain/musulman   _____

4. démocrate américain/avocat   _____

5. journaliste/trotskyste végétarien…   _____

MOI, je... – TOI, tu... – LUI, il...
Pronoms personnels sujets et toniques

JE ou MOI : pronom sujet et pronom tonique

■ **Le pronom sujet** est une forme non accentuée, **liée** au verbe.

J'	ai faim
Il	a faim.
Ils	ont faim.

■ **Le pronom tonique** est une forme accentuée, **indépendante** du verbe.

– Qui a faim ?

– Moi.
– Lui.
– Eux.

● Le lien entre le pronom sujet et le verbe est marqué par l'élision, la liaison ou la présence d'un trait d'union devant voyelle, à la forme interrogative et dans le dialogue rapporté.

J'ai faim.   Ils ont faim.   J'ai faim, **dit**-il.   Où va-**t**-on dîner ?
     z

■ **Le pronom tonique** a les mêmes emplois qu'un nom. On l'emploie avec :

C'est : C'est **moi**. C'est **lui**. Ce sont **eux**.   **Une préposition :** On va chez **toi** ou chez **moi** ?
Aussi, même : Moi aussi. Lui-même.   **Et, ou, ni, pas :** Ni **toi**, ni **moi**. Et **lui** ?

● **On** est sujet d'un verbe au singulier, mais le participe passé peut être singulier ou pluriel.
Si on est **fatigué,** on doit se reposer. (= tout le monde)   Jo et moi, on est **fatigués.** (= nous)

● **Soi** est le pronom tonique correspondant à **On** collectif singulier. Comparez :
Après un long voyage, **on** aime rentrer chez **soi**.   = chacun, tout le monde
Max et moi, **on** est rentrés chez **nous**.   = nous deux

❱ Avec un collectif pluriel, on dit :
Les gens portaient tous un badge sur **eux**.   Les gens portaient tous un badge sur soi.

MOI, je... – MOI qui... : pronoms toniques renforcés

■ **Moi, je :** à l'oral, pour marquer un **contraste**, on détache souvent le pronom tonique et on le reprend par un pronom sujet pour que la phrase qui suit soit complète.

On dit :   Je dîne tôt.   Ou :

– Moi,	je dîne tôt.
– Toi,	tu dînes tard.

Tu dînes tard.

– À la 3ᵉ personne, on peut éviter la reprise du pronom. On dit :
Lui, il dîne tôt. **Elle, elle** dîne tard.   Ils ne dînent pas ensemble : **lui,** dîne tôt. **Elle,** dîne tard.

■ **Moi qui/C'est moi qui :** le pronom peut être repris par un relatif, à l'oral.
Je suis étranger.   **Moi, qui** suis étranger, je ne peux pas voter.
J'ai gagné !   C'est **moi qui** ai gagné !

❱ Le verbe s'accorde avec le pronom tonique (pas avec **qui**). On dit :
– **Moi, qui suis** étranger...   Moi, qui est étranger
– Qui a gagné ? – C'est **moi qui ai** gagné.   C'est moi qui a gagné
– Pour vérifier, on met au pluriel : **Vous, qui êtes** étrangers... C'est **nous qui avons** gagné.

E X E R C I C E S

1 Lisez. Observez.

Trash

Je sortais de chez **moi.** Un jeune homme me tendit un panier d'où émergeait la tête de Trash.

« C'est **moi qui** ai trouvé Trash, dit-il. Je vous ai téléphoné ce matin. Je vous le rends à regret : **lui** et **moi,** on s'entendait bien… Et ça, c'est bizarre, parce que **moi,** d'habitude, je n'aime pas les perroquets…

– Oh ! Merci. Et **moi qui** croyais ne plus jamais le revoir, lui dis-je, les larmes aux yeux. J'avais bien fait de mettre une petite annonce dans le quartier. »

2 Transformez, selon le modèle.

Je suis de gauche. Tu es de droite.
Il est du centre. Elle est écologiste.
Ils sont nationalistes. Elles sont anarchistes.

Moi, je suis de gauche. Toi, tu es de droite. _____
_____

3 C'est moi qui… Continuez

– Qui a réparé l'ordinateur ?   – Qui a fait le café ?
– Qui est chargé de ce dossier ? – Qui va rester ce soir ?
– Qui va s'occuper du courrier ?   – Qui a rédigé le rapport ?

– C'est moi qui ai réparé l'ordinateur. _____
_____

4 Transformez, selon le modèle.

1. J'adore le cinéma. J'y vais le plus souvent possible.   *Moi qui adore le cinéma, j'y vais le plus souvent possible.*

2. Ils sont jeunes. Ils s'ennuient à la campagne. _____

3. Tu as un chien. Tu comprends les animaux. _____

4. Il est instituteur. Il peut vous parler d'éducation. _____

5 Complétez. Accordez les verbes.

1. (oublier)   – Pardon, madame, c'est vous qui *avez oublié* ce sac ?

2. (aller)   – Attends-moi devant l'école. C'est moi qui _____ te chercher à quatre heures.

3. (être)   – Tout le monde est jeune dans ce bar. C'est nous qui _____ les plus vieux !

4. (appeler) – C'est vous qui _____ ? J'ai mal entendu le message sur le répondeur.

5. (faire)   – Hier soir, j'avais des invités et c'est moi qui _____ la cuisine.

6 Pronoms toniques. Complétez.

1. – Max et Théo ont trop de travail. Ils ne pourront pas venir avec nous. – Eh bien partons sans _____.

2. Et voilà : _____qui pensais ne jamais me marier, je t'annonce mon mariage pour le mois d'août.

3. – Il y a une poste près d'ici ? – Demande à Marc : _____qui connaît le quartier, il te le dira.

4. Dans la vie, il faut savoir s'occuper de_____ , prendre soin de_____, physiquement et moralement.

5. Mon mari et_____, nous mangeons de tout, mais les enfants, ____, détestent le poisson.

6. Aujourd'hui, j'ai renversé trois fois mon café sur ma jupe : ça n'arrive qu'à _____ !

7. Après un long voyage, tout le monde aime rentrer chez ____.

8. J'adore l'apéritif grec, tu sais, l'ouzo, et _____, tu aimes ça ?

9. Au cinéma,____, je m'assois devant, mon mari, _____, de son côté, s'assoit toujours au fond.

Je LE vois. Je LUI parle. Je LUI ressemble.
Pronoms compléments directs et indirects

Les pronoms compléments sont **directs** ou **indirects**. Ils se placent **avant** le verbe ou **après** le verbe.

PRONOMS DIRECTS et INDIRECTS placés avant le verbe (1)

■ Pronoms directs

Il | **me te se nous vous**
 le la les | regarde.

le verbe se construit **sans** préposition

■ Pronoms indirects

Il | **me te se nous vous**
 lui leur | parle.

le verbe se construit avec « **à** » + personne

● Ils sont identiques, sauf à la 3ᵉ personne des verbes non pronominaux.

■ On emploie principalement un **complément indirect** avec des verbes indiquant une **interaction** entre deux personnes. Ces verbes expriment :

● **La communication :** parler **à**, téléphoner **à**, écrire **à**, faxer **à**, demander **à** , répondre **à**, souhaiter **à**, dire bonjour **à**, faire signe **à**, sourire **à**..., etc.

● **Le don, l'échange :** offrir......**à**, donner......**à**, prêter......**à**, emprunter **à**, etc.

● **Un lien, une filiation :** ressembler **à**, appartenir **à**, succéder **à**, manquer **à**, plaire **à**, aller **à**, convenir **à**, <u>être</u> attaché **à**/fidèle **à**..., etc.

> ❱ Avec deux compléments, on emploie un pronom **indirect.** Comparez.
> On dit : *Il l'embrasse.* mais : *Il **lui** embrasse <u>la joue</u>.*
> *Il la caresse.* *Il **lui** caresse <u>les cheveux</u>.*

■ On peut employer un pronom indirect avec des choses ou des idées personnalisées.

L'enfant donne des coups de pied au ballon. *Il **lui** donne des coups de pied.*
Nous devons obéir à la loi. *Nous devons **lui** obéir.*

■ **À l'oral**, avec certains verbes combinés à un **adverbe de lieu**, on emploie un pronom indirect.

*La dame **lui** est passée <u>devant</u>.* *Le garçon **lui** a couru <u>après</u>.*
*La moto **lui** est rentrée <u>dedans</u>.* *On **lui** a tiré <u>dessus</u>.*

■ Le participe passé ne s'accorde pas avec le pronom indirect. Comparez :

*Il <u>les</u> a **appelés**.* (qui ? =accord) *Il <u>leur</u> a **téléphoné**. (<u>à</u> qui ? = pas d'accord)*

● **Leur** + nom s'accorde. **Leur** + verbe est invariable : *Je **leur** ai parlé de **leurs** études.*

Accord des participes passés, voir p. 158 et 160.

E X E R C I C E S

---

1   Transformez.

1. Dire :   Bonjour/Hello   *– Il m'a dit : « Bonjour ! »   Je lui ai dit : « Hello ! »*

2. Envoyer : Un mail/ Un texto   _____

3. Parler :   De sciences/ De philo   _____

4. Montrer : Ses dessins/Mes photos.   _____

5. Prêter :   Sa moto/Mon vélo   _____

6. Offrir :   Des livres/ Un tableau   _____

7. Dire :   Bye bye/ Ciao !   _____

---

2   Avec ou sans à. Complétez. Transformez.

Parler *à*   Attendre Ø   Chercher ____
Écrire ____   Sourire ____   Écouter _____
Téléphoner____   Inviter____   Aimer_____

Je lui ai parlé. _____

_____

_____

3   Transformez, selon le modèle.

Il m'énerve.   Il m'agace.   Il me plaît.
Il m'amuse.   Il m'attire.   Il me ressemble
Il m'exaspère.   Il m'intéresse.   Il me manque

Il l'énerve. _____

_____

_____

---

4   La, l' ou lui. Mettez à la 3ᵉ personne, selon le modèle.

Amoureuse

Je suis amoureuse de David. C'est un garçon merveilleux : il me téléphone dès que je me réveille pour me dire « bonjour ». Parfois il me chante une petite chanson. Tous les soirs, il m'écrit de longs mails où il me raconte sa journée. Je découvre ses lettres le matin ; ça me fait toujours un petit coup au cœur quand je vois son nom s'afficher sur l'écran. David me parle de tout : des livres qu'il lit, des films qu'il voit. Il m'envoie des photos de sa famille. Il me demande des conseils. Il me fait confiance et il me parle souvent de ses problèmes de travail. Il m'a aussi présentée à son meilleur ami.

David me dit souvent que je suis belle et qu'il m'attendait depuis toujours. Il me manque dès qu'on se quitte. Samedi dernier, il m'a emmenée au cinéma voir *La Môme*, qui parle de la vie d'Édith Piaf. Quand elle a chanté « la Vie en rose », il m'a serrée contre lui, il m'a embrassé les mains et j'ai eu les larmes aux yeux… Ah, moi aussi, « quand il me prend dans ses bras, qu'il me parle tout bas, je vois la vie en rose » et quand « il me dit des mots d'amour, des mots de tous les jours, ça me fait quelque chose ».

Elena est amoureuse de David. C'est un garçon merveilleux. Il lui téléphone dès qu'elle se réveille pour _

_____

_____

_____

_____

_____

_____

_____

_____

EXERCICES

1   Le, l' ou lui. **Complétez.**

Petit frère

L'enfant pleure : sa maman l'a puni parce qu'il a été méchant avec son petit frère : il _____ a griffé la joue, il _____ a pris ses jouets et il_____ a donné un coup de pied. En fait, l'enfant pense que son petit frère _____ a remplacé dans le cœur de sa maman. Il est persuadé qu'elle ne _____ aime plus et il veut _____ montrer qu'il est malheureux. Alors la maman _____ prend dans ses bras, elle _____ embrasse très fort, elle_____ caresse le visage et elle _____ ébouriffe les cheveux. Puis elle ____console en ____disant qu'elle _____aime et en ____ expliquant que c'est lui l'aîné, que son petit frère _____admire, et qu'il doit _____montrer l'exemple.

2   Le, l' ou lui. **Transformez selon le modèle.**

1. Elle / caresse. Elle/ caresse la joue.

2. Elle / embrasse. Elle / embrasse la main.

3. Elle /masse. Elle /masse les pieds.

4. Elle / lave. Elle / lave les cheveux.

Elle le caresse. Elle lui caresse la joue. _____

_____

3   **Transformez et complétez librement.**

1. Le gendarme a couru après le voleur.

   Il lui a couru après <u>sur le parking.</u>

2. Le jeune homme est passé devant la cliente.

   _____

3. Une tuile est tombée sur le passant.

   _____

4   **Faites des phrases avec un complément de votre choix.**

offrir   *Il a offert des fleurs <u>à Louise.</u>*   *Il lui a offert <u>des roses.</u>*

emprunter   _____

donner   _____

apporter   _____

5   **Transformez selon le modèle. Accordez les participes passés, si c'est nécessaire.**

J'ai changé l'ampoule du palier.   J'ai invité mes enfants à déjeuner.   J'ai croisé la jolie fille qui habite au 6e étage.
J'ai téléphoné au dépanneur de l'ascenseur.   J'ai prêté ma garçonnière à Roger.

J'ai changé l'ampoule du palier. Je l'ai déjà changée trois fois cette semaine. _____

_____

6   Le, la, l', les/lui, leur. **Complétez et répondez.**

Sondage : les bonnes manières

Que faites-vous si vous croisez le chemin :

– d'une collègue : vous ____dites bonjour, vous ____ serrez la main, vous ____embrassez ?

– d'un chien errant: vous ____caressez, vous _____chassez, vous _____parlez ?

– d'un musicien de métro : vous _____ écoutez, vous ____ignorez, vous _____donnez une pièce ?

– d'une jolie personne : vous _____ souriez, vous ____suivez, vous ____ donnez votre numéro de portable ?

– d'enfants très mal élevés : vous _____grondez, vous _____ faites la morale, vous _____giflez ?

– de touristes perdus : vous _____montrez le chemin, vous ____accompagnez ?

EXERCICES

1 **Complétez avec les pronoms et les verbes manquants, selon le modèle.**

succéder à   être fidèle à   suffire à   appartenir à   servir à   ressembler à   aller (à)

1. – Ce cahier *appartient à* Max ? – Oui, il _____ : son nom est écrit dessus.

2. – Ton fils _____ son grand-père ! – Oui, il _____ énormément : il a les mêmes yeux

et le même sourire que lui.

3. – Qui va _____ directeur de l'entreprise quand il prendra sa retraite ?

– C'est son neveu qui va_____ parce que son fils n'a pas du tout le sens des affaires.

4. Le chien est un animal qui _____ son maître. Parfois il _____jusqu'à la mort.

5. – Est-ce que ces vieux torchons _____ la femme de ménage ?

– Oui, ne les jette pas, ils _____ à nettoyer le sol.

6. – Est-ce que 1 000 euros _____ à ton fils pour vivre à Paris ?

– Non, ça ne_____ pas et je dois compléter son salaire.

7. – Je trouve que le violet _____ bien avec les yeux de ta fille. – Oui, c'est vrai, ça _____ bien.

2 **Complétez. Répondez aux questions**

Une agression

A. : Un policier a interrogé la voisine ce matin. Tu sais pourquoi ?

B. : Oui, il _____ interrogée parce qu'un jeune homme ____agressée hier soir, vers minuit, dans l'entrée.

A. : Comment ça s'est passé ?

B. : L'homme _____ suivie à la sortie du gymnase et il _____ raconté des trucs bizarres. Il ____ dit qu'il voulait

juste _____regarder, ____ admirer et _____ prendre en photo, qu'il ____ suivait depuis des semaines et

qu'elle _____plaisait beaucoup. Il a dit qu'il adorait Marilyn Monroe, qu'elle ____ ressemblait incroyablement,

et qu'il allait ____rendre célèbre. Alors elle a couru à toute vitesse, mais il _____ rattrapée dans l'entrée de

l'immeuble, il _____ coincée contre un mur et il _____ menacée avec un couteau.

A. : Il _____ blessée ? Il _____ fait mal ?

B. : Non, c'est plutôt le contraire. Elle _____ jeté son sac à la figure, elle ____ envoyé un coup de pied dans les

tibias et elle _____ arraché le couteau des mains ! Elle a crié si fort qu'il s'est enfui. Mais elle _____ couru

après, elle _____ plaqué au sol, elle _____ est montée dessus pour ____ immobiliser et elle a appelé la police.

A. : Alors, ça _____ a servi, ses cours de karaté par correspondance !

1. – Pourquoi est-ce que le policier a interrogé la voisine ? – _____

2. – Qu'est-ce que l'homme a raconté à la jeune femme ? – _____

3. – Où est-ce que l'homme a agressé la jeune femme ? – _____

4. – Est-ce qu'il lui a fait mal ? – _____

5. – Comment la jeune femme a-t-elle neutralisé son agresseur ? – _____

3 **Écrit. Imaginez le scénario d'une histoire d'amour qui finit mal ou d'un cambriolage raté.**

_____

_____

Je L'interroge. Je LUI pose une question.
Pronoms compléments directs et indirects : difficultés

PRONOMS DIRECTS et INDIRECTS placés avant le verbe (2)

■ Des verbes au sens proche de celui des verbes de communication ou d'échange se construisent avec un **complément direct**. Ex. : appeler, saluer, aider, remercier, encourager, connaître, rencontrer...

> ❱ Des verbes de sens proche peuvent ainsi avoir des constructions différentes. On dit :
>
> | téléphoner **à** : | *Je **lui** téléphone.* | appeler : | *Je **l'**appelle.* | ~~Je lui appelle~~ |
> |---|---|---|---|---|
> | rendre service **à** : | *Je **lui** rends service.* | aider : | *Je **l'**aide.* | ~~Je lui aide~~ |
> | dire merci **à** : | *Je **lui** dis merci.* | remercier : | *Je **le** remercie.* | ~~Je lui remercie~~ |
> | poser une question **à** : | *Je **lui** pose une question.* | Interroger : | *Je **l'**interroge.* | ~~Je lui interroge~~ |

● « Connaître » s'emploie avec un complément direct, et peut signifier « rencontrer » :

   – *Où avez-vous **connu** votre femme ?*
   – *Je **l'**ai **connue** chez des amis.*   = Je l'ai rencontrée chez des amis

● Avec les verbes exprimant une violence sur l'autre, on emploie un pronom **direct**.

   *Ils **l'**ont agressé.*   *Ils **l'**ont insulté.*
   *On a voulu **le** tuer.*   *On a essayé de **l'**enlever.*

● Avec les verbes exprimant une pression **en vue d'un objectif**, on emploie un pronom **direct**.

   *On **l'**a amené <u>à partir</u>.*   *Je **l'**ai poussé <u>à accepter.</u>*
   *Ils **l'**ont obligé <u>à démissionner</u>.*   *On **l'**a contraint <u>à rentrer chez lui.</u>*

● Avec **voici**/**voilà** (= voyez ici/là), on emploie un pronom direct.

   ***Me** voilà !*   ***La** voilà !*   ***Les** voilà !*   ***Te** voilà !*

■ Certains verbes prennent, selon leur construction, un complément **direct** ou **indirect**.

   conseiller <u>quelqu'un</u>   conseiller <u>quelque chose</u> **à** <u>quelqu'un.</u>
   rembourser <u>quelqu'un</u>   rembourser <u>quelque chose</u> **à** <u>quelqu'un.</u>

> ❱ On dit : *Il **la** conseille.*   Mais : *Il **lui** conseille de partir.*   ~~il la conseille de partir~~
>   *Il **la** rembourse.*   *Il **lui** rembourse son billet.*   ~~il la rembourse son billet.~~

● On dit : autoriser, empêcher, persuader, convaincre. Mais : défendre **à**, interdire **à**, permettre **à**, promettre **à**, ordonner **à**, proposer **à**, suggérer **à**, reprocher **à**.

   *Je **l'**empêche de sortir.*   *Je **lui** défends de sortir.*
   *Je **le** persuade de sortir.*   *Je **lui** interdis de sortir.*
   *Je **l'**ai convaincu de sortir.*   *Je **lui** ai suggéré de sortir.*

> ❱ On dit : *Il **l'**aide/Il **l'**encourage/Il **l'**invite/Il **l'**autorise <u>à</u> faire quelque chose*
>   ~~il lui aide~~   ~~il lui encourage~~   ~~il lui invite~~   ~~il lui autorise.~~
>   *Il **l'**empêche/Il **le** persuade/il **le** convain<u>c</u> de faire quelque chose.*
>   ~~il lui empêche~~   ~~il lui persuade~~   ~~il lui convainc.~~

Voir aussi tableau, p. 100.

E X E R C I C E S

1 Lisez. Observez.

Cœur brisé

Il **la** vit (mais elle ne **le** vit pas)
Il **la** suivit (mais elle ne **le** sut pas)
Il **l'**admira, **la** désira, **la** vénéra
Sans oser toutefois exprimer son émoi.
Un autre **lui** sourit, un autre **lui** parla
Un autre **lui** offrit des fleurs, du chocolat.
Un autre, un jour, **lui** proposa
De passer la nuit dans ses bras.

Rose Ablémont

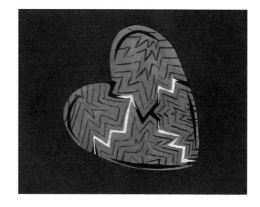

2 Complétez avec les pronoms manquants.

Le bon professeur

Il aime son métier et ses élèves.
Il *leur* explique tout patiemment.
Il _____ interroge sans _____ stresser.
Il _____ donne des conseils pratiques,
il _____ aide à trouver les bonnes réponses,
il _____ intéresse, il _____ fait rire,
il _____ parle de tout, il _____ encourage, et,
de temps en temps, il _____ permet de se détendre.

Les bons élèves

Ils aiment bien leur professeur.
Ils ___ saluent quand ils entrent dans la classe.
Ils ___ écoutent très attentivement.
Ils ____ posent beaucoup de questions.
Ils ____ montrent volontiers ce qu'ils font.
Ils _____ demandent des explications.
Ils ____ obéissent facilement, car ils _____ respectent.
et ils ____ font confiance.

3 Transformez selon le modèle.

– C'est moi : *me voilà* !   – C'est lui : _____ !   – Ce sont eux _____ !

– C'est elle : _____ !   – Ce sont elles : _____ !   – C'est nous : _____ !

4 Pronoms compléments. Complétez.

Copains

– Tu as remboursé ton copain ? – Eh bien, je _____ai remboursé en partie : je _____ ai remboursé
 la moitié de ce que je _____devais. Je _____donnerai le reste la prochaine fois.
– Il était d'accord ? – Eh bien, il a dit que ça _____suffisait pour le moment. Pour _____remercier,
 je _____ai invité au restaurant et j'ai dépensé ce qui me restait.

5 Le ou lui. Continuez selon le modèle.

pousser   – encourager   – amener
persuader   – ordonner   – interdire
suggérer   – obliger   – convaincre
empêcher   – inviter   – autoriser

Je l'ai poussé à partir. _____

_____

_____

6 Imaginez des phrases, selon le modèle.

suggérer   – conseiller –   – défendre
promettre – ordonner   – reprocher
proposer   – permettre   – demander

Il a suggéré <u>à Julie</u> de changer de coiffure.
Il lui a suggéré de changer de coiffure.

_____

_____

EN, Y, LE   de LUI, d'ELLE, d'EUX

Pronoms compléments neutres. Pronoms indirects postposés.

Y, EN, LE : **pronoms neutres**

◼ **En** remplace un nom de chose ou une phrase précédés par **de**.

◼ **Y** remplace un nom de chose ou un infinitif précédés par **à**.

◼ **Le** remplace une phrase.

	en *rêve.*	= **de** cette voiture/**de** partir en vacances
Il	**y** *pense souvent.*	= **à** cette question/**à** quitter son travail
	le *savait déjà.*	= **que** les voisins vendaient leur appartement

● **Le** peut remplacer un adjectif :
  – *Max est <u>sympathique !</u>*   – *Il **l'**est, mais moins que sa femme.*

● **Le** accompagne les comparatifs en français soutenu :
  *C'est plus cher que je ne **le** pensais.*   *Charles danse mieux que je ne **l'**aurais cru.*

> ❭ **En** est nécessaire même avec une quantité ou un adjectif.
> – *Vous avez des enfants ?*   – *Oui, j'**en** ai deux.*   ~~j'ai deux~~
> – *Vous avez vu des films français ?* – *J'**en** ai vu quelques-uns.*   ~~J'ai vu quelques-uns~~
> – *Je voudrais deux bières.*   – ***En** voilà deux !*   ~~Voilà deux~~
> – *Vous avez un dictionnaire ?*   – *J'**en** ai un gros et un petit.* ~~j'ai un gros et un petit~~

Pronoms indirects placés **après** le verbe

◼ Ils ont une forme tonique et s'emploient avec :

● Tous les verbes **pronominaux** :
  s'intéresser **à**, s'attacher **à**,
  se moquer **de**, s'occuper **de**...

  *Je m'intéresse **à elle**.*
  *Elle s'est attachée **à lui**.*
  *Elle s'occupe **d'eux**.*

● Quelques autres verbes :
  penser à, tenir à, parler **de**, faire attention **à**,
  <u>avoir</u> envie **de**, <u>être</u> fier **de**...

  *Elle pense encore **à lui**.*
  *Faites attention **à eux**.*
  *Je suis fier **d'elle**.*

◼ Ces verbes ont la caractéristique de s'appliquer à la fois **à des personnes** et **à des choses**.

● **Personne**
  *Elle tient **à lui**.* = à ce garçon
  *Elle s'occupe **de lui**.* = de ce garçon

● **Chose**
  *Elle **y** tient.* = à ce bijou
  *Elle s'**en** occupe.* = de cette question.

> ❭ **En** et **y** ne s'emploient pas pour des personnes en français soutenu, mais en langage
> courant on peut dire : – *Tu t'occupes des enfants ? – Oui, je m'**en** occupe.*

On dit : Faire confiance <u>à</u>	Avoir confiance <u>en</u>	Se fier <u>à</u>	Se méfier <u>de</u>
*Je **lui** fais confiance*	*J'ai confiance **en lui**.*	*Je me fie **à lui**.*	*Je me méfie **de lui**.*

E X E R C I C E S

1 Lisez. Observez.

> – Et que fais-tu de ces étoiles ?
> – Ce que j'**en** fais ?
> – Oui.
> – Rien. Je **les** possède. […]
>   Je **les** gère. Je **les** compte et je **les** recompte,
>   dit le businessman.
>
> Antoine de Saint-Exupéry, *Le Petit Prince*

> Tous les hommes naissent fous,
> certains **le** demeurent.
>
> Samuel Beckett

> Il n'y a que les femmes qui sachent aimer.
> Les hommes n'**y** entendent* rien.
>
> Denis Diderot   *entendre = comprendre (ancien)

2 Complétez avec y, en ou le.

Sondage

1. Vous avez combien de postes de télévision : un, deux, trois ? _____
2. Mettez-vous du parfum ? Tous les jours ? De temps en temps ? _____
3. Avez-vous déjà pris des somnifères ? En quelle occasion ? _____
4. Croyez-vous encore au Père Noël ? _____
5. Aimez-vous le parmesan ? _____
6. Buvez-vous le café brûlant ? Chaud ? Tiède ? _____
7. Combien de cafés buvez-vous par jour ? _____
8. Avez-vous un dictionnaire de français ? Un petit ? Un gros ? _____
9. Avez-vous déjà joué au Loto ? Plusieurs fois ? Souvent ? _____
10. Avez-vous des photos de famille sur vous ? Une, plusieurs, aucune ? _____
11. Ressemblez-vous à votre mère ? Un peu ? Beaucoup ? Pas du tout ? _____
12. Est-ce que vous fréquentez vos collègues en dehors du bureau ? _____
13. Accordez-vous de l'importance à la politesse ? Beaucoup ? _____

3 À lui/à elle/à eux, de lui/d'elle/d'eux, y ou en. Continuez, selon le modèle.

1.	Je tiens à	– mon ami *Je tiens à lui.*	– ma montre *J'y tiens.*
2.	Je m'intéresse à	– mon voisin _____	– la politique _____
3.	Je suis fier de	– ma voiture _____	– ma fille _____
4.	Je me méfie de	– nos dirigeants _____	– les prévisions météo _____
5.	Je parle de	– mon travail _____	– mes amis _____
6.	Je m'occupe de	– mon ménage _____	– mes neveux _____
7.	Je me souviens de	– mon premier mari _____	– mon premier baiser _____
8.	Je m'oppose à	– mon père _____	– la politique d'immigration _____
9.	Je me fie à	– mon associé _____	– mon instinct _____
10.	J'ai besoin de	– mon ordinateur _____	– mon père _____

4 Continuez, selon le modèle.

penser à	être attaché à	tenir à
s'intéresser à	faire attention à	être fou de

Il pense à elle, mais elle ne pense pas à lui.

_____

_____

5 Continuez, selon le modèle.

professeur : 1 an/10 ans
marié : 2 mois/8 ans
enrhumé : hier/semaine dernière

Il est professeur depuis un an. Moi, je le suis depuis 10 ans.

_____

_____

Construction des verbes

Verbes qui se construisent avec un pronom complément direct antéposé

Type :		aider, amener, autoriser, affronter, appeler, assister, connaître, contredire, conseiller, convaincre, embrasser, empêcher, encourager, engager, inciter, inviter, féliciter, forcer, flatter, interroger, menacer, obliger, persuader, pousser, précéder, prévenir, regarder, remercier, rembourser, rencontrer, saluer, servir, seconder, secourir, suivre...
Regarder qqn	Je **le** regarde.	
Aider qqn (à)	Je **l'**appelle.	
Empêcher qqn (de)	Je **l'**aide à partir	
	Je **l'**empêche de partir.	

Verbes qui se construisent avec un pronom complément indirect antéposé

Type :		**Verbes de « communication » :**
Parler à qqn	Je **lui** parle.	parler à, téléphoner à, faxer à, écrire à, sourire à...
	Je **lui** souris.	**Verbes à deux compléments :**
Donner qqch à qqn	Je **lui** donne la main.	apporter... à, conseiller... à, demander... à, donner... à, interdire... à, pardonner...à, permettre... à, promettre... à, proposer... à, refuser... à, reprocher... à, suggérer... à...
	Je **lui** offre un cadeau	
	Je **lui** conseille de partir	
Plaire à qqn	Elle **lui** plaît.	**Verbes de lien ou de filiation :** appartenir à, être fidèle à, manquer à, plaire à, ressembler à, succéder à, servir à, suffire à...
	Elle **lui** manque.	

Verbes qui se construisent avec un pronom complément indirect postposé

Type :	Elle s'intéresse à **lui**.	**Verbes + à/de + quelqu'un/quelque chose :**
S'intéresser à	Elle s'occupe de **lui**.	s'accrocher à, s'attacher à, s'intéresser à, se fier à, s'habituer à, se joindre à, se moquer de, s'opposer à, se souvenir de...
	Elle rêve de **lui**.	faire attention à, parler de, penser à, avoir recours à, renoncer à, rêver de, s'inquiéter de, songer à, s'occuper de, tenir à...
Rêver de	Elle parle de **lui**.	
Avoir besoin de	Elle a besoin de **lui**.	avoir envie/besoin/peur de, être fier/jaloux/fou de
	Elle est folle de **lui**.	être reconnaissant/attaché à...

Tableau récapitulatif des pronoms

Toniques	Sujets	Compléments réfléchis	Complément directs	Compléments indirects	Compléments neutres
moi	je	me	me	me	le
toi	tu	te	te	te	y
lui	il	se	le, la	lui	en
elle	elle	nous	nous	nous	
nous/soi	on/nous	vous	vous	vous	
vous	vous	se	les	leur	
eux	ils				
elles	elles				
ça	Ça/c'				

E X E R C I C E S

1 Complétez les phrases avec les verbes et les pronoms compléments, selon le modèle.

---

1. – Merci beaucoup, madame Michel, d'avoir gardé mon chat pendant mon absence.
2. – Bravo ! C'est très bien Judith. Tu as très bien joué ce morceau !
3. – Quelle belle voix vous avez, madame Crow ! Comme vous êtes bien habillée. Quel charme…
4. – Allez Noé, courage, encore un petit effort. Tes devoirs seront finis…
5. – Alors, Lucas, combien font 56 divisé par 8 ?
6. – Allô, Mademoiselle Barros ! Baissez tout de suite la musique, sinon j'appelle la police.
7. – Attention, Monsieur Simonot : l'eau sera coupée demain toute la matinée.
8. – Tiens, Jo, voilà l'argent que tu m'as prêté.

---

encourager   interroger   ~~remercier~~   féliciter   flatter   menacer   prévenir   rendre

1. La voisine de madame Michel *la remercie*. _____
2. Le professeur de piano de Judith _____
3. Mlle Fox, la secrétaire de Mme Crow _____
4. La maman de Noé _____

5. Le professeur de math de Lucas _____
6. Le voisin de Mlle Barros _____ .
7. La concierge de M. Simonot _____
8. L'ami de Joseph _____

2 Le, la, lui, en, y. Répondez selon le modèle.

1. – Avez-vous lu notre proposition ? (attentivement)   – Oui, *je l'ai lue attentivement !*
2. – Avez-vous répondu au client ? (immédiatement)   – Oui, _____
3. – Vous opposez-vous au projet ? (complètement).   – Oui, _____
4. – Vous servez-vous de cette machine ? (rarement)   – Non, _____
5. – Vous moquez-vous de votre ami Jo ? (gentiment)   – Oui, _____
6. – Prenez-vous des somnifères ? (régulièrement).   – Oui, _____
7. – Tenez-vous à ce vieux stylo ? (énormément)   – Oui _____
8. – Voyez-vous souvent votre tante ? (rarement)   – Non, _____
9. – Justin B. plaît à votre nièce ? (inexplicablement)   – Oui, _____
10. – Vous moquez-vous de la fin du monde ? (royalement)   – Oui, _____
11. – Votre fils ressemble-t-il à son père ? (incroyablement)   – Oui, _____

3 En, y, le, lui, les. Complétez.

Avant le départ

– Tu es allé(e) à la poste avant de partir ?   – *Oui, j'y suis allé(e).*
– Tu es passé(e) à la banque ?   – _____
– Tu as retiré un peu d'argent ?   – _____
– Tu as mis les valises dans le coffre ?   – _____
– Tu as mis de l'essence ?   – _____
– Tu as pris quelques romans ?   – _____
– Tu as fermé les volets avant de sortir ?   – _____
– Tu t'es occupé(e) des plantes ?   – _____
– Tu as tout expliqué à la concierge ?   – _____
– Tu as pensé à fermer le gaz ?   – _____
– Tu sais que le train part dans 30 min ?   – _____
– Tu es sûr(e) d'avoir tout fait ?   – _____

Je LES invite. Je LES ai invités. Je vais LES inviter.
Place des pronoms compléments

Le pronom complément se place devant le verbe dont il est le complément.
Si le pronom est complément de l'infinitif, il se place devant l'infinitif.

Place des pronoms compléments (1)

■ **Avec 1 pronom**

● **Devant** le verbe conjugué aux temps simples.

J'invite les voisins.	Je **les** _invite._
J'inviterai les voisins	Je **les** _inviterai._
J'invitais les voisins.	Je **les** _invitais._

● **Devant** l'auxiliaire conjugué aux temps composés.

J'ai invité les voisins.	Je **les** _ai invités._
J'avais invité les voisins.	Je **les** _avais invités_
J'aurais bien invité les voisins.	Je **les** _aurais bien invités._

● **Devant** l'infinitif, dans les constructions infinitives.

Je vais inviter les voisins.	Je vais **les** _inviter._
Je voudrais inviter les voisins.	Je voudrais **les** _inviter._
Je pense inviter les voisins.	Je pense **les** _inviter._

(C'est « inviter » qui a un complément, ce n'est pas « aller », « vouloir », « penser »…)

❯ On dit : _On doit_ **se** _demander si…_   ~~On se doit demander si~~
Ça peut **se** _faire._   ~~Ça se peut faire~~

■ Le pronom se place devant le groupe verbe + infinitif avec :

● **Les verbes de perception** (regarder, entendre, voir, écouter, sentir) + **infinitif**

● **Laisser** et **Faire** + **infinitif**

J'ai vu danser Pina.	Je **l'**_ai vue danser._	Je vais **la** _voir danser._
J'ai laissé jouer les enfants.	Je **les** ai _laissés jouer._	Je vais **les** _laisser jouer._
Je fais travailler les enfants.	Je **les** _fais travailler._	Je vais **les** _faire travailler._

(C'est « voir danser », « laisser jouer », « faire travailler » qui ont un complément, ce n'est pas « danser », « jouer », « travailler ».)

● Le participe passé s'accorde dans ce cas avec le pronom complément : _Je **les** ai_ **laissés** _jouer._

● « Fait » + infinitif est invariable. – _Tu as fait travailler les enfants ? – Oui, je_ **les** _ai_ **fait** _travailler._

Accord des participes passés, voir p. 158 et 160.

E X E R C I C E S

1 Lisez. Observez.

Incendie

Max : Regardez ! On voit de la fumée sortir de la fenêtre du 3ᵉ ! Il faut appeler les pompiers !

Léa : C'est fait : quelqu'un **les a appelés** à l'instant. Ils vont arriver.

Max : Et les voisins ? Peut-être qu'ils dorment à cette heure-ci… Quelqu'un **les a avertis** ?

Léa : Oui, regardez ! ils sont tous dans la rue.

Max : Mais… les Américains du 2ᵉ ne sont pas là !

Léa : Tiens, c'est vrai. Je vais **leur téléphoner**. J'ai leur numéro de portable…

Paul : Attendez, attendez. Ce n'est pas la peine. Je **les ai vus partir** en taxi il y a cinq minutes.

Léa : Ouf. Ça me rassure.

---

2 Répondez au passé ou au futur.

1. inviter tes voisins (hier soir) *– Tu devrais inviter tes voisins. – Justement, je les ai invités hier soir !*

2. téléphoner à ta tante (ce matin) _____

3. faire un peu de café (il y a 2 minutes) _____

4. aller à la piscine (jeudi dernier) _____

5. voir tes parents (hier matin) _____

3 Complétez au futur proche, selon le modèle.

1. Ne touche pas le four : tu *vas te brûler.*
Ne laisse pas ta fille jouer avec les ciseaux :
elle_____ !

2. – Qui va succéder au patron de ta boîte ?
– Logiquement, c'est son fils qui_____.

3. – Tu es allé au pressing ?
– Non, mais je _____ tout de suite.

4. – Vous avez imprimé les documents ?
– Non, mais je _____

5. – Tu peux me montrer comment marche le four ?
– Attends, c'est facile, je _____

6. – Les enfants dorment : si tu ne baisses pas
la musique, ils _____ et ils vont pleurer.

7. – Cette écharpe en soie est très délicate.
Je _____ à la main, à l'eau froide.

8. – Tu pars demain : je t'accompagne à la gare ?
– Non, je te remercie, Michel _____

4 Continuez, selon le modèle.

– On peut dire ça ?   – On peut faire ça ?   – On peut expliquer ça ?   – On peut comprendre ça…

– Oui, ça peut se dire. _____   _____   _____

5 Complétez avec entendre, voir, faire, laisser, faire et les pronoms manquants

---

Mes voisins

Je sais tout ce qui se passe chez mes voisins. Le bébé est malade et je *l'ai entendu* pleurer toute la nuit. Les parents sont épuisés et je _____ se disputer ce matin. Le jeune est amoureux de la fille du dessous et je _____ s'embrasser dans l'escalier. Les parents sont inconscients : ils _____ fumer et boire de l'alcool. Ces jeunes ne sont même pas capables de boire et de fumer d'ailleurs : la fumée _____ tousser et l'alcool les rend encore plus bêtes. Ils ont barbouillé le mur du hall avec des cœurs et des flèches et nous _____ repeindre au moins trois fois. Je ne peux vraiment plus supporter cette famille de crétins !

Place des pronoms compléments (2)

Avec 2 pronoms

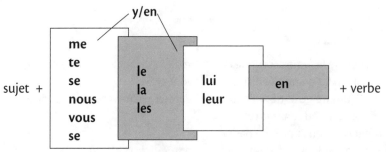

- Les personnes précèdent les choses :   *Je **te les** prête. Elle **lui en** donne.*

- L'ordre est inversé à la 3ᵉ personne :   *Je **le lui** dis. Elle **les leur** offre.*
  – À l'oral familier, on simplifie :   – *Tu **lui** as donné ton livre ?* – *Oui, je (le) **lui** ai donné .*

> ❭ On constate une tendance à mettre en deuxième place le pronom le plus « sonore ».
> (loi du 2ᵈ lourd ! voir p. 129) *Je lui <u>en</u> donne. Dis-le-<u>moi.</u> Il y <u>en</u> a.*

- Le participe passé s'accorde avec le pronom placé avant. Il ne s'accorde pas avec « en ».
  – *Tu as jeté les journaux ?* – *Oui, Je les ai **jetés**. J'en ai **gardé** deux.*

À l'impératif

- **À l'impératif négatif**, le pronom se place **devant** le verbe. Observez.

Écoute !	*Regarde !*	*Attends !*
Ne L'écoute pas !	*Ne LA regarde pas !*	*Ne LES attends pas !*
Ne LUI parle pas !	*Ne LUI écris pas !*	*Ne LEUR réponds pas !*
Ne LUI EN parle pas !	*Ne LE LUI dis pas !*	*Ne LES LEUR donne pas !*

- **À l'impératif affirmatif**, le pronom complément se place **après** le verbe. Observez.

Écoute !	*Regarde !*	*Attends !*
Écoute-LE !	*Regarde-LA !*	*Attends-LES !*
Parle-LUI !	*Écris-LUI !*	*Réponds-LEUR !*
Écoute-MOI	*Dépêche-TOI !*	*Vas-Y ! Prends-EN !*

> ❭ À la forme affirmative : **me** et **te** deviennent **moi** et **toi**, et se placent en fin de phrase.
> On dit :   *Ne te dépêche pas.*   *Ne me le dis pas...*
> Mais :   *Dépêche-**toi**.*   *Dis-le-**moi**.*

♪ - On ajoute un « s » devant « en » et « y » à la 2ᵉ personne des verbes en **-er**. On fait la liaison.
  On dit : *Mange !*   Mais : *Manges-en !*   – *Va les voir.*   Mais : *Vas-y !*
                                                 z   z

- Le pronom complément se place après le 1ᵉʳ verbe dans les constructions avec « écouter », « voir »,
  « laisser », « faire », etc. + infinitif.

  Laissez-LE partir.   *Faites-LES attendre*   *Regarde-LA danser.*

EXERCICES

1 Complétez avec un double pronom. Faites l'élision si c'est nécessaire.

1. – Je ne t'ai pas donné le code de l'immeuble ?

– Si, tu *me l'as donné,* mais je l'ai perdu…

2. – Papa, je peux t'emprunter ta voiture ?

– Ah non, tu _____ hier, ça suffit !

3. – Marie vous a envoyé sa nouvelle adresse ?

– Oui, elle _____ par SMS.

4. – Vous avez rendu les clés au concierge ?

– Oui, je _____ ce matin.

5. – On vous a présenté le nouveau stagiaire ?

– Oui, on _____ hier matin.

6. – Ton frère t'a donné des bonbons ?

– Non, il n'a pas voulu_____.

7. – Tu me prêtes ton vélo ?

– Je _____ , si tu me le rends avant samedi.

8. – Promettez-moi de venir à ma soirée.

– Je _____. Comptez sur moi.

9. – Tu as donné le biberon au bébé ?

– Oui, je_____ il y a cinq minutes.

10. – Vous donnez de l'argent de poche à votre fils ?

– Oui, je_____ tous les mois.

11. – Max vous a-t-il parlé de ses projets ?

– Oui, il _____ pendant le déjeuner.

12. – Montre-moi tes photos de vacances.

– Attends, je _____

2 Mettez à l'impératif, selon le modèle.

S'amuser bien	Se dépêcher
S'asseoir	S'habiller
S'installer	Se réveiller
Se préparer	Se concentrer

Amuse-toi bien ! _____

_____

3 Transformez, selon le modèle.

Ne pas se fâcher   *Ne vous fâchez pas.*

Ne pas s'énerver _____

Ne pas s'inquiéter _____

Ne pas se faire du souci _____

Ne pas se laisser faire _____

4 Complétez en reprenant les verbes soulignés accompagnés de leurs pronoms, selon le modèle.

Avant le dîner

Paul : Bon, j'ai mis la table. Tout est prêt. Je file chez le boulanger. Je prends une baguette ?

Léa : *Prends-en* deux. Une, ça ne suffira pas. Bernard mange beaucoup de pain.

Paul : D'accord. Mais j'y pense : tu as envoyé le nouveau code à Cathy ?

Léa : Ah, non. J'ai complètement oublié. _____ par SMS, s'il te plaît.

Paul : Ah ! rappelle-toi : il ne faut pas mettre de vinaigrette dans la salade. Cathy déteste ça.

Léa : Je sais, je sais ! D'ailleurs je _____ jamais quand elle vient. Mais il faut te dépêcher : la boulangerie va fermer. Allez, allez : _____ !

Paul : Je prends aussi des gâteaux secs pour manger avec la glace ?

Léa : Oui, bonne idée. _____ trois cents grammes. Et reviens vite.

5 Répondez, selon le modèle.

1. – Je prends deux places de théâtre?– Oui, *prends-en deux.*

2. – Je dis à Léa de venir?   – Oui, _____

3. –J'imprime les billets ?   – Oui, _____

4. – J'éteins l'ordinateur ?   – Non ! _____

6 Mettez à l'impératif affirmatif ou négatif.

1. – Je fais entrer le patient ?   – Oui, *faites-le entrer.*

2. – Je laisse sortir le chat ?   – Non, _____

3. – Je fais patienter les clients ? – Oui,_____

4. – Je fais réchauffer le café ?   – Non ! _____

Place des pronoms compléments : **résumé**

Les pronoms compléments se placent devant le verbe, sauf à l'impératif affirmatif.
La négation se place avant et après le verbe conjugué.

● **Affirmation**	● **Négation**
Je **le** fais Je **le** faisais Je **le** ferai	Je ___ **le** fais Je **NE** **le** faisais **PAS** Je ___ **le** ferai
Je **l'ai** dit Je **l'ai** pris Je **l'ai** fait	Je ___ **l'ai** ___ dit Je **NE** **l'ai** **PAS** pris Je ___ **l'ai** ___ fait
Je **te** **l'ai** dit Je **te** **l'ai** donné Je **t'en** **ai** parlé	Je ___ **te l'ai** ___ dit Je **NE** **le l'ai** **PAS** donné Je ___ **t'en ai** ___ parlé
Je vais **le dire** Je dois **le faire** Je veux **en parler**	Je ___ vais ___ **le dire** Je **NE** dois **PAS** **le faire** Je ___ veux ___ **en parler**
Je vais **te le dire** Je dois **te le raconter** Je veux **t'en parler**	Je ___ vais ___ **te le dire** Je **NE** dois **PAS** **te le raconter** Je ___ veux ___ **t'en parler**
Je vais **les écouter chanter** Je dois **les faire travailler** Je veux **les laisser sortir**	Je ___ vais ___ **les écouter chanter** Je **NE** dois **PAS** **les faire travailler** Je ___ veux ___ **les laisser sortir**
Regarde-**les** ! Dis-**le-lui** ! Donne-**lui-en** !	**les regarde** **NE** **le lui dis** **PAS** **lui en donne**
Laisse-**le** partir Fais-**les** attendre	**NE** **le laisse** **PAS** partir **les fais** attendre

> ❱ Pour bien placer les différents éléments, séparer en plusieurs groupes :
> **Je ne //** _vous ai //_ pas écrit.   ~~J'ai ne vous pas écrit.~~
> **Je ne //** _lui ai //_ pas donné.   ~~J'ai ne lui a pas donné.~~
> **Je ne //** _veux pas //_ les voir.   ~~Je n'ai veux pas les voir.~~
> **Je n'_en_ //** ai pas // trouvé.   ~~J'ai n'en ai pas trouvé.~~

E X E R C I C E S

1 Posez des questions et répondez à la forme affirmative puis négative.

1. regarder les séries télévisées   *– Est-ce que vous regardez les séries télévisées ?*
                                        – Oui, je les regarde./ Non, je ne les regarde pas.

2. écouter les nouvelles tous les jours _____

_____

3. éteindre son ordinateur le soir _____

_____

4. jeter les vieux journaux _____

_____

2 Faites des dialogues au passé composé :

– Est-ce que vous avez regardé les séries « Mad Men » et « Dr House » ? – Oui, je les ai regardées./ Non, je ne les ai pas regardées.

_____

_____

3 Complétez selon le modèle.

1. – Tu as vu Charlie hier ? Tu lui as téléphoné ?

 – Non, je *ne l'ai pas vu.*

2. – As-tu pris le courrier ce matin ?

 – Non, je _____.

 Le facteur n'était pas encore passé.

3. – Ça vous dérange si je ferme la fenêtre ?

 – Non, ça _____,

 Au contraire, il fait un peu frais.

4. – Tu ne répéteras pas ce que j'ai dit ?

 – Non, je _____.

 C'est promis !

5. – As-tu encore besoin des ciseaux ?

 – Non, je _____

 Tu peux les prendre.

6. – Je t'ai déjà raconté la blague des autruches ?

 – Non, tu _____ Vas-y, raconte-la !

7. – Le directeur ne s'est jamais douté que

 le comptable le volait ?

 – Non, il _____…

8. – Je t'ai parlé de la dispute entre Max et Léa ?

 – Non, tu _____,

 Qu'est-ce qui s'est passé ?

9. – Je t'ai dit que je sortais ce soir ?

 – Non, tu _____.

 Tu as dû oublier…

10. Est-ce que je mets du sucre dans ton café ?

 – Non, je _____ jamais.

 Je le bois sans rien.

4 Complétez selon le modèle.

1. – Viens à la plage avec nous !   (pouvoir)   – J'ai du travail, *je ne peux pas y aller…*

2. – Téléphone à Julie !   (vouloir)   – On est fâchés, _____

3. – Parle-moi de ta famille.   (aimer).   – C'est compliqué. _____

4. – Prête ton vélo à Paul…   (vouloir)   – Il est trop imprudent. _____

5. – Demande du feu à la jeune fille.   (oser)   – Je suis timide, _____

6. – Dis-moi qui tu as vu hier soir.   (pouvoir)   – C'est un secret, _____

7. – Allez : viens danser le tango !   (savoir)   – Je suis désolé : _____

8. – Donne du sucre au chien.   (pouvoir)   – Ça lui fait mal. _____

9. – Parle-moi de ton premier amour.   (vouloir)   – Ça me gêne, _____

QUELQU'UN, N'IMPORTE QUI, QUICONQUE
Pronoms et adjectifs indéfinis d'identité

Pronoms indéfinis d'identité

■ **Quelqu'un, quelque chose, quelque part :** personne, chose, lieu **sans précision**

– J'ai rencontré **quelqu'un** dans le couloir.	= on ne dit pas qui
– Il portait **quelque chose** sous le bras.	= on ne dit pas quoi
– Il a disparu **quelque part.**	= on ne dit pas où

● On emploie + <u>de</u> + qualification : *quelque chose **d**'intéressant*   *quelqu'un **de** bien*

■ **N'importe qui, n'importe quoi, n'importe où :** **peu importe** la personne, la chose ou le lieu

*Elle sort avec **n'importe qui**.*	= peu importe qui
*Elle mange **n'importe quoi**.*	= peu importe quoi
*Elle se trouve bien **n'importe où**.*	= peu importe où

(***N'importe quand** = peu importe quand   **N'importe comment** = peu importe comment*)

● **N'importe qui** signifie aussi « tout le monde » (sens concret).

N'importe qui *vous indiquera la station de métro.*   *Demandez à **n'importe qui**.*

■ **Quiconque :** tout le monde (sens abstrait) dans le langage administratif

Quiconque *peut se présenter aux élections sous certaines conditions.* = tout le monde
*Nous n'avons autorisé **quiconque** à transmettre ces données.* = aucune personne

● **Quiconque** est aussi un pronom relatif sujet : toute personne <u>qui</u>

Quiconque *viole la loi sera puni.*   = toute personne qui viole la loi
Quiconque *le désire peut s'abonner.*   = tous ceux qui le désirent.

> ❯ On dit : **Quiconque** *commet une infraction sera poursuivi.*
> ~~Quiconque qui commet~~   ~~N'importe qui commet~~

Adjectifs indéfinis d'identité

● **N'importe quel/quelle/quels/quelles :** peu importe la personne ou la chose

*Mon fils se lève à **n'importe quelle** heure.*
*Il met **n'importe quels** vêtements.*

● **Quelconque**, adjectif invariable, se place le plus souvent après le nom.

*Choisis une carte **quelconque** dans le paquet.*   = une carte (sans précision)
*Ils ont annulé la réunion pour une raison **quelconque**.* = une raison (sans précision)

– « Quelconque » signifie également « banal ». *C'est un film quelconque, sans grand intérêt.*

● **N'importe lequel/laquelle/lesquels/lesquelles,** pronoms, s'emploie si la personne ou la chose ont déjà été mentionnées : *Tous les bus vont à l'Opéra : prends **n'importe lequel**.*

E X E R C I C E S

1 Lisez. **Soulignez les adjectifs et les pronoms indéfinis.**

> **Renseignements**
>
> <u>Quelqu'un</u> est devant la porte de notre immeuble. Quelqu'un d'étrange. Les cheveux longs et noirs. Les yeux très clairs. Un très bel homme. Il semble perdu, un guide à la main. Je lui demande :
> – Vous cherchez quelque chose ?
> – Oui : je cherche Répar-Ordi, un magasin de réparation pour ordinateur. Mon guide indique cette adresse.
> – Ah ! Ils ont déménagé cette année. Ils sont maintenant avenue d'Italie. Au début de l'avenue…
> – C'est loin ?
> – Non, dix minutes à peine. Vous pouvez prendre un bus. N'importe lequel. Ils y vont tous. Vous vous arrêtez à la station Place d'Italie. Puis vous demandez où se trouve l'avenue. N'importe qui vous indiquera le chemin.
> Alors l'homme pose la main sur son cœur, se penche pour me dire merci et me regarde avec une infinie douceur.
> Je le regarde partir et je me souviens tout à coup qu'il y a quelque chose qui cloche* dans mon ordinateur.
>
> *qui cloche : qui marche mal

2 Quelqu'un, quelque chose, quelque part. N'importe qui, n'importe quoi, n'importe où, n'importe quand, n'importe comment. **Complétez.**

1. J'ai vu Fred qui marchait dans la rue avec *quelqu'un* que je ne connais pas.

2. – Vous désirez boire _____ ? – Oui, un café et un verre d'eau, merci…

3. Réfléchis avant de parler. Ne dis pas _____.

4. J'ai déjà vu cet homme _____, mais je ne sais plus où…

5. Ce blog est ouvert à tous : _____ peut y participer.

6. – Tu fais _____ pour l'anniversaire d'Isabelle ? – Oui, j'organise une fête surprise.

7. Ces produits sont très faciles à trouver. On peut les acheter _____.

8. Max est trop influençable. _____ peut le faire changer d'avis.

9. Vous pouvez passer _____ : je serai toujours content de vous revoir.

10. J'ai laissé mes lunettes _____ et je ne peux plus mettre la main dessus.

11. Qu'est-ce que tu veux manger, ce soir ? – _____. Ce que tu as.

12. Vraiment tu devrais être plus soigné : tu t'habilles _____.

3 N'importe qui, quiconque. **Complétez.**

1. Je suis inquiète. Ma fille sort avec *n'importe qui.* Elle se confie à _____.

2. _____ veut faire de la politique doit s'attendre à des coups bas.

3. Nous enverrons une documentation à _____ nous en fera la demande.

4. _____ entre ici comme dans un moulin ! C'est incroyable.

5. Aujourd'hui, _____ veut être célèbre peut s'exhiber sur Internet.

4 N'importe quel (s)/quelle(s)/lequel/laquelle. Quelconque. **Complétez.**

1. *N'importe quel* bus peut vous conduire à la gare. Vous pouvez prendre _____.

2. Vous pouvez rentrer à la pension à _____ heure. Il y a toujours quelqu'un à la réception.

3. Mon père fait sa promenade tous les jours, par _____ temps.

4. – Je ne sais pas quelle entrée prendre ? – Prends _____ : elles sont toutes délicieuses !

5. Pour une raison _____, la lumière s'est éteinte et nous sommes restés dans le noir.

6. Vous pouvez nous poser _____ questions. Nous vous répondrons rapidement.

7. – Quelle robe est-ce que tu préfères ? – Mets _____ : elles sont jolies toutes les deux.

8. Craignant des débordements, les autorités ont annulé le festival sous un prétexte _____.

QUELQUES-UNS, PLUSIEURS, CHACUN
Pronoms et adjectifs indéfinis de quantité

Les adjectifs et pronoms indéfinis de quantité peuvent être remplacés par un nombre (1, 2, 3) et ils renvoient à des objets comptables.

Adjectifs et pronoms indéfinis de quantité

■ **Adjectif indéfini**

Quelques employés travaillent le soir.
Plusieurs employés ont une voiture.
Plus d'un employé habite en banlieue.
Certains employés travaillent en équipe.
Chaque employé a un badge.

■ **Pronom indéfini**

Quelques-uns travaillent le soir.
Plusieurs ont une voiture.
Plus d'un habite en banlieue
Certains travaillent en équipe.
Chacun a un badge.

● **Chaque** indique une singularité **dans un tout**.   *Chaque boîte = toutes les boîtes*

– On dit : *Chacune (des boîtes) coûte un euro. Elles coûtent un euro chacune.*
Mais à l'oral on dit souvent : *Donnez-moi une boîte de chaque. = une boîte de chaque catégorie*

● **Plusieurs** est invariable. *Je connais plusieurs étudiants et plusieurs étudiantes.*

● **Plus d'un** est suivi d'un verbe au singulier.   *Plus d'un étudiant a réussi.*
(**Moins de deux** est suivi d'un verbe au pluriel :   *Moins de deux mois suffisent pour tout faire.*)

● **Certains/d'autres** distribuent des sous-groupes.   *Certains timbres ont de la valeur, d'autres non.*

Distinguer :   *J'attends l'arrivée d'autres étudiants.*   (pluriel de « un autre »)
                J'attends l'arrivée des autres étudiants.   (pluriel de + **les** autres)

– Placé après le nom, « certain » signifie « réel ». *Ce timbre a une valeur certaine.*

● **Divers/ différent**, placés avant le nom, signalent une variété dans la pluralité.
        Max parle différentes langues.   *Jo connaît diverses cultures.*   = plusieurs

– Placés après le nom, « divers/différents » signifient « pas pareils » :
        Max et Jo ont des caractères différents.

❱ **Divers/différents/plusieurs** remplacent **des** et s'emploient sans déterminant.
    Ils ont posé des questions
            diverses questions.   ~~des diverses questions~~
            différentes questions.   ~~des différentes questions~~

❱ **Des gens**, collectif pluriel, ne peut s'employer avec **plusieurs** ou **quelques**.
❱ On dit : *Quelques/plusieurs personnes sont venues.*   ~~Plusieurs gens sont venus~~

■ Après **en** + quantité, on emploie **de** devant un adjectif ou un participé passé.

– *Ces places sont-elles libres ou réservées ? – Il y en a deux de réservées. /*
Il y en a plusieurs de réservées. / Il y en a quelques-unes de libres.

● Après un indéfini **pluriel**, on emploie « d'entre » devant « nous », « vous », « eux ».
Plusieurs d'entre eux.   Quelques-uns d'entre nous.   ~~plusieurs d'eux~~   ~~quelques uns de nous~~
Avec un singulier, on peut dire : *chacun d'entre nous/de nous*   *aucun d'entre nous/de nous*

E X E R C I C E S

1 Lisez. Soulignez les adjectifs et les pronoms indéfinis.

Soldes

– Tu as trouvé <u>quelque chose</u> d'intéressant pendant les soldes ?
– J'ai fait <u>plusieurs</u> boutiques. Il y avait quelques pulls de marque intéressants. J'en ai essayé quelques-uns qui étaient très jolis. Malheureusement, certains étaient trop petits, d'autres trop grands.
– Tu n'as rien acheté ?
– Si, j'ai acheté six tee-shirts « Zazou » pour les filles. Chacun d'une couleur différente. Et toi ?
– Moi, aussi : j'ai acheté des tee-shirts « Zazou » ! J'ai pris des jaunes et des verts, deux de chaque.

2 Quelques, quelqu'un (de), quelques-un(e)s. **Complétez.**

1. *Quelqu'un* a oublié son portable sur la table du restaurant ! C'est le monsieur là-bas, dans la rue : rattrapez-le.

2. Tu as entendu des chansons de Gainsbourg ? – Oui, j'en ai entendu _____. Elles sont géniales.

3. Tout le monde est arrivé ? La réunion peut commencer ? – Non, il manque encore _____ personnes.

4. – Toutes les places pour le concert sont réservées ? – Non, il en reste encore _____ : deux ou trois.

5. Tu connais Jeanne ? C'est vraiment _____ extraordinaire.

6. Avez-vous vu les nouveaux tableaux de Luton ? _____ sont vraiment très beaux.

3 Chacun(e), chaque, **Transformez, selon le modèle.**

1. Quand je vais au restaurant avec des amis, *chacun* paye sa part.

2. _____ participant au colloque a parlé vingt minutes.

3. Ces livres coûtent 15 euros _____. C'est cher…

4. Dans ma famille, nous avons _____ des goûts très différents.

5. _____ de mes filles est douée en math et _____ garçon est doué pour le chant.

6. Vous voulez des pommes « Granny » ou des « Royal Gala » ? – Donnez-m'en trois de _____.

4 Certains, d'autres, des autres, différent(e)s, d'eux, d'entre eux. **Complétez.**

Dans la classe de langue

Certains étudiants sont anglophones, _____ sont hispanophones ou arabophones. Ils viennent de _____ pays et de _____ cultures. C'est ce qui rend le cours intéressant. Chacun expose son point de vue et écoute celui _____ . _____étudiants sont bavards, _____ sont timides. Les cours sont toujours _____ les uns _____. Les étudiants ont tous fait beaucoup de progrès. Quelques-uns _____ parlent maintenant sans accent. Chacun _____a enrichi son vocabulaire et a acquis plus d'assurance.

5 Des, différents, plusieurs. **Continuez.**

1. films (voir)
2. parfums (acheter)
3. amis (inviter)
4. appartements (visiter)

Nous avons vu des films /différents films.
/plusieurs films.

6 Répondez selon le modèle.

1. – Combien y a-t-il de verres cassés ? (3)
2. – Combien y a-t-il de tables libres ? (plusieurs)
3. – Combien y a-t-il de tables réservées ? (6)
4. – Combien y a-t-il de nouveaux serveurs ? (2)

– Combien y a-t-il de verres cassés ?
– Il y a en trois de cassés.

TOUT, TOUTE, TOUS, TOUTES
Adjectif, pronom et adverbe indéfini

Tout exprime la totalité et peut être adjectif, pronom ou adverbe.

TOUT, adjectif

■ **Tout**, adjectif, s'accorde avec le nom qui suit.

Tout le jour **Toute** la nuit	**Tous** les jours **Toutes** les nuits	♪ On ne prononce pas le « s » de « tous » /tu/
= en entier	= sans exception	

> ❭ On écrit : J'aime **tous** les hommes. ~~touts les hommes~~
> ❭ **Tous les deux, tous les trois**, etc., s'appliquent seulement à des personnes :
> On dit : Vous voulez du sucre ou de la crème ? – Les deux, merci. ~~tous les deux~~

> ❭ Lorsqu'on se réfère à la totalité des gens, on emploie l'expression « tout le monde ».
> On dit : J'aime les gens. Mais : J'aime **tout le monde**. ~~J'aime tous les gens.~~

> ❭ Avec le relatif **qui**, on n'emploie jamais « tout le monde » :
> On dit : **Tous les gens qui** ont vu ce film l'ont aimé. ~~Tout le monde qui a vu.~~
> Ou : **Tous ceux qui** ont vu ce film l'ont aimé. ~~Tous qui ont vu~~

> ❭ On dit : Je ferai tout **ce que** tu voudras. ~~je ferai tout que tu voudras.~~
> ❭ On écrit : J'aime tout **ce qu'**il aime. ~~j'aime tous qu'il aime.~~

TOUT, pronom

■ **Tout, pronom neutre**, est invariable. **Tous/toutes** sont des pronoms pluriels.

Tout va bien ! Merci pour **tout** !	Merci à **tous** Merci à **toutes** !	♪ On prononce le « s » de « tous » /tus /
= neutre	= pluriel	

> ❭ On dit : J'aime **tout**. ~~J'aime tous~~
> J'ai **tout** rangé. ~~J'ai rangé toutes les choses~~

■ Place de **tout/tous**

– après le verbe aux temps simples :	J'aime **tout**.	Je les aime **tous**.
– devant le participe passé :	J'ai **tout** lu.	Je les ai **tous** lus.
– devant l'infinitif :	Je vais **tout** lire.	Je vais **tous** les lire.

> ❭ **Tous, toutes** s'emploient rarement en position sujet. On dit :
> **Tous** sont là. **Ils** sont **tous** là. **Tout le monde** est là.

E X E R C I C E S

1 Lisez. Observez

Tuez-les tous

« – Comment distinguer les hérétiques des catholiques », se demandait-on lors de la prise de la ville de Béziers où vivaient de nombreux cathares, en 1209.

« – Tuez-les **tous**, Dieu reconnaîtra les siens », répondit Arnaud Amaury, légat du pape Innocent III.

*cathares : secte chrétienne du Moyen Âge

Embrasse-les tous,

De Pierre à Paul en passant par Félicien
Embrasse-les **tous**, Embrasse-les **tous**
Dieu reconnaîtra le sien
Passe-les **tous** par tes armes
Passe-les **tous** par tes charmes
Jusqu'à ce que l'un deux les bras en croix
Tourne de l'œil* dans tes bras

Georges Brassens.
*Tourner de l'œil : s'évanouir

2 Complétez et lisez à haute voix.

Tou___ est à vendre ! Emportez tou__ !

Tou___ pour rien ! Venez tou____ !

Tou__ doit disparaître ! Nos produits sont

tou____ de qualité, et il y en a pour

tou___ le monde!

3 Trouvez les verbes, selon le modèle.

1. Trois jours de vacances, *c'est tout ce que j'ai pris.*

2. Une pomme, _____

3. Un verre d'eau, _____

4. Quinze euros, _____

5. Deux exercices, _____

4 Complétez, selon le modèle.

1. *Tous* les hommes ne deviennent pas riches, *mais ils deviennent tous* presbytes.

2. _____ les chemins ne mènent pas à Rome, _____ quelque part.

3. _____ acteurs ne sont pas beaux, _____ narcissiques.

4. _____ les boutiques ne ferment pas à la même heure, _____ avant neuf heures du soir.

5. _____ dentistes ne sont pas sadiques, _____ chers.

5 Tout, toute, tous, toutes. Complétez.

1. *Tous* les enfants ont la grippe : ils toussent *tous* !

2. Le frigo est tombé en panne : _____le contenu du congélateur a dégelé. J'ai _____jeté.

3. _____le monde connaît quelques noms de footballeurs, mais mon fils les connaît _____.

4. Mes frères sont _____les deux Scorpion et leurs femmes sont _____les deux Taureau.

5. Mes amis ont dormi _____la matinée, ils ont fait la sieste _____l'après-midi et ils se sont _____ réveillés pour le dîner.

6. On ne vous a pas _____dit. Moi, je vous dirai_____.

6 Prononciation du « s » final :

	Oui	Non
Ils sont tous là.	x	
Je les connais tous.		
Tous mes amis parlent anglais.		
Ils sont tous sympathiques.		
Ils appellent tous les soirs.		
On part tous ensemble.		
J'ai pris tous les livres		
Je les ai tous lus.		
Venez tous ici !		

7 Répondez selon le modèle.

– Quelles chansons de Brel aimez-vous? *Je les aime toutes !*

– Quels pays voudriez-vous visiter? _____

– Quels airs des Beatles connaissez-vous ? _____

– Quels exercices comptez-vous faire ? _____

TOUT, semi-adverbe signifie « entièrement ».

♪ ■ Invariable au **masculin**, **tout** s'accorde **au féminin** devant une consonne, ou un « h » aspiré, pour éviter un sentiment d'étrangeté (tout = sonorité masculine + nom féminin).

● **Masculin**　　　　　　　● **Féminin**

*Il est **tout** fier.*　　　　　／tu／　　*Elle est **toute** fière/**toute** honteuse.*　　／tu**t**／
*Ils sont **tout** fiers.*　　　　　　　　　*Elles sont **toutes** fières/**toutes** honteuses.*

● Devant une voyelle ou un « h » muet, l'accord est facultatif, car la liaison fait entendre la finale.

*Elle est **tout** étonnée.*　　／tu**t**／　　*Elle est **toute** étonnée.*　　／tu**t**／
*Elle est **tout** heureuse.*　　　　　　　*Elle est **toute** heureuse.*

● Au pluriel l'accord s'entend et permet de distinguer l'adverbe du pronom.

*Elles sont **tout** heureuses.*　　／tu**t**／　　*Elles sont **toutes** heureuses.*　　／tu**tz**／
= entièrement.　　　　　　　　　　= chacune

● À l'oral, devant une consonne, l'adverbe fait bloc avec l'adjectif, à la différence du pronom.

Elles étaient | *toute gentilles* |.　　= entièrement gentilles

Elles étaient | *toutes* | | *gentilles* |　　= chacune séparément

---

❭ **Du tout** renforce les négations « pas », « plus », « rien ».

~~Pas~~ du tout　　　*~~Plus~~ du tout*　　　*~~Rien~~ du tout*　　　= absolument pas/plus/rien
~~pas de tout~~　　　~~plus de tout~~　　　~~rien de tout~~

Valeurs particulières de tout

Ce pull est **tout en** coton.　　　　　　= entièrement fait de
Je suis **tout à** vous.　　　　　　　　= entièrement à votre disposition
Elle est **tout à** son travail.　　　　　= entièrement tournée vers
C'est un **tout autre** sujet.　　　　　= entièrement différent.
Tout homme est mortel.　　　　　= chaque, n'importe quel
Tout autre que lui aurait accepté.　　= n'importe qui d'autre
Pour **tout** salaire, il gagne 800 euros.　= uniquement
Ça fera dix euros en **tout**.　　　　　= au total

❭ On dit : *ça fera 10 euros **en tout**/**au total**.*　　　　　~~en total~~

■ Expressions :

*Être beau **comme tout**.*　= être très beau　　　*Tout nouveau tout beau.*　= aimer la nouveauté
*Jouer **le tout** pour **le tout**.*　= tout risquer　　　*Changer du **tout au tout**.*　= changer de façon radicale
*Être **tout** ouïe*　= être attentif　　　*Être **tout** feu **tout** flamme*　= être enthousiaste
*Être **tout** yeux **tout** oreilles*　= être attentif

E X E R C I C E S

1 Lisez. Observez.

> **Internet et les médias**
>
> Sur Internet on trouve **tout**. **Tout** est accessible **tout** le temps et pour **tout** le monde. Et **tout** est gratuit : on peut se constituer une discothèque pour **rien du tout**. C'est une révolution profonde, notamment pour l'accès à l'information. Alors qu'à la radio et à la télévision l'information se transmet de un à **tous**, sur Internet elle circule de **tous** à **tous**. **Tout** heureux de bénéficier de cet outil de connaissance puissant et gratuit, les utilisateurs doivent cependant se protéger de la désinformation ou de la publicité qui s'insinuent désormais dans **tous** les domaines de la communication partagée.

2 Tout, toute, toutes. **Complétez.**

Vos yeux sont _____ rouges, vos ongles _____ cassants, vos cheveux _____ plats, vos lèvres _____ gercées, vos mains _____ sèches, votre peau _____ abîmée ? Tombez amoureuse ou buvez Magnezac !

3 Faites un portrait avec tout + adjectif.

Un clochard

Il a le visage _____

Les mains _____

Les lèvres _____

La voix _____

Ses vêtements sont _____

4 Faites des phrases selon le modèle

surpris   étonné   triste
heureux   ému   honteux
Ils semblent tout surpris. Elles semblent toutes surprises.

_____

_____

_____

_____

5 Tout, **adjectif, pronom, nom ou adverbe. Complétez.**

> **Emma**
>
> _____ les ans, nous allions rendre visite à notre tante Emma, en Corse, et nous revenions _____ excités du voyage. Emma était une vieille dame _____ petite, toujours _____ habillée de noir, mais, contre _____ attente, c'était une femme malicieuse et une formidable conteuse. Lorsqu'elle nous racontait sa vie, nous étions _____ yeux _____ oreilles. Emma était l'aînée d'une famille de dix-huit enfants. Elle s'était occupée de _____ ce petit monde jusqu'à sa rencontre avec Eusèbe, un grand garçon _____ fou, comédien ambulant, pour qui Emma avait _____ laissé : ferme, frères, sœurs et cochons pour partir sur les routes, avec l'amour pour _____ bagage.

6 Complétez avec tout(e)s.

1. Les fleurs sont *toutes* fanées.

2. Repas servis à _____ heure.

3. Marie est _____ triste.

4. _____ homme est mortel.

5. Tes pieds sont _____ froids.

6. _____ enfant a besoin d'amour.

7. Il a un sac pour _____ bagage.

8. _____ travail mérite salaire

9. Léa est jolie comme _____.

7 Tout adjectif, pronom ou adverbe. **Complétez librement.**

1. Max a gagné 10 000 euros au casino, mais il _____ aux courses.

2. Il n'y a plus un seul chocolat dans la boîte ? Tu _____ ?

3. Les voleurs sont entrés et ils _____ : il ne reste plus rien !

4. Repasse ta veste : regarde, elle est _____.

5. – Je peux ramener ces livres à la bibliothèque ? – Oui, je _____.

40
QUI, QUE, DONT, OÙ
Pronoms relatifs simples

QUI, QUE, DONT

■ **Qui**, personne ou chose, est **sujet** d'une phrase relative.

*L'homme **qui** passe est blond.*
*La voiture **qui** <u>passe</u> est bleue.*

■ **Que**, personne ou chose, est **complément** d'une phrase relative.

*L'homme **que** je vois passer est blond.*
*La voiture **que** je vois passer est bleue.*

● **Que** est généralement suivi d'un sujet, mais l'ordre sujet verbe peut être **inversé.**

> *C'est un film **que** <u>la critique</u> a détesté.*   sujet-verbe
> *C'est un film **qu'**a détesté <u>la critique.</u>*   verbe-sujet

● On élide **que**, mais jamais **qui**. *C'est l'homme **qui** aime Léa. C'est l'homme **qu'**aime Léa.*

● Devant « on », en français soutenu, on écrit : *C'est une chose **que** l'on sait.*

> ❯ **Qui**, sujet, ne peut être suivi d'un autre sujet. On dit :
> *C'est un travail **qui est** bien payé,*   ***qui est** intéressant,*   ***qui** me plaît.*
>   ~~que c'est bien payé~~   ~~que c'est intéressant~~   ~~que ça me plaît~~

■ **Dont** remplace un complément précédé par **de.** Il est complément d'un verbe, d'un adjectif ou d'un nom.

Jo est l'<u>homme</u>	**dont**	*je t'ai parlé.*	= parler <u>de</u> + nom
		je suis amoureuse.	= être amoureuse <u>de</u> + nom
		j'attends la venue.	= attendre la venue <u>de</u> + nom

● **Dont** peut signifier « inclus dans ce nombre ». *Deux cafés, **dont** un serré, s'il vous plaît !*
  – **Que**, complément d'objet direct, répond à la question « qui/quoi ? ».
  – **Dont**, complément d'objet indirect, répond à la question « de qui/de quoi ? ».

> ❯ On dit : *C'est le document **dont** j'ai besoin.*   *C'est la voiture **dont** j'ai envie.*
>   ~~C'est le document que j'ai besoin~~   ~~C'est la voiture que j'ai envie~~

> ❯ On n'emploie ni **en** ni **possessif** avec **dont** :
> *C'est quelque chose **dont** on a envie.*   *C'est un quartier **dont** on apprécie le calme.*
>   ~~dont on en a envie~~   ~~dont on apprécie son calme~~

OÙ est un relatif de lieu ou de temps.

> – *Quand êtes-vous né ?*   – *Le jour **où** on a marché sur La lune !*   = temps
> – *Où êtes-vous né ?*   – *Dans un pays **où** poussent les oliviers.*   = lieu

● **D'où, là où, partout où,** etc., sont des relatifs de lieu.

*Le pays **d'où** je viens est loin d'ici.*   *J'ai remis les livres **là où** ils étaient.*
*Bernard fait des photos **partout où** il va.*   *On ne sait pas **par où** sont entrés les voleurs.*

> ❯ On dit : *Il est parti quand tu es arrivé.*
> Mais :   *Il est parti le jour **où** tu es arrivé.*   ~~le jour quand le jour que~~
> On dit : *le jour/le mois/l'année **où** je l'ai vu,* mais le *1re **fois que** je l'ai vu.*

E X E R C I C E S

1 **Lisez. Observez.**

Un standard

C'est une chanson
qui traverse le temps
que tout le monde connaît
qui nous semble éternelle
que chantent les crooners*
que l'on entend partout
dont on fredonne les paroles
dont l'air nous est tout de suite familier.

*crooner : chanteur de charme

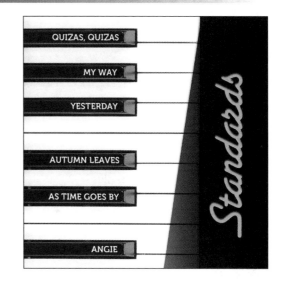

2 **Qui, que. Transformez.**

1. Je viens d'entendre un musicien. Il joue comme un dieu. Je ne le connaissais pas.
Je viens d'entendre un musicien qui joue comme un dieu et que je ne connaissais pas.

2. J'ai entendu un disque. Il est passé à la radio. Il vient de sortir. Je voudrais l'acheter.
_____

3. Je vais louer un appartement. Il se trouve dans mon quartier. Je l'ai visité. Il me plaît beaucoup.
_____

4. J'ai trouvé une robe. Elle a appartenu à ma grand-mère. Je l'ai essayée. Elle me va très bien !
_____

5. J'attends un ami. Il habite au Chili. Je ne l'ai pas vu depuis longtemps. Je l'aime beaucoup.
_____

3 **Qui, que ou qu'. Complétez.**

1. Comment s'appelle le chanteur _____ chante « Nobody But You » et _____ a composé « Pale Blue Eyes »?
2. Les pies sont des oiseaux _____ attirent tous les objets _____ brillent. **3.** Les vêtements _____
porte Margot sont originaux. Ce sont des vêtements d'occasion ____ elle transforme à son goût. **4.** Tu as vu l'horrible
chien _____ ont acheté les voisins ? C'est un petit caniche _____ aboie nuit et jour. **5.** J'ai perdu
l'écharpe _____ avait tricotée ma grand-mère et _____ je portais tous les hivers. **6.** Le bleu est
la couleur _____ convient le mieux à ton teint. Moi, c'est une couleur _____ ne me va pas du tout. **7.** Cette
émission, _____ est très intéressante et _____ présente un animateur intelligent, passe trop tard le soir. **8.** Le
livre _____ a écrit Anne Franck est devenu un livre culte. C'est un document _____ est bouleversant.

4 **Qui, que, dont. Transformez selon le modèle.**

Votre vélo est lourd. Il est encombrant. Vous ne pouvez pas le plier.
Votre voiture consomme trop. Elle fait du bruit. Vous ne pouvez pas la garer n'importe où.
Votre télé prend de la place. Vous ne pouvez pas l'orienter. Elle n'a pas une bonne image.
Votre téléphone portable n'est pas très plat. Il n'a pas de GPS. Vous devez le recharger tous les jours.
Votre montre est moche. On doit changer ses piles. Vous n'aimez pas son design.

Achetez : Le Vélo Pic : *C'est un vélo qui est léger, qui n'est pas encombrant et qu'on peut plier.*

La mini-Pic : _____

La télé Pic : _____

Le portable Pic : _____

La montre Pic : _____

E X E R C I C E S

1 **Qui. Répondez selon le modèle.**

– Ce parfum ne te plaît pas ?

– *Non, c'est un parfum qui ne me plaît pas du tout.*

– Cette émission ne t'intéresse pas ?

_____

– Cette couleur ne me va pas ?

_____

– Cette vieille radio ne marche plus ?

_____

– Ce comique ne t'amuse pas ?

_____

2 **Qui, que, dont. Complétez.**

C'est un film

_____ passe souvent à la télé.

_____ j'ai vu cinq fois.

_____ est très amusant.

_____ tout le monde connaît.

_____ adore mon père.

_____ j'ai raté le début.

_____ j'ai trouvé génial.

_____ j'ai oublié le titre.

_____ je cherche le DVD.

3 **Qui, que, dont. Complétez les devinettes.**

C'est quelque chose

_____ j'achète dans un kiosque,

_____ je lis dans le métro,

_____ donne des informations,

_____ on se sert pour allumer

un feu de cheminée.

C'est quelque chose

_____ l'État fabrique,

_____ tout le monde a besoin,

_____ fait vivre les banques,

_____ « ne fait pas le bonheur »

(mais qui y contribue).

C'est quelque chose

_____ est jaune,

_____ adorent les singes

_____ pousse au soleil,

_____ on pèle toujours

la peau.

4 **Dont, complément de nom. Transformez.**

1. Les personnes avec des bagages qui pèsent plus de 5 kg doivent attendre à l'embarquement.

Les personnes dont les bagages pèsent plus de 5 kg doivent attendre à l'embarquement.

2. L'appartement avec des fenêtres qui donnent sur le parc est à vendre.

_____

3. Les voitures avec une consommation qui dépasse 15 litres aux cent seront taxées.

_____

4. Les immeubles avec une façade qui est trop sale devront être rénovés.

_____

5. Les yaourts avec une date qui est périmée depuis plus d'une semaine peuvent être nocifs.

_____

6. Les billets de Loto avec un numéro qui commence par 21 ont gagné 200 euros.

_____

5 **Qui, que, qu', dont. Complétez.**

1. La municipalité propose des voitures électriques _____ ont une autonomie de 3 heures et _____ l'on peut laisser n'importe où. C'est une initiative _____ est très appréciée des citadins.

2. Ma sœur m'a donné les vêtements _____ne lui vont plus, les accessoires _____ elle ne porte plus et tous les objets _____ elle ne se sert plus.

3. Les chouquettes sont des petits gâteaux _____ adore ma grand-mère. Ce sont des viennoiseries _____ la pâte est légèrement sucrée et _____ ont une forme de chou.

4. J'ai encadré tous les dessins _____ a fait ma petite fille. Il y en a un _____ me plaît particulièrement. C'est un dessin _____ représente un hibou et _____est très expressif.

5. Mon nouvel ordinateur est un outil _____ est très solide, _____ j'entretiens avec soin, _____ j'emporte partout et _____ je ne peux plus me passer…

E X E R C I C E S

1 Que, dont. **Complétez.**

1. Livre : entendre parler/chercher partout *C'est un livre dont j'ai entendu parler et que je cherche partout.*

2. Secteur : être responsable/diriger depuis 2 ans _____

3. Auteur : aimer le style/lire tous les livres _____

4. Fille : connaître depuis 2 mois/être fou _____

5. Voiture : acheter il y a 6 mois/être très content _____

6. Ami : être très proche/attendre la venue _____

2 Dont. **Transformez et imaginez une suite sur le même modèle.**

1. Je parle trois langues. L'anglais est l'une d'entre elles. *Je parle trois langues dont l'anglais.*

2. Je travaille cinq jours par semaine, y compris le samedi. _____

3. Il y a 20 personnes dans ma classe. La moitié vient d'Europe. _____

4. Je dépense 800 euros par mois, inclus 500 euros de loyer. _____

5. Je connais trois pays européens. L'Italie en fait partie. _____

3 Où, d'où, là où, par où. **Complétez.**

1. Il y a des pays *où* on parle naturellement plusieurs langues. **2.** Nous vivons une époque _____ tout va trop vite **3.** La fenêtre _____ les voleurs sont entrés était restée ouverte. **4.** L'herbe n'a plus repoussé _____ on a répandu des pesticides. **5.** Appelez-moi le jour _____ vous passerez par ici. **6.** Le pays _____ je viens est un pays méditerranéen. **7.** « La liberté des uns s'arrête _____ celle des autres commencent. »

4 **Reliez les phrases en utilisant** qui, que, dont, où, **selon le modèle.**

Un criminel a été arrêté hier par la police dans le sud de la France. Il s'était échappé de la prison le mois dernier. L'homme a été reconnu par le gérant d'un hôtel. Son signalement avait été communiqué dans la presse par la police.	*Le criminel qui s'était échappé de la prison le mois dernier a été arrêté hier dans le sud de la France. L'homme, dont le signalement avait été communiqué dans la presse par la police, a été reconnu par le gérant d'un hôtel.*
Des ouvriers d'un chantier du Havre ont découvert une bombe. Elle datait de la Seconde Guerre mondiale. Les démineurs ont fait exploser la bombe. Son poids était de 500 kg.	_____ _____ _____ _____
Une femme a accouché dans un taxi, à Montréal. Elle se dirigeait vers la maternité à 4 heures du matin. Le taxi s'est arrêté dans une ruelle. Le bébé a vu le jour dans cette ruelle.	_____ _____ _____ _____
Une vieille dame a chassé à coups de rouleau à pâtisserie un cambrioleur. Elle l'avait trouvé en train de fouiller dans sa chambre. Il était entré par la fenêtre.	_____ _____ _____ _____

LEQUEL, AUQUEL, DUQUEL...
Pronoms relatifs composés

41

LEQUEL, LAQUELLE, LESQUELS... : relatifs composés

■ On emploie un relatif composé après une **préposition**.

Voilà	*le* stylo	avec	**lequel**	*je travaille.*
	la pièce	dans	**laquelle**	
	les dossiers	sur	**lesquels**	
	les sociétés	pour	**lesquelles**	

● Avec **le temps** et **le lieu**, on peut employer **où**.

> La pièce *dans laquelle* je travaille est sombre. = La pièce *où* je travaille est sombre.
> L'époque *dans laquelle* nous vivons est difficile. = L'époque *où* nous vivons est difficile.

AUQUEL, DUQUEL, DESQUELS... : relatifs composés contractés

■ **À** et **de** se contractent avec **le** et **les**.

auquel	**duquel**
à laquelle	**de laquelle**
auxquels	**desquels**
auxquelles	**desquelles**

| à + lequel = **auquel** | de + lequel = **duquel** |
| à + lesquels = **auxquels** | de + lesquelles = **desquelles** |

● Avec une **personne**, on emploie aussi **qui**.

> C'est la personne *chez laquelle* j'habite. = C'est la personne *chez qui* j'habite.
> C'est l'employé *auquel* je me suis adressé(e). = C'est l'employé *à qui* je me suis adressé(e).

> – On peut employer **qui** avec un pluriel : *Ce sont les gens **chez qui** j'habite.*

● Avec un antécédent **neutre**, on emploie **quoi**. Comparez :

> C'est une réaction <u>à laquelle</u> il faut s'attendre.   C'est **quelque chose** <u>à quoi</u> il faut s'attendre.
> Elle a une famille <u>sur laquelle</u> s'appuyer.   Elle n'a **rien** <u>sur quoi</u> s'appuyer.

■ **Dont ou duquel ?**

● **Duquel** s'emploie seulement après un **groupe** prépositionnel (préposition + nom + de).
Ex : en face de, le long de, à côté de, à propos de. Comparez :

C'est	C'est
le musée **dont** Paul est directeur.	le musée <u>en face</u> **duquel** j'habite.
un livre **dont** j'ai lu vingt pages.	un livre <u>au bout</u> **duquel** je ne suis jamais arrivé(e).
un homme **dont** j'aime la compagnie.	un homme <u>en compagnie</u> **duquel** je me sens bien.

> ❱ On dit : *Je n'ai pas vu le film **dont** vous parlez.*
> ~~Je n'ai pas vu le film duquel vous parlez.~~

E X E R C I C E S

1 Lisez. Observez.

> **Maudit soit le père**
>
> du forgeron **qui** forgea le fer de la cognée
> avec **laquelle** le bûcheron abattit le chêne
> dans **lequel** on sculpta le lit
> **où** fut engendré l'arrière-grand-père
> de l'homme **qui** conduisit la voiture
> dans **laquelle** ta mère
> rencontra ton père.
>
> Robert Desnos

2 Complétez avec les relatifs manquants

Bénie soit l'école

dans _____ j'ai suivi des cours

grâce _____ je peux m'exprimer

dans une langue sans _____

je ne pourrais pas connaître

le pays de l'homme

avec _____ j'ai choisi de vivre,

pour _____ j'ai quitté mon pays

et auprès _____ je me sens si bien.

3 Dans lequel, sur lequel, **etc. Transformez.**

Un restaurant à la mode

Je travaille dans un restaurant ultramoderne. *Le restaurant dans lequel je travaille est ultramoderne.*

On entre par une porte en verre bleu. _____

On s'assoit sur des poufs en fourrure verte. _____

On mange avec des pinces en bois africain. _____

On s'essuie avec une serviette en soie noire. _____

On boit dans des verres en plastique. _____

4 Dans lequel, sur lequel, **etc. Complétez**

Un cambriolage

Le voleur est entré par ce vasistas. Voilà le vasistas *par lequel le voleur est entré.*

Il a endormi le gardien avec un aérosol. On a retrouvé l'aérosol _____

Il a enfermé les employés dans cette pièce. Voilà la pièce _____

Le voleur a forcé le coffre avec ces outils. Il a abandonné les outils _____

Il a laissé une inscription sur le mur. On a pris des photos du mur _____

Le voleur s'est enfui par cette fenêtre. Voilà la fenêtre _____

5 Complétez avec des relatifs composés avec :

grâce   sous   sans   à   sur   le long de   pour   contre   en

1. Fais attention : le banc *sur lequel* tu vas t'asseoir est tout sale.

2. La pénicilline est le médicament _____ on a pu vaincre les grandes épidémies.

3. Juguler le réchauffement climatique est le défi _____ notre espèce est désormais confrontée.

4. L'espoir est un sentiment _____ on ne pourrait pas vivre.

5. eBay est un site internet _____ on peut vendre et acheter n'importe quoi.

6. La Seine est un fleuve _____ on trouve de nombreux bouquinistes.

7. Quand j'étais enfant, j'adorais un ourson en peluche_____ il manquait une oreille.

8. Le guichet _____ on s'est adressé a fermé sous nos yeux.

9. La liberté est une chose _____ tout le monde est attaché.

10. La personne _____ j'ai voté a été élue ! C'est quelqu'un _____ j'ai toute confiance.

11. L'injustice est quelque chose _____ on doit lutter de toutes nos forces.

12. Les ponts et les porches sont des abris_____ se réfugient les SDF*.

*SDF : sans domicile fixe, sans-abri

EXERCICES

1   Dont **ou** duquel ?

> **Hôtel de charme**
>
> Me voilà arrivée à l'hôtel _____ je t'avais parlé il y a longtemps et _____ j'avais perdu l'adresse. Je l'ai retrouvée
> sur un vieux bouquin au dos _____ je l'avais notée.
>
> Ma chambre est une pièce _____ les fenêtres donnent sur un joli jardin au fond _____ se trouve
> une petite cabane_____ j'aperçois le toit de palmes. Il y a aussi un ruisseau au bord _____ les enfants
> jouent et _____ j'entends le doux clapotis la nuit.
>
> Viens vite me rejoindre : il y a seulement quatre chambres _____ deux sont déjà occupées…

2   **Complétez les citations avec des prépositions et des relatifs composés.**

1. La catastrophe qui finit par arriver n'est jamais celle _____ on s'est préparé. (Mark Twain)

2. Le prix modeste du papier est la raison _____ les femmes commencèrent par réussir en littérature
avant de le faire dans d'autres professions. (Virginia Woolf)

3. Quand Dieu veut avoir de grands poètes, il en choisit deux ou trois _____ il envoie de grandes douleurs.
(Alphonse Daudet)

4. La tâche _____ nous devons nous atteler, ce n'est pas de parvenir à la sécurité, c'est d'arriver à tolérer
l'insécurité. (Erich Fromm)

5. La politique est peut-être la seule profession _____ nulle préparation n'est jugée nécessaire.
(René Louis Stevenson)

3   **Reliez les phrases en utilisant des relatifs composés.**

Un accident Des ouvriers du bâtiment travaillaient sur un échafaudage. L'échafaudage s'est effondré. On avait installé quelques minutes auparavant des filets de protection. Grâce à ces filets tous les ouvriers ont pu être sauvés.	*L'échafaudage sur lequel* _____ _____ _____ _____ _____
Un trésor Des enfants jouaient dans la cave d'une voisine. Dans cette cave se trouvaient de vieux objets. Ils ont soulevé de vieilles couvertures. Sous ces couvertures était cachée une malle ancienne. Dans cette malle se trouvaient des pièces d'or datant du seizième siècle.	_____ _____ _____ _____ _____
Un jardin La police a démantelé une serre. À l'intérieur de cette serre se trouvait un équipement pour produire du cannabis. Il s'agissait d'un jardin rotatif composé de plusieurs tubes. Dans ces tubes se trouvaient un millier de plants gravitant autour de deux lampes.	_____ _____ _____ _____ _____

E X E R C I C E S

1 Relatifs simples et composés. **Continuez.**

Ce bracelet est un bijou de famille.
Il vient de ma tante.
Je le porte depuis l'âge de 12 ans.
Je ne m'en sépare jamais.
J'y tiens énormément.
Il vient d'Afrique du Nord.
Son origine est berbère.
Ma grand-mère l'avait reçu d'une amie.
Il me porte bonheur.

C'est un bijou qui vient de ma tante, que _____
_____
_____
_____

2 Relatifs simples et composés. **Continuez.**

Suzy est une amie.
Elle habite près de chez moi.
Je la connais depuis 30 ans.
J'ai complètement confiance en elle.
Je lui raconte tout.
Son humour me réjouit.
Je passe des heures avec elle.
Je lui demande souvent conseil.
Ses goûts sont proches des miens.

Suzy est une amie qui _____
_____
_____
_____

3 Relatifs simples et composés. **Continuez**

C'est un vélo rouge
Je l'ai retrouvé au fond du garage.
Je m'en servais pour aller à l'école.
Je me sentais le roi sur ce vélo.
J'ai parcouru des kilomètres avec ce vélo.
J'en étais très fier.
J'y étais très attaché.
Il est encore en bon état.
Ses freins fonctionnent bien.
Mais ses pneus sont à plat*.

* à plat : dégonflés

C'est un vélo rouge que j'ai retrouvé _____
_____
_____
_____

4 Relatifs simples et composés. **Continuez.**

1. Mon fils a une moto noire. Il en est très fier.
2. C'est un vieux jean. J'y tiens beaucoup.
3. Mon frère a acheté un vieux mas*. Il en rêvait.
4. C'est une jolie petite île. J'en connais les plages.
5. Ce sont de bons amis. Je vais souvent chez eux.
6. C'est un pull déformé. Je le mets le week-end.
7. Ma voisine a un fils. Elle lui laisse tout faire.
8. C'est un quartier calme. Je m'y suis habitué(e).

*mas : ancienne ferme

Mon fils a une moto noire dont il est très fier. _____
_____
_____
_____
_____

5 Relatifs simples et composés. **Complétez.**

Irène

Il y avait dans ma classe une fille _____ tous les garçons étaient amoureux et pour _____ ils auraient vendu leur

frère. C'était une beauté à côté _____ j'avais l'air d'un pauvre chien battu. (Je n'ai jamais oublié le jour _____ elle

s'était moqué de mes taches de rousseur devant la classe et le surnom _____ elle m'avait affublée*). Mais Irène était

une personne _____ on ne pouvait pas s'attacher. Les garçons, _____ elle ne manifestait que du mépris,

et les filles, _____ craignaient ses sarcasmes, se détournèrent d'elle peu à peu.

*affubler : attribuer pour ridiculiser

CE QUI..., CE QUE..., CE DONT...
Pronom relatif neutre. Mise en relief

CE QUI, CE QUE, CE DONT, CE À QUOI : **pronoms neutres**

■ Les pronoms neutres n'ont pas d'antécédent, « ce » renvoie à une chose indéfinie.

> *Dis-moi **ce que** tu veux, **ce qui** te plaît.*   = la chose que/qui
> *Dis-moi **ce dont** tu rêves, **ce à quoi** tu penses.*   = la chose dont/à quoi

● Avec un verbe impersonnel, **ce qui** est sujet, **ce qu'il** est complément.

> *Dis-moi **ce qui** te plaît. Dis-moi **ce qu'il** te plairait de faire.*
> *Faites **ce qui** convient le mieux. Faites **ce qu'il** convient de faire.*

● Distinguez le pronom neutre et le pronom pluriel.

> *Achète les produits que tu veux. Achète **ce que** tu veux.*   (neutre)
> *Invite les copains que tu veux : invite **ceux que** tu veux.*   (pluriel)

■ On emploie un pronom neutre pour reprendre une phrase et tirer une conclusion.

> *Elle gagne 1 000 euros par mois, **ce qui** est peu.*
> *Elle travaille le dimanche, **ce que** je trouve très dur.*
> *Elle n'a pas de temps pour elle, **ce dont** elle se plaint.*

> ❭ On dit : *Je travaille 60 heures par semaine, **ce qui** est beaucoup.* ~~qui est beaucoup~~
>   *On veut me faire travailler le dimanche, **ce** que je refuse.* ~~que je refuse~~

MISE en RELIEF

■ **C'est ... qui/que/dont** mettent en relief :

– un sujet	*C'est <u>Louis XIV</u> **qui** a fait construire Versailles.*
– un complément direct	*C'est <u>une bague</u> **que** j'ai offerte à Marie.*
– un complément indirect	*C'est <u>de cet appareil</u> **dont** j'ai besoin.*
– un lieu	*C'est <u>en Belgique</u> **que** Baudelaire est né.*
– une date :	*C'est <u>en 1912</u> **que** le Titanic a sombré.*

> ❭ Pour mettre en relief le sujet dans une phrase au passé, on emploie « C'est ... qui/que ».
> *C'est Louis XIV **qui** a fait construire Versailles.*   ~~C'était Louis XIV qui a fait~~
> *C'est moi **qui** ai trouvé la solution.*   ~~C'était moi qui ai trouvé~~

> ❭ Dans une mise en relief, le verbe s'accorde avec le sujet, pas avec le relatif.
> *C'est <u>nous</u> qui <u>avons</u> gagné. C'est <u>moi</u> qui <u>ai</u> fait ça.*   ~~C'est moi qui a fait ça...~~

■ **Ce qui/que/dont ... c'est** mettent en relief une phrase.

> *Il est important d'aimer.*   ***Ce qui** est important, **c'est** d'aimer.*
> *On cherche tous l'amour.*   ***Ce qu'on** cherche tous, **c'est** l'amour.*
> *On a besoin d'amour.*   ***Ce dont** on a besoin, **c'est** d'amour.*

> Quand on voit **ce qu'**on voit,
> que l'on entend **ce qu'**on entend
> et que l'on sait **ce que** qu'on sait,
> on a raison de penser **ce qu'**on pense.
>
> Pierre Dac

1 Ce que, ce qu', ce qui, ce qu'il. **Complétez.**

1. Dis-moi *ce que* tu voudrais manger.

2. Les enfants adorent _____ brille.

3. Regarde _____ j'ai fait. Ça te plaît ?

4. J'ai trouvé _____ a provoqué la panne.

5. C'est fou _____ on lit sur Internet.

6. Tu as compris _____ il a dit ?

7. Savez-vous _____ se passe dans la rue ?

8. Je n'ai pas compris _____ faut faire !

2 Ce qui, ce que, ce qu'il, ceux qui.

Dans une classe

Dans une classe il y a toujours des élèves qui ont des difficultés. Il y a _____ rêvent et qui ne savent pas _____ se passe et _____ sont agités de nature et qui n'écoutent rien. Le professeur ne sait pas _____ convient de faire pour intéresser _____ sont en retard aussi bien que _____ suivent. L'effort constant pour intéresser une classe, pour savoir _____ convient le mieux à tel ou tel groupe, _____ va les motiver (le même matériel peut fonctionner ou non d'une classe à l'autre) est _____ les enseignants mentionnent le plus souvent comme l'essence de leur travail. La transmission des connaissances ne peut venir qu'après.

3 Ce qui, ce que, ce dont. **Continuez.**

1. En 1930, les gens travaillaient 60 heures par semaine, et ça, c'est énorme.

2. Paul coupe toujours la parole aux autres et ça, je ne le supporte pas.

3. Je paie 800 euros de loyer et ça, ça représente les deux tiers de mon salaire.

4. On nous demande de travailler le dimanche et ça, nous le refusons.

5. Notre établissement est classé parmi les premiers, et de ça on est très fiers !

6. Ma connexion à Internet est interrompue sans raison, et ça, ça me pose un problème.

7. L'avenir de notre entreprise est en danger et ça, la direction en est responsable.

En 1930, les gens travaillaient 60 heures par semaine, ce qui est énorme. _____

_____

_____

4 Ce qui/ce que/ce dont … c'est. **Continuez.**

révolte / injustice	crainte / chômage
fatigue / bruit	refus / misère
fascination / beauté	attente / amour
mépris / hypocrisie	peur / guerre
séduction / intelligence	rêve / paix sur terre

Ce qui me révolte, c'est l'injustice.

_____

_____

5 C'est … qui/que/dont. **Continuez.**

– À qui faut-il s'adresser ?	(secrétariat)
– Où faut-il aller ?	(1er étage)
– Quand êtes-vous arrivé ici ?	(2007)
– Qui a déposé le dossier ?	(moi)
– Qui va payer les frais ?	(moi)

C'est au secrétariat qu'il faut s'adresser.

_____

_____

QUI EST-CE QUI... ? QU'EST-CE QUI... ?
Pronoms interrogatifs et pronoms relatifs

Qui et **que**, pronoms interrogatifs et relatifs, ont la même forme et peuvent prêter à confusion.

QUI et QUE interrogatifs et relatifs

■ **Qui** interrogatif représente toujours une **personne**.

  – *Qui êtes-vous ?*
  – *Qui cherchez-vous ?*

■ **Que** interrogatif représente toujours une **chose**.

  – *Que se passe-t-il ?*
  – *Que voulez-vous ?*

● **Que** devient **quoi** en fin de phrase ou après une préposition.
  – *Tu cherches **quoi** ?* (familier) – *Tu penses **à quoi ?***
  – ***De quoi** as-tu envie ?* – *Tu as besoin **de quoi** ?*

■ **Qui** relatif représente un **sujet**, personne ou chose.

  – *Regarde la femme **qui** passe.*
  – *Regarde la voiture **qui** passe.*

■ **Que** relatif représente un **complément d'objet**, personne ou chose.

  *C'est une femme **que** je trouve très belle.*
  *C'est une voiture **que** je trouve très belle.*

QUI EST-CE QUI... ? QU'EST-CE QUI...? : l'interrogation renforcée

■ À l'oral, on emploie souvent une interrogation renforcée pour éviter l'inversion du verbe et du sujet. L'interrogatif, placé en tête de phrase, est alors repris par un relatif.

  – *Qui va venir ?*   – *Qui est-ce <u>qui</u> va venir ?*   = personne **sujet**
  – *Qui attends-tu ?*   – *Qui est-ce <u>que</u> tu attends ?*   = personne **complément**

  – *Que se passe-t-il ?* – *Qu'est-ce **qui** se passe ?*   = chose **sujet**
  – *Que fais-tu ?*   – *Qu'est-ce **que** tu fais ?*   = chose **complément**

❭ Les verbes impersonnels **se passer**, **rester**, **manquer** sont précédés de **qui** ou **qu'il** :
  – ***Que** se passe-t-**il** ?* – *Qu'est-ce **qui** se passe ?* – *Qu'est-ce **qu'il** se passe ?*
  – ***Que** reste-t-**il** ?*   – *Qu'est-ce **qui** reste ?*   – *Qu'est-ce **qu'il** reste ?*
  – ***Que** manque-t-**il** ?*   – *Qu'est-ce **qui** manque ?*   – *Qu'est-ce **qu'il** manque ?*

❭ Avec le verbe **arriver**, on dit : – ***Qu'est-il** arrivé ?* – *Qu'est-ce **qui** est arrivé ?*

❭ Distinguer : – *Qu'est-**ce qu'il** convient de faire ?* = Qu'est-ce qu'<u>il faut</u> faire ?
  Et :   – *Qu'est-**ce qui** convient le mieux ?*   = Qu'est-ce <u>qui s'adapte</u> le mieux ?

Remarques :

  – Pour insister, on dit : *Qu'est-ce que c'est <u>que ce truc</u> ? Qu'est-ce que c'est <u>que ça</u> ?*
  – Pour demander une définition, on dit : *Qu'est-ce qu'un « PDG* » ? Qu'est-ce qu'un « AVC*» ?*

*PDG : Président directeur général   *AVC : accident vasculaire cérébral

E X E R C I C E S

1 Lisez. Observez.

Interview

Journaliste : Et maintenant quelques questions intimes. **Qui est-ce qui** vous a le plus influencé dans la vie : votre mère, votre femme, un professeur de lycée ?

Écrivain : **Qui** m'a le plus influencé ? C'est mon psychanalyste. Sans aucun doute.

Journaliste : Et **qui est-ce que** vous admirez le plus, parmi les écrivains du passé : Balzac, Dante, Goethe…

Écrivain : **Qui** j'admire le plus ? Je dirais Shakespeare. Il est moderne, profond, léger. Génial.

Journaliste : Vous avez écrit plus de trente ouvrages. Vous êtes très prolifique… **Qu'est-ce qui** vous pousse à écrire ? **Qu'est-ce qui** vous motive : la passion ? la gloire ?

Écrivain : L'argent ! Non : je plaisante. C'est la curiosité qui me motive. Je veux savoir ce qui va arriver aux personnes que j'ai inventés.

Journaliste : **Qu'est-ce que** vous allez raconter dans votre nouvel ouvrage ?

Écrivain : Ce sera une histoire d'amour fou entre une superbe journaliste et un écrivain névrosé.

2 Qu'est-ce qui/que… ? Qui est ce qui/que… ? **Complétez selon le modèle.**

1. Ce n'est pas du café que vous prenez le matin ? *Mais alors : qu'est-ce que vous prenez ?*

2. Ce n'est pas Julien qui t'accompagne à l'aéroport ? _____

3. Ce n'est plus Nicolas que tu veux épouser ? _____

4. Ce n'est pas l'oignon qui te fait pleurer ? _____

5. Ce n'est pas la concierge qui a déposé ce paquet ? _____

3 Qu'est-ce qui ? Qu'est-ce que ? Qui est ce qui ? Qui est-ce que ? **Interrogatifs. Complétez.**

– *Qu'est-ce que* vous vouliez faire étant enfant ?   – Vulcanologue

– _____vous avait donné cette idée ?   – Un reportage à la télé.

– _____ vous a le plus influencé(e), dans votre vie. – Ma grand-mère.

– _____ vous recherchez dans la vie ?   – L'émotion.

– _____vous faites le mieux ?   – Les pâtes à la carbonara.

– _____vous faites le plus mal ?   – Mentir.

– _____ vous réjouit ?   – Un rire d'enfant.

– _____vous rend triste ?   – Le violon tzigane.

– _____ est arrivé à votre chien ?   – Ma fille l'a peint en bleu.

– _____vous auriez aimé épouser ?   – Mon papa.

4 Révision. Qu'est-ce que, qu'est-ce qui, de quoi, ce qui, ce que, ce dont.

C'est ta fête :	Je voudrais savoir	Pour le dîner :	Dis-moi
qu'est-ce que tu veux ?	*ce que tu veux.*	_____ manque ?	_____
_____ te plairait ?	_____	_____ il faut acheter ?	_____
_____ as-tu envie ?	_____	_____ tu as besoin ?	_____

Comment était la fête :	Raconte-moi	Pour ton avenir :	Il faut savoir
_____ vous avez fait ?	_____	_____ tu veux faire ?	_____
_____ s'est passé ?	_____	_____ t'intéresse ?	_____
_____ est arrivé à ton canapé ?	_____	_____ tu recherches ?	_____

Récréation n° 4

1 *Expressions avec « y », « en », « le ». Identifiez-les.*

> 1. L'enfant est tombé de vélo. Le bus a freiné et l'a évité de justesse. ***Il l'a échappé belle !***
> 2. Tout passe, tout change, ***on n'y peut rien***…
> 3. J'ai travaillé toute la nuit sans m'arrêter : ***je n'en peux plus !***
> 4. Ça fait trois fois que tu rates ta sauce Béchamel. *À mon avis, **tu t'y prends mal.***
> 5. Le jeune homme est resté deux jours dans le coma, mais il est hors de danger : ***il s'en est sorti*.***
> 6. Monsieur Moutu a fait une remarque. Madame Moutu est sortie en claquant la porte : ***elle l'a mal pris.***
> 7. Allez, calme-toi, ce n'est pas grave. Tout ira mieux demain. ***Ne t'en fais pas.***
>
> **Plus familier : Il s'en est tiré.*

Paul a failli être écrasé. Il a évité une catastrophe de justesse : *il l'a échappé belle !*

L'actrice a mal réagi à la critique : _____

John est hors de danger : _____

Je suis épuisé. Je suis à bout. _____

C'est la vie. On ne peut rien faire contre ça. _____

Ne te fais pas de souci. _____

Tu as une mauvaise stratégie pour faire ta sauce Béchamel. _____

2 *Expressions avec « y », « en », « le ». Identifiez à partir du contexte.*

> 1. Je voudrais faire évaluer les meubles de ma tante. Je vais demander à Robert, il a été antiquaire, ***il s'y connaît.***
> 2. S'il n'y a plus de pain, il faudra ***s'en passer.***
> 3. Paula a eu une aventure et son fiancé Julien ne lui pardonne pas : ***il lui en veut toujours.***
> 4. J'ai repeint ma cuisine, ***j'en ai eu pour*** 3 jours et pour 300 euros de matériel.
> 5. Joanna a fait une allergie fulgurante aux crevettes : elle a failli ***y passer/y rester.***
> 6. Tu peux faire ce que tu veux : ***je m'en moque, je m'en fiche.***
> 7. Le candidat a plusieurs fois remis en question ses alliances : ***où veut-il en venir ?***

Se priver de quelque chose : _____

C'est un expert : _____

Julien n'a pas pardonné à Paula : _____

Joanna a failli mourir : _____

Ça m'a coûté 1 000 euros : _____

Quelles sont ses intentions ? _____

Ça m'est égal : _____

3 *Réemployez les expressions :* l'avoir échappé belle   s'en sortir   s'y connaître   en vouloir à quelqu'un

1. Pendant que nous dormions, il y a eu un court-circuit. Le rideau du salon a pris feu.
   Heureusement l'odeur de fumée nous a réveillés : on _____

2. J'ai oublié l'anniversaire de ma fille et elle me fait la tête. Elle _____

3. Ma cousine a brûlé un feu rouge. Elle a raconté une histoire d'urgence médicale à la police et elle
   _____ seulement avec une légère amende !

4. – Mon ordinateur fait des trucs bizarres ! – Demande à Max de t'aider. C'est un expert : il _____

4 Pronoms relatifs. Associez les définitions humoristiques aux mots correspondants.

gentleman   expérience   banquier   blé   égoïste   philosophe
optimiste   chandail   secret   singe   élection

1. *expérience*   Nom **dont** les hommes baptisent leurs erreurs. (Oscar Wilde)

2. _____   Homme secourable **qui** vous prête un parapluie quand il fait beau, et **qui** vous le réclame dès qu'il commence à pleuvoir. (Marc Twain)

3. _____   Céréale **dont** on arrive, non sans peine, à tirer un assez bon whisky et **qu'**on utilise pour faire du pain. (Ambrose Bierce)

4. _____   Monsieur **qui** sait jouer de la cornemuse mais **qui** s'en abstient. (Woody Allen)

5. _____   Quelqu'un **qui** ne pense pas à moi. (Marcel Achard)

6. _____   Quelqu'un **qui** répond à des questions **que** personne ne lui a posées. (Jean Maur)

7. _____   Vêtement **que** doit porter un enfant lorsque sa mère a froid. (inconnu)

8. _____   Personne **qui** commence à faire ses mots croisés au stylo-bille. (Marie-Lyse Astom)

9. _____   Chose **que** l'on se raconte à voix basse et séparément. (Marcel Pagnol)

10. _____   Homme **qui** n'a pas réussi. (Jules Renard)

11. _____   Opération **par laquelle** des citoyens libres se choisissent des maîtres. (Élizabeth Hardwick)

5 Savez-vous que...

Tic-tac, c'est le bruit du réveil, un **bric-à-brac** c'est un tas d'objets disparates, un **méli-mélo**, c'est une histoire confuse, un **micmac**, c'est une manigance suspecte.
Ces mots illustrent la loi que le linguiste Claude Hagège nomme « la loi du second lourd ». Toutes les langues auraient tendance à placer en deuxième terme les mots les plus « lourds » sur le plan sonore (voyelles plus graves, nasales, etc.). La place des pronoms compléments inversés à la 3e personne serait un exemple de cette loi. Alors que les personnes précèdent les choses dans l'ordre des pronoms : *Je te le donne. Tu me le prêtes.* À la 3e personne, on dit : *Je **le lui** donne. Il **le lui** prête.*, car « lui » est « plus lourd » que « le »…

Claude Hagège : linguiste, polyglotte dans une cinquantaine de langues. Ses travaux sont réalisés à partir d'enquêtes linguistiques de terrain sur les cinq continents.

Ici et là   tic tac toe
ICI ET MAINTENANT   Here and there
Ping pong   Yin et yang
ZIGZAG   *Be Bop*   *dou bi dou bi dou*

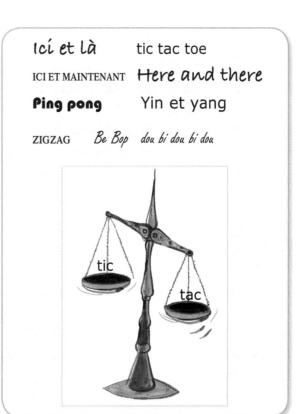

tic   tac

Sondage-test n° 4 (50 points)

1 Complétez le sondage, répondez et interrogez votre voisin(e).

1. Vous voulez voir un ami : vous _____ appelez au téléphone, vous
_____ envoyez un SMS, vous _____ contactez par courriel ou vous
passez directement chez _____ ?   .../4

2. Quelle sont les émissions de télévision _____ vous regardez le plus souvent,
les présentateurs _____ vous connaissez le nom et ceux _____ vous
agacent ? Y a-t-il une émission _____ vous aimeriez participer?   .../4

3. _____ vous mangez le plus souvent, le soir ? Pouvez-vous faire une liste
de _____ on trouve habituellement dans votre réfrigérateur ?
Chez vous _____ fait la cuisine et _____ fait le ménage ?   .../4

4. Un ami a beaucoup grossi : vous _____ suggérez _____ faire un régime,
vous _____ incitez _____ faire du sport, vous _____ encouragez _____ voir un
nutritionniste ou vous ne _____ dites rien ?   .../7

5. Est-ce que vous gardez les vieux journaux, est-ce que vous _____ jetez, ou
est-ce que vous vous _____ servez (pour faire du feu, nettoyer les vitres, etc.) ?
Est-ce que vous faites tirer vos photos sur papier ou est-ce que vous _____
stockez sur votre ordinateur ? Est-ce que vous _____ jetez un coup d'œil de
temps en temps ou rarement ?   .../4

6. Quand vous allez au restaurant avec des amis, est-ce que _____ personne paye
sa part ou est-ce que _____ invite les autres à tour de rôle ? Quand on vous
apporte l'addition, est-ce que vous _____ vérifiez ou est-ce que vous payez sans
regarder ? Est-ce que vous éteignez votre portable ou est-ce que vous _____
mettez en mode « silencieux » ? Laissez-vous un pourboire ou _____ laissez-vous
jamais ?   .../5

7. Quelle est l'œuvre _____ vous aimeriez être l'auteur ? Quelle est la chanson
_____ vous fait pleurer ? Quelle est la star avec _____ vous aimeriez
passer une journée entière ? Quelle est la personnalité politique _____ vous
admirez le plus ?   .../4

8. C'est l'anniversaire d'une amie : vous _____ invitez au restaurant, ou vous
_____ offrez un cadeau ? Avez-vous reçu un cadeau pour votre anniversaire ? _____ avez-vous reçu plusieurs ? Faites la liste de tout
_____ vous avez reçu et la liste de ce _____ vous auriez eu envie.   .../5

9. Y a-t-il un aliment _____ vous détestez, une boisson _____ vous plaît particulièrement, un fruit _____ vous ne pelez pas la peau ? _____ vous
plaît le plus : la viande ou le poisson ?   .../4

10. Votre partenaire est en retard à un rendez-vous : vous _____ attendez patiemment, vous _____ envoyez une avalanche de SMS pour _____ demander
_____ se passe, vous _____ accueillez avec le sourire ou vous
_____ faites des reproches dès qu'il /elle arrive?   .../6

11. Est-ce que vous lisez les nouvelles tous les jours ou est-ce que _____ dépend
des jours ? Quelles sont les rubriques _____ vous intéressent particulièrement et
celles _____ vous regardez occasionnellement ?   .../3

5 - Le verbe : les temps

Récréation n° 5
Sondage-test n° 5

44

Je VAIS PARTIR. Je PARTIRAI.
Le futur proche et le futur simple

LE FUTUR PROCHE est le futur le plus usuel en français oral.

■ C'est un futur **en marche**, vu à partir du présent : verbe « **aller** » + **infinitif**.

> Dépêche-toi, le train **va partir**.
> Prends un parapluie, il **va pleuvoir** !
> C'est le week-end : il **va y avoir** des embouteillages**.**

● Le présent s'emploie souvent à la place du futur proche pour renforcer l'imminence
d'un événement (notamment après « tout de suite », « immédiatement », « bientôt »).

> Attends une minute : je t'**ouvre** la porte !   Je sors, mais je **reviens** tout de suite...
> Nous **partons** bientôt en vacances.   Voilà, voilà : j'**arrive** !

■ Le futur proche indique un **changement** à venir, un **événement**.

> Je **vais** avoir un enfant. On **va** déménager.
> Tu connais la nouvelle : Jo et Léa **vont** se marier !

● Le futur proche indique surtout l'**immédiateté**, mais on peut l'employer pour un futur
éloigné, s'il est vu à partir du présent : *Votre emprunt **va s'étaler** sur quinze ans.*

LE FUTUR SIMPLE est une projection dans un « monde » futur.

■ C'est un futur **programmé**, **imaginé** ou **rêvé**.

> Dans six ans, je **prendrai** ma retraite.   En août, il **fera** chaud.
> Quand je **serai** grand, je **voyagerai**.   Vous **rencontrerez** le grand amour.

● On l'emploie pour faire une **promesse**, prendre un **engagement**.

> Je **viendrai** demain, comme promis.   Nous **rembourserons** vos notes de frais.

■ À l'écrit, et d'une manière générale lorsqu'on enchaîne plusieurs phrases, on emploie le futur
simple (plus économique et plus élégant).

● On dit : *Je vais revenir. On va vivre ensemble. Tu vas voir. On va être heureux.*
Mais : *Quand je **reviendrai**, on **vivra** ensemble, tu **verras**, on **sera** heureux.*

● Après un déclencheur au futur proche, on emploie souvent le futur simple.

> On **va faire** des travaux. On **aura** plus de place. On **sera** mieux.

> « Je **vais demander** trois jours de congé et on se marie
> On **vivra** tranquille, c'est pas difficile, **suffira** de faire des économies. » (Bashung)

> ❭ Selon qu'il se présente comme un événement ou comme une programmation,
> un même fait peut être exprimé au futur proche ou au futur simple.
> *Ce soir, le Président **va s'adresser**/**s'adressera** aux Français.*

● Dans un récit historique, le futur simple peut introduire une idée de fatalité, de destin.

> Paul épouse Rose en 1938. En 1939, la guerre **éclatera**. Paul **ne reviendra** pas.

EXERCICES

1 Futur proche **et** futur simple. **Lisez et observez.**

Et maintenant

Et maintenant
Que **vais-je** faire
De tout ce temps
Que **sera** ma vie
De tous ces gens
Qui m'indiffèrent
Maintenant
Que tu es partie
(…)

Et maintenant
Que **vais-je** faire
Vers quel néant
Glissera ma vie
Tu m'as laissé
La terre entière
Mais la terre
Sans toi c'est petit.
(…)

Et maintenant
Que **vais-je** faire
Je **vais** en **rire**
Pour ne plus pleurer
Je **vais brûler**
Des nuits entières
Au matin, je te **haïrai**.

Gilbert Bécaud

Cette année les aveugles ne **verront** que bien peu, les sourds **entendront** assez mal : les muets ne **parleront** guère, les riches se **porteront** un peu mieux que les pauvres, et les sains mieux que les malades.

Rabelais, *Pantagrueline prognostication* (1533)

2 Futur proche, présent **ou** futur simple. **Complétez. (Plusieurs possibilités)**

1. Tu peux m'attendre une minute ? Je *vais poster* cette lettre et je _____.

2. On sonne à l'interphone : je _____ qui c'est…

3. – Tu _____ de nouveau en mission ? – Oui, demain à la même heure, je _____ loin d'ici,
mais ne t'inquiète pas, je _____ tous les jours de mon portable pour te donner des nouvelles.

4. On _____ des travaux dans notre appartement, comme ça les jumelles _____ chacune leur
chambre et elles _____ moins agitées.

5. Nous prenons l'engagement que nous ne _____ pas les impôts l'année prochaine et que nous
_____ la priorité à la lutte contre le chômage.

6. Charles Duranton m'a demandé en mariage et j'ai dit « oui ». Quand tu _____ cette lettre, je _____
« Madame Duranton ». Le mariage_____ lieu en toute intimité.

3 Futur proche, présent **ou** futur simple. **Complétez. Plusieurs possibilités.**

interdire - ~~créer~~ - planter - se transformer - démolir - réaliser - installer - pouvoir vendre - commencer - se terminer

Des changements dans le village (Journal communal)

D'abord, nous *allons créer* une place dans notre village qui en manque cruellement. Nous _____
le vieux marché couvert désaffecté* et, sur son emplacement, nous _____ des arbres et nous
_____ des bancs et des bacs à fleurs. Ainsi, tous les mardis sur « la place du Marché » des
producteurs _____ leurs produits (fruits, légumes, volaille, etc.) et tous les jeudis soir, pendant l'été,
la place _____ en cinéma en plein air. Parallèlement, nous_____ un nouveau parking
ombragé à l'entrée du village et nous _____ l'accès de la place à tout véhicule. Les travaux
_____ la semaine prochaine et _____ fin juin.

Si vous avez des suggestions, adressez-vous à notre site : www.monvillagebouge.fr

*désaffecté : qui n'est plus utilisé

4 Écrit. **Imaginez des changements dans votre école, votre appartement, votre ville et leurs conséquences.**

IL NEIGEAIT.   J'AI GLISSÉ.
L'imparfait et le passé composé (1)

L'IMPARFAIT et LE PASSÉ COMPOSÉ sont complémentaires dans un récit.

■ **L'imparfait** décrit une **situation**, un **cadre**, des **circonstances**.

Il neigeait.
Je marchais dans la rue.
Je pensais à Pierre.

● Les circonstances n'ont ni début ni fin, elles sont en cours et se développent <u>en parallèle.</u>

Il neigeait.	*Je marchais.*	*Je pensais*
1	1	1

■ **Le passé composé** raconte un **événement ponctuel**.

J'ai glissé.
Je suis tombée.
Je me suis foulé la cheville.

● Les événements sont finis, ils se succèdent, et on peut les énumérer.

J'ai glissé.	*Je suis tombée.*	*J'ai crié.*
1	2	3

● Quand on peut dire « soudain », « puis », « alors », etc., on emploie le passé composé.
  Je marchais.   (soudain) *J'ai glissé.*   (puis) *Je suis tombée.*   (alors) *J'ai crié.*

> ❯ Avec « penser », « croire », « vouloir », on peut employer l'imparfait (situation mentale) ou le passé composé (prise de conscience). On dit :
> *J'étais chez moi. Je pensais à Pierre. Je voulais l'appeler.*
> *Le téléphone a sonné. J'ai pensé : « C'est lui ! »*   ~~je pensais « c'est lui »~~

> ❯ Circonstance et conséquence. Distinguer :
> *Pour entrer dans le bâtiment, il fallait avoir un badge.*   ~~il a fallu avoir un badge.~~
> *Nous n'en avions pas, alors il a fallu repartir.*   ~~alors il fallait repartir.~~

● **À l'oral**, le présent remplace souvent le passé composé pour rendre une scène plus vivante.
  Je conduisais. Tout à coup un chat traverse la route. Je freine. La voiture dérape.
                    = a traversé   = a freiné   = a dérapé

L'IMPARFAIT a la valeur d'un passé composé dans certaines constructions.

■ **Comme** + imparfait met l'accent sur la **circonstance**, le moment est « suspendu », « dilaté », pour permettre aux événements de coïncider.

  *Le coureur s'est écroulé **au moment où** il <u>a franchi</u> la ligne d'arrivée.*
  ***Comme** il <u>franchissait</u> la ligne d'arrivée, le coureur s'est écroulé.*

● À l'écrit, l'imparfait peut conférer une dimension dramatique à un moment du passé.
  *Paul épousa Rose en 1938. En 1939, la guerre **éclatait**. Paul **mourait** sur le front en 1940.*

■ **Selon le point de vue**, une même scène peut être décrite à l'imparfait (vision « intérieure », temps suspendu) ou au passé composé (vision extérieure, temps « en marche »).

  *Jo **attendait** Léa.*   *Il **lisait**.*   *Il **fumait**.*   *Il **regardait** sa montre.*   *Il la **cherchait** des yeux.*
  *Jo **a attendu** Léa.*   *Il **a lu**.*   *Il **a fumé**.*   *Il **a regardé** sa montre.*   *Il l'**a cherchée** des yeux.*

EXERCICES

1 Lisez. Observez.

Château de sable

Il **faisait** chaud. L'enfant **construisait** un château et **regardait** son royaume qui **s'étendait** à l'infini. Un petit crabe **traversait** tranquillement la plage. Soudain, une grosse vague **a surgi** et **a englouti** le château. Quand elle **s'est retirée**, il ne **restait** plus rien. Plus rien qu'un petit crabe qui **continuait** à avancer et un enfant qui **découvrait**, stupéfait, la force immense de la nature.

2 Passé composé **ou** imparfait. **Complétez avec les verbes manquants.**

manger/s'enfuir ~~écouter/éteindre~~ lire/présenter nager/appeler avoir/fumer céder/s'effondrer

1. Quand je suis rentré dans la chambre,

les enfants *écoutaient* tranquillement la radio.

les enfants *ont éteint* tout de suite la radio.

2. Quand le chat a vu la souris,

elle _____ un bout de fromage.

elle _____ par un trou du plancher.

3. Quand le contrôleur est arrivé,

tout le monde _____ un magazine.

tout le monde _____ son billet.

4. Quand je suis entré dans le salon,

mon fils _____ les pieds sur la table

et il _____ les cigares de son père.

5. Quand le nageur a eu un malaise,

il _____ loin de la côte,

il _____ au secours en vain.

6. Quand les ouvriers sont montés sur le toit,

la toiture _____ immédiatement

et _____ avec un grand fracas.

3 Passé composé **ou** imparfait. **Complétez.**

conduire/traverser   passer/boire   avoir peur/se pencher   s'évanouir/voir   céder/quitter
crier/tomber   ~~manger/avaler~~   éclater en sanglots/dire « oui »   rater/rentrer dans   patiner/se heurter

1. Anna *mangeait* du poisson quand soudain elle *a avalé* une arête.

2. Je _____ tranquillement quand tout à coup un chien_____ la route.

3. Comme son hoquet ne _____ pas, Marie _____ un grand verre d'eau.

4. Hier soir, au cirque, tous les spectateurs _____ quand le trapéziste _____ dans le filet.

5. Rose _____ quand elle _____ devant monsieur le maire.

6. La jeune femme _____ quand elle_____ du sang sur sa main.

7. La mère _____ quand l'enfant_____ par la fenêtre.

8. L'automobiliste _____ le virage et la voiture _____ un arbre.

9. Les jeunes gens _____ sur le parvis quand deux d'entre eux _____ violemment.

10. Le toit d'un supermarché _____ sous le poids de la neige. Les clients _____ les lieux indemnes.

4 Passé composé **ou** imparfait. **Complétez avec les verbes manquants.**

1. Paul *a pris* un taxi parce qu'il y *avait* la grève des transports en commun. **2.** Le bébé _____ toute la nuit parce qu'il _____ mal aux dents. **3.** Tu _____ la porte à clé et tu _____ la lumière avant de te coucher ? **4.** La première fois que Léa _____ une voiture, elle _____ un mur ! **5.** L'automobiliste_____ une contravention parce qu'il _____ sans ceinture de sécurité.

EXERCICES

1   Lisez. Observez.

> **Procès verbal**
>
> Cet individu était seul
> Il **marchait** comme un fou,
> Il **parlait** aux pavés
> **Souriait** aux fenêtres
> **Pleurait** au-dedans de lui-même
> Et sans répondre aux questions,
> Il se **heurtait** aux gens,
> **Semblait** ne pas les voir.
> Nous l'**avons arrêté**.
>
> Jean Tardieu

2   **Passé composé** ou imparfait. Complétez avec les verbes manquants.

> **Émotions**
>
> Un incident _____ lieu samedi dernier, sur le lac.
>
> Les enfants _____ sur la glace. On _____
>
> des rires et des plaisanteries. Les parents _____ des photos.
>
> Tout à coup la glace _____ sous le poids de la foule.
>
> L'affolement _____ général, deux enfants _____
>
> dans l'eau glacée, mais heureusement les secours _____ très vite
>
> et il n'y _____ aucune victime.
>
> Quelle émotion !

3   **Passé composé** et imparfait. Complétez. Faites l'élision si c'est nécessaire.

1. croire   Roberto est brésilien ? Je _____ qu'il était italien !

           Quand j'ai bu l'alcool fabriqué par ton grand-père, je _____ m'évanouir !

           La voiture a dérapé et je _____ qu'on allait s'écraser contre un arbre. J'ai eu peur.

2. penser   Ma fille est déçue de ses résultats : elle _____ avoir de meilleures notes.

           Quand j'ai revu le film *Brèves Rencontres*, je _____ à toi.

           Quand je suis sortie, il faisait très chaud et je _____ : si j'allais à la piscine ?

3. vouloir   Nous _____ depuis toujours refaire notre salle de bains, mais quand

           nous_____ installer la baignoire, nous avons dû y renoncer : elle était trop large !

4   **Il fallait/il a fallu.** Complétez, selon le modèle.

> **Nos vacances**
>
> La villa que nous avons louée était loin de la mer et *il fallait* avoir une voiture. Notre voiture est tombée en panne et
>
> _____ en louer une autre pour deux semaines. Il n'y avait pas d'arbres sur la plage et _____
>
> emporter des parasols qu'_____ planter profondément dans le sable à cause du vent. Malgré ça, Isabelle a
>
> eu une grosse allergie solaire et _____ l'emmener à l'hôpital. Le jour du départ, on est partis à l'aube
>
> parce qu'_____ prendre une correspondance. Mais à cause d'un accident sur l'autoroute, on a raté la
>
> correspondance et il _____ dormir à l'aéroport.

5   Écrivez un petit texte en employant le passé composé ou l'imparfait.

match de foot au Stade de France	chaleur	stade complet
cris et chants de supporters	ambiance gaie et amicale	explosion d'un pétard
mouvement de panique	hurlements de la foule	sorties bloquées
plusieurs personnes piétinées	dizaines de blessés	annulation du match

Samedi dernier, il y avait un match de foot au Stade de France. _____

_____

_____

E X E R C I C E S

1 Observez.

Faits divers

Pendant qu'il **beurrait** sa tartine, un train **déraillait** à Bangkok. Tandis qu'il **mangeait** une pomme, un avion **s'écrasait** à Delhi. Pendant qu'il **mettait** ses chaussures, trois espèces **disparaissaient** dans l'océan. Et alors qu'une fillette **attrapait** un papillon à Shanghai, un camion l'**écrasait** juste en bas de chez lui.

Jean Lécuyer

2 Remplacez, lorsque c'est possible, les imparfaits par des passés composés.

Démence

Le 25 juillet dernier, un homme <u>se présentait</u> à la clinique psychiatrique de Nivors et <u>demandait</u> à être interné. Il ne <u>présentait</u> aucun symptôme alarmant et <u>semblait</u> seulement fatigué. Renvoyé chez lui, il <u>tuait</u> sa femme et sa fille avant de se donner la mort.

Le 25 juillet dernier, un homme, _____
_____
_____
_____

Bague de fiançailles

En décembre dernier, Valérie et François se <u>fiançaient</u>. François <u>offrait</u> à Valérie une bague en diamant qui <u>coûtait</u> une fortune. Il <u>faisait</u> froid. Valérie <u>portait</u> des gants. Au moment où François <u>partait,</u> Valérie <u>retirait</u> son gant pour l'agiter en signe d'adieu. Quand elle <u>rentrait</u> chez elle, la bague n'<u>était</u> plus à son doigt. Quelques mois plus tard, la jeune femme <u>retrouvait</u> sa bague enfouie au fond de son gant.

_____
_____
_____
_____
_____
_____

3 Passé composé, imparfait. **Transformez les petites annonces en un récit.**

11/12 Froid dehors
Chaud sur la ligne 7. Nous, assis côte à côte sur strapontins. Chocolats et musique partagés. Envie de plus. Et toi ? Élie.

6/03 Vol Istanbul-Paris, café avant l'embarquement, regards dans l'avion, sourires à l'enlèvement des bagages. Derrière vous dans queue pour taxi. Aimerais vous revoir. Marina.

10/06 Center Parc. Vous avec 2 jumeaux, apprentissage bicyclette. Chutes fréquentes. Rires. Moi, lunettes bleues, jogging noir, tatouage avec oiseau sur bras droit. On sait qu'on s'est vus.

C'était le 11 décembre, _____ _____ _____

4 Réécrivez les textes de l'exercice 2 au présent de narration.

Le 25 juillet dernier, un homme se présente à la clinique psychiatrique _____

46

Avant, JE FUMAIS. J'AI FUMÉ pendant 20 ans.
L'imparfait et le passé composé (2)

L'IMPARFAIT, LE PASSÉ COMPOSÉ et la durée

■ **L'imparfait** s'utilise avec une durée **indéfinie**.

Avant,
Quand j'étais jeune, | **je jouais** du piano.
Dans mon enfance,

= début et fin vagues

■ **Le passé composé** s'utilise avec une durée **définie**.

Entre 1992 et 2002,
Pendant dix ans, | **j'ai joué** du piano.
Pendant des années,

= tranche de temps

> ❱ On emploie le passé composé avec **longtemps** et avec une **répétition** (= x fois).
> J'**ai** longtemps **fait** du piano. ~~Je faisais longtemps du piano.~~
> J'**ai vu** ce film dix fois. ~~Je voyais ce film dix fois~~

● Lorsque la durée la plus large est **définie**, on emploie un **passé composé**. Comparez :

Tous les jours, pendant 4 h, **je faisais** du piano. = habitude (« 4 h » inclus dans « tous les jours »)
Tous les jours, pendant 5 ans, **j'ai fait** du piano. = constat (« tous les jours » inclus dans « 5 ans »).

■ **Le passé composé** est le temps des **rétrospectives**.

● On l'emploie avec **toujours** et **jamais**, lorsque la situation est encore vraie dans le présent.

J'**ai** toujours **aimé** le foot. = toute ma vie
Je n'**ai** jamais **aimé** la bière. jusqu'à maintenant

> ❱ On dit : J'**ai** toujours **aimé** ça. ~~j'aimais toujours ça~~
> Ça **a** toujours **été** comme ça. ~~c'était toujours comme ça~~

■ **Le passé composé** est le temps des **conclusions**, des **constats**.

● On l'emploie quand on peut dire **finalement**. Comparez :

Hier, il faisait beau, je voulais sortir, mais je **ne pouvais pas**. = état
Hier, il faisait beau, je voulais sortir, mais (finalement) je **n'ai pas pu**. = conclusion

● On l'emploie pour faire un « constat » de type « journalistique ».

Hier, | il **a fait** beau sur toute la France.
| les Français **ont voté**. = constat
| les otages **ont été** libérés.

> ❱ Au restaurant, on demande souvent, en fin de repas : **Ça a été** ? (bilan, constat)
> On répond en général par : **C'était** délicieux/**C'était** très bon. (description)

> ❱ On dit : – Alors, votre réunion : **Ça s'est bien passé** ? ~~C'était bien passé ?~~
> – Oui, **ça s'est bien passé**. C'était très bien.

Voir aussi p. 148 et 150.

E X E R C I C E S

Toute ma vie **j'ai rêvé**
d'être une hôtesse de l'air.
Jacques Dutronc

Longtemps, je **me suis couché** de bonne heure.
Marcel Proust

Les hommes **ont** toujours **lutté** de toutes leurs
forces contre la réalité.
Jean Servier

1 Lisez. Observez.

Libertés

Avant, je **fumais**. J'**ai fumé** pendant plus de vingt ans. J'**ai fumé** jusqu'au jour où on m'**a opéré** du genou. Comme je ne **pouvais** plus tenir ensemble les béquilles, la cigarette et le cendrier, j'**ai** tout **jeté** par la fenêtre. Ce n'est pas par sagesse que j'**ai arrêté** : je n'**ai** jamais **été** sage, mais par défi : j'**ai** toujours **détesté** les contraintes.

2 Imparfait **ou** passé composé. **Continuez.**

Foot

Avant – De 2005 à 2007 – Quand j'étais jeune

À cette l'époque-là – À 12 ans, tous les jours

Tous les jours, entre 10 et 15 ans

Toute ma vie – Tous les jours, pendant 2 heures

Tous les jours, pendant 4 ans – Longtemps

Avant, je faisais du foot.
De 2005 à 2007, j'ai fait du foot. _____
_____
_____
_____
_____
_____

3 Toujours. Jamais. **Continuez.**

Couple harmonieux

se disputer – se parler franchement
être d'accord sur l'essentiel
être agressifs l'un envers l'autre
être politiquement engagés
accepter l'injustice – avoir beaucoup d'amis
être déçus l'un par l'autre
être proches dans les coups durs*

*coups durs : moments difficiles

Igor et moi, on ne s'est jamais disputés _____
_____
_____
_____
_____
_____
_____

4 Mettez au passé composé ou à l'imparfait.

Un certain laisser-aller

Je me laisse aller. Avant, je *faisais* du sport régulièrement. Tous les samedis matin, je _____ le dos crawlé à la piscine, pendant une heure, puis je _____ pendant vingt minutes pour rentrer chez moi. Tous les dimanches, pendant dix ans, je _____ du footing au Bois de Boulogne. À cette époque-là, je _____ 5 ou 6 kilomètres, sans m'arrêter. Maintenant, je préfère la lecture : en deux ans, je _____ toute l'œuvre de Zola et je _____ plusieurs kilos.

E X E R C I C E S

---

1 Toujours, jamais + **passé composé. Complétez les commentaires.**

1. détester *J'ai toujours détesté* les jeux vidéo, je trouve ça abrutissant.

2. comprendre _____ la règle d'accord des participes passés en français. C'est compliqué.

3. vouloir _____ passer le permis de conduite : pour moi la voiture est une arme mortelle.

4. être distrait(e) _____ : j'oublie toujours quelque chose quelque part.

5. aimer _____ les hommes (femmes) bodybuildé(e)s, ça m'impressionne.

6. savoir _____ m'orienter : je ne comprends pas où est le nord et le sud !

7. manger _____ fromage. Ça me rend malade.

8. avoir le vertige _____. Je ne peux pas habiter plus haut que le rez-de-chaussée.

9. être nul(le) _____ en calcul mental. Je suis fâché(e) avec les chiffres !

---

2 Passé composé, imparfait. **Complétez. Faites l'élision si c'est nécessaire.**

1. – C'*était* bien, ton voyage ?

– Oui, _____ bien passé

et on _____ très beau temps.

– Et ta présentation ?

– _____ très bien passé !

2. – Alors, finalement, la publicité sur les accidents

de la route _____ un impact positif ?

– Oui, l'année dernière, les accidents mortels

_____ moins nombreux que l'année

d'avant et il _____ moins de blessés.

3. – Oh là, là : il est déjà minuit !

Le temps _____ à toute vitesse.

– Oui, c'est fou. Je _____

qu'il _____ à peine dix heures.

4. Nous sommes désolés, nous _____

venir à votre soirée, mais nous _____

un empêchement de dernière minute et

finalement nous _____ nous libérer.

---

3 Passé composé, imparfait. **Racontez.**

Cabine publique

Batterie portable à plat. Besoin d'appeler. Vois une cabine téléphonique face arrêt de bus. Cabine occupée. Jeune homme assis par terre dans cabine. Rit. Fume. Parle beaucoup. Déjà midi. Vingt minutes de retard à mon rendez-vous. Tourne en rond autour cabine. Signes désespérés au jeune homme derrière la vitre. Me tourne le dos. Coups sur la vitre. Me fait une grimace. Moi aussi. Se fâche, sort, m'insulte. Grosse dispute. Provoque attroupement. Police arrive. Nous sépare…

La batterie de mon portable _____

---

4 Passé composé, imparfait. **Racontez.**

Mésaventure

cuisine / chaleur insupportable / ouvre la fenêtre / courant d'air / chute de vase / morceaux de verre partout/ pied nus/ coupure / pied en sang / douleur aiguë / SOS médecin / retire éclats de verre / piqûre / antibiotiques / 8 jours arrêt maladie

J'étais dans la cuisine. _____

E X E R C I C E S

1 Passé composé, imparfait ou présent. **Observez.**

Un accident

J'**ai été** le témoin d'un accident de la circulation. Oh, rien de grave. À un croisement de rues, un jeune cycliste **est venu** se jeter sous les roues d'une automobile. Il **a été projeté** assez loin. Quand on l'**a relevé**, il se **tenait** encore la tête à deux mains, comme les gosses qui s'**attendent** à recevoir d'autres coups. Un monsieur à cheveux blancs **est descendu** de la voiture. Il y **avait** une petite flaque de sang sur la chaussée. Des agents **sont arrivés**. Il **a été** facile de démontrer au vélocipédiste* qu'il **avait** tous les torts. Pendant ce temps, il **faisait** des singeries. Apparemment il n'**allait** pas bien. Le monsieur, accompagné d'un policier, l'**a emmené**, dans sa propre auto, vers une pharmacie ou un hôpital. Il **a dû** tacher les coussins.

Henri Calet, *Les Grandes Largeurs*

*vélocipédiste : cycliste (ancien et amusant)

2 Lisez le texte original, puis complétez l'exercice.

Le voyage de Pierre

(En rentrant) Pierre relate* les plus petits incidents* de son voyage : comment, souffrant du froid, il profite de chaque arrêt pour poser les mains sur le capot brûlant du moteur, le radiateur qui fume, un pompiste* irascible*, un chat noir qui traverse la route et dans lequel il voit un mauvais présage* – ce qui semble se confirmer puisque le lendemain, traversant la Beauce ou la Brie (« un désert blanc »), un écart pour éviter une poule le conduit, après une embardée* sur le verglas*, au fossé. Il remercie les deux bœufs qui l'en tirent et partage une bouteille de vin avec un paysan, lequel refuse d'un grand geste outragé* l'éventualité d'un dédommagement*.

Jean Rouaud, *Les Champs d'honneur*

*relate : raconte   *incident : petit événement (ne pas confondre avec «accident »)   * pompiste : garagiste
* irascible : de mauvaise humeur   *présage : signe qui annonce l'avenir   * embardée : écart brusque
*verglas : couche de glace sur le sol   * outragé : offensé, choqué   *dédommagement : compensation financière

Au cours de son voyage à travers la campagne enneigée, Pierre *a eu* très froid. Quand il _____ trop froid, il _____ les mains sur le capot pour se réchauffer. À un certain moment, le radiateur _____ à fumer, alors Pierre _____ lentement la voiture jusqu'à ce qu'il trouve un garage. Il _____ le garagiste qui _____ sa sieste et qui _____ irascible tout le temps de la réparation, mais il _____ quand même la voiture et Pierre _____ repartir. Pendant qu'il roulait, un chat noir_____ la route. Pierre y _____ un mauvais présage et effectivement, le lendemain, il_____ un accident en voulant éviter une poule : la voiture _____ sur le verglas, et elle _____ dans le fossé. Heureusement, Pierre _____ par un paysan qui _____ sur la route avec ses bœufs. Les bœufs _____ la voiture du fossé avec une corde. Pierre _____ une bouteille de vin avec le paysan, mais quand il _____le dédommager le paysan, celui-ci, outragé, _____ son argent.

3 Écrit. **Vous avez vécu une mésaventure ou assisté à un accident. Racontez.**

Elle le VIT. Elle l'APPELA. Elle COURUT vers lui.
Le passé simple

LE PASSÉ SIMPLE est surtout un temps de l'écrit.

■ **Le passé simple** est l'équivalent du **passé composé** dans un **récit** littéraire : contes, chroniques, écrits journalistiques, etc.

> Les soldats **partirent** à l'aube. Ils **marchèrent** tout le jour. Ils **s'arrêtèrent** à Nice.
> = ils sont partis   = ils ont marché   = ils se sont arrêtés

● Les événements, au passé simple, se démarquent des situations, à l'imparfait.

> Il **pleuvait**. Il **faisait** froid. Igor **marchait** vite.
> Soudain, il **vit** un objet brillant sur le sol.

■ **Le passé simple** est une forme simple, qui donne au récit un rythme rapide et léger.

> Il la **vit**. Il l'**appela**. Elle **courut** vers lui.

● Il est surtout utilisé à la 3ᵉ personne du singulier et du pluriel.

> Leurs yeux **s'enflammèrent**, leurs genoux **tremblèrent**.
> Leurs mains **s'égarèrent**. Leurs bouches **se rencontrèrent**. (Voltaire, Candide)

❭ Le passé simple (surtout du verbe *être*) s'entend parfois à l'oral dans des commentaires sportifs pour donner à l'événement un caractère plus épique ou plus noble :
– Ah, ce **fut** magnifique !   = Cette action a été magnifique

FORMATION du passé simple :

■ **Terminaisons**

-ai -as -a -âmes -âtes -èrent
Tous les verbes au participe passé en « **-é** »

Il arriva	Ils arrivèrent
Il alla	Ils allèrent

-us -us -ut -ûmes -ûtes -urent
Majorité des verbes au participe passé en « **-u** »
+ mourir

Il voulut	Ils voulurent
Il mourut	Ils moururent

-is -is -it -îmes -îtes -irent
Majorité des verbes au participe passé en « **-i** »
+ voir, faire, ouvrir, découvrir, offrir, suivre
et verbes en **-dre** et **-tre**

Il partit	Ils partirent
Il vit	Ils virent
Il entendit	Ils entendirent

● **Verbes irréguliers :**

Être :	*Je fus*	*Tu fus*	*Il fut*	*Nous fûmes*	*Vous fûtes*	*Ils furent*
Avoir :	*J'eus*	*Tu eus*	*Il eut*	*Nous eûmes*	*Vous eûtes*	*Ils eurent*
Faire :	*Je fis*	*Tu fis*	*Il fit*	*Nous fîmes*	*Vous fîtes*	*Ils firent*
Naître :	*Je naquis*	*Tu naquis*	*Il naquit*	*Ils naquirent*	Et acquérir :	*Ils acquirent*
Tenir :	*Je tins*	*Tu tins*	*Il tint*	*Ils tinrent*	Et composés :	*Ils retinrent*
Venir :	*Je vins*	*Tu vins*	*Il vint*	*Ils vinrent*	Et composés :	*Ils revinrent*

EXERCICES

Il me **dévisagea***
il me **dépoitrina***
puis enfin il me
déjamba*.

Raymond Queneau.

* jeu de mots :
dévisager signifie « regarder un
visage avec insistance »

1 Mettez au passé simple.

L'orage

Un orage a éclaté quand Elena est sortie. Elle a couru se réfugier sous le porche d'un immeuble. Un homme est apparu. Il a vu Elena qui grelottait dans son coin. Il lui a souri, puis il a ouvert son parapluie et il lui a offert son bras. Ils ont marché jusqu'au métro et se sont quittés sans un mot. Quand l'homme lui a fait, de loin, un petit geste de la main, Elena a senti son cœur battre plus fort.

Un orage éclata _____

_____

2 Mettez au passé simple.

Incendie

Le feu qui **a éclaté** dans la nuit du 21 au 22 juillet **a détruit** un immeuble de cinq étages. Les pompiers **ont réussi** à éteindre l'incendie avant qu'il n'atteigne les immeubles voisins. Une vingtaine d'habitants **ont dû** être évacués. Il y **a eu** malheureusement deux victimes : une maman et sa fillette qui **sont mortes** étouffées. Les dégâts matériels **ont été** très importants.

Il y a deux ans, le feu qui éclata _____

_____

3 Passé simple. Imparfait. **Transformez.**

Une vocation

Gilles **sort** de chez lui et il **voit** un groupe de personnes qui **dansent** sur le trottoir d'en face. Alors qu'il **s'approche** pour voir ce qui se passe, un air de trompette déchirant **parvient** à ses oreilles. Au milieu du cercle, une jeune femme **danse,** à côté d'elle, un jeune homme **joue.** C'est à ce moment-là que Gilles **décide** de devenir trompettiste.

Un jour, Gilles _____

_____

4 Mettez au passé en langue courante puis en langue littéraire.

Napoléon

Napoléon Bonaparte **naît** en Corse le 15 août 1769. Son génie militaire **se manifeste** très tôt. Courageux, le jeune Bonaparte **s'expose** souvent à l'ennemi, ce qui le **fait** adorer de ses hommes. Accumulant les victoires contre les royautés étrangères qui **s'attaquent** à la République, il **devient** extrêmement populaire et, en 1799, il **est nommé** Premier Consul. En 1804, il **se fait sacrer** Empereur.

Napoléon **mesure** 1,68 m, il **porte** souvent des chapeaux originaux et une redingote rapiécée.
C'**est** un personnage complexe, d'une intelligence extraordinaire. Il **peut** travailler 18 heures par jour. Passionné et ardent, mais facilement porté à la dépression, il **porte** toujours sur lui un sachet de poison « au cas où ».

Jusqu'en 1810, Napoléon **pacifie** le pays et **réorganise** l'administration. Il **décrète** la liberté de culte, **crée** la Banque de France et **promulgue** le Code civil, tout en multipliant les campagnes militaires. Mais après l'échec de la campagne de Russie en 1812, puis sa défaite à Waterloo, Napoléon **doit abdiquer** et il **est exilé** à Sainte-Hélène où il **meurt** en 1821.

Napoléon Bonaparte est né _____

Napoléon Bonaparte naquit _____

_____

Dès que j'AVAIS FAIT / J'EUS FAIT / J'AURAI FAIT...
Le plus-que-parfait, le passé antérieur, le futur antérieur

LE PLUS-QUE-PARFAIT est le passé d'un passé révolu.

■ **Le plus-que-parfait** exprime l'antériorité avec :
  – **l'imparfait**   *J'étais essoufflé(e) parce que j'**avais couru**.*
  – **le passé simple**   *Je vis que ma mère **avait pleuré**.*

● Il exprime l'antériorité avec **le passé composé** si deux événements sont marqués chronologiquement, par exemple avec « la veille », « avant », « plus tôt », « précédent ».

> *On est partis le dix juin. J'**avais commandé** un taxi <u>la veille</u>.*
> *Cet hiver, j'ai fait du ski de fond pour la première fois. <u>Avant</u>, je n'en **avais** jamais **fait**.*
> *Marlène a quitté Charles en 2005. Ils **s'étaient rencontrés** un an <u>plus tôt</u>.*

> ❯ On emploie le passé composé quand on situe <u>**un seul**</u> événement **même éloigné** dans le temps. *J'ai acheté ma voiture il y a 20 ans.*   ~~J'avais acheté ma voiture il y a 20 ans~~

LE PASSÉ ANTÉRIEUR est le passé du passé simple.

> *Dès qu'il **eut fini** son travail, Paul rentra chez lui.*
> *Quand il **eut mangé**, il se coucha.*
> *Il s'endormit dès que la lumière **fut éteinte**.*

LE FUTUR ANTÉRIEUR est le passé du futur simple.

> *Dès qu'il **aura fini** son travail, Paul rentrera chez lui.*
> *Quand il **aura mangé**, il se couchera.*
> *Il s'endormira dès que la lumière **sera éteinte**.*

■ Le futur antérieur peut aussi exprimer une supposition.

> *La porte ne s'ouvre pas ? Le code **aura changé**.*   = le code a sûrement changé
> *Marc et Léa sont déjà arrivés ? Ils **seront partis** avant nous.*   = ils ont dû partir avant nous

> ❯ Après « une fois que » dans un contexte de futur, le futur antérieur est obligatoire :
> *J'imprimerai le texte <u>une fois que</u> je l'**aurai relu**.*   ~~une fois que je l'avais relu~~

LE PASSÉ SURCOMPOSÉ (rare) est le passé du passé composé.

> *Dès qu'il **a eu** fini son travail, Paul est rentré chez lui.*
> *Quand il **a eu** mangé, il s'est couché.*

● L'infinitif passé est plus fréquent pour cet usage :
> ***Après avoir fini**, Paul est rentré chez lui.*
> ***Après avoir mangé**, il s'est couché.*

E X E R C I C E S

1 Plus-que-parfait. **Lisez. Observez.**

> **Transformation**
>
> Je n'**avais** jamais **remarqué** combien Alice était jolie jusqu'au jour où elle enleva ses lunettes et changea de coupe de cheveux. Elle **avait rencontré** un jeune homme deux mois plus tôt et tout **avait changé** dans sa vie. Elle **avait recommencé** à dessiner et à cuisiner, elle **avait transformé** son appartement et elle **s'était mise** à sourire.

2 Plus-que-parfait. **Racontez en « flash-back » la vie de Coluche, en respectant la chronologie.**

Coluche

1974 : Le public français découvre ce comique à l'humour caustique et iconoclaste*.

1983 : Coluche reçoit le césar du meilleur acteur pour son rôle dans le film *Tchao Pantin*.

1985 : Coluche crée les Restos du Cœur, et attire l'attention du public sur la situation des plus démunis.

1981 : Coluche se présente par dérision aux élections présidentielles et provoque un grand débat politique.

1986 : Coluche se tue à moto en percutant un camion.

*iconoclaste : qui s'attaque aux idées reçues

Le 19 juin 1986, Coluche s'est tué à moto en percutant un camion. En 1974, le public français _____

_____

_____

_____

_____

_____

_____

_____

_____

_____

3 Passé composé. Plus-que-parfait. **Transformez selon le modèle.**

> **1.** <u>Réédition</u> de la Fiat 500 en 2006, cinquante ans après sa <u>création</u>.
> **2.** <u>Arrivée</u> à Tahiti de Léo Savage, le navigateur solitaire, six mois après son <u>départ</u> du Havre.
> **3.** <u>Évasion</u> de trois détenus de la prison de la Santé par un <u>tunnel</u> creusé sous les cuisines.
> **4.** <u>Mariage</u> de la pop star Louise Boorman deux mois après son 4ᵉ <u>divorce</u>.
> **5.** <u>Rénovation</u> complète du musée Morandi <u>créé</u> en 1947.

1. La Fiat 500 *a été rééditée en 2006. Elle avait été créée cinquante ans plus tôt.*

2. Le navigateur solitaire _____

3. Trois détenus _____

4. La pop star Louise Boorman _____

5. Le musée Morandi _____

E X E R C I C E S

1   Passé composé, imparfait, plus-que-parfait. **Complétez.**

Identité

En février 2004, Madeleine Mores *s'est présentée* à la mairie pour se faire refaire une
carte d'identité. Elle _____ d'Algérie, où elle _____ trente-sept ans. Elle
_____ faire un changement d'adresse. Elle _____ stupéfaite lorsqu'elle
_____ qu'une Madeleine Mores _____ sa carte en 2001.
La Madeleine en question _____ à la même date qu'elle, au même endroit, de la
même mère et du même père. La police _____ une enquête pour savoir laquelle
des deux Madeleine _____ la bonne.

se présenter

revenir - vivre

vouloir - être

apprendre - faire refaire

naître

ouvrir

être

2   Passé simple, imparfait, plus-que-parfait. **Complétez.**

Coma

Alors qu'il *marchait* dans la rue, Grégoire Bérard _____ sur la tête une pierre qui
_____ du balcon du cinquième étage d'un immeuble.
L'homme _____ connaissance. Lorsqu'il _____ du coma douze
ans plus tard, il ne _____ plus rien. Tout _____ entre-temps :
l'homme qui le _____ dans le miroir _____ à son père, sa petite fille
de deux ans _____ une femme, sa femme _____ le nez et elle
_____ avec son frère cadet !

marcher - recevoir

se détacher

perdre - sortir

reconnaître - changer

regarder - ressembler

devenir - se faire refaire

vivre

3   Passé simple, imparfait **et** plus-que-parfait. **Trouvez les verbes.**

Bouteille à la mer

En août dernier, un jeune garçon australien
trouva sur la plage la bouteille qu'une petite fille
écossaise de cinq ans _____ à la mer six
mois plus tôt. Dans la bouteille, _____
un message et un numéro de téléphone. Le
garçon _____ à la fillette pour lui dire qu'il
_____ sa bouteille et qu'il _____
son message.

Chien gourmand

Malgré ses recherches, un jeune homme turc
ne *trouvait* plus son portable. Il _____
pourtant sûr que le portable _____ dans
sa maison. Il _____ l'idée de le faire sonner
en l'appelant d'un poste fixe. C'est alors qu'il
_____ la sonnerie sortir, un peu étouffée,
du ventre de son chien. C'est lui qui _____
le portable !

Évasion

Quand le gardien _____ la porte de la cellule,
il _____ avec stupéfaction que le prisonnier
_____ par un tunnel qu'il _____ dans
le plancher avec une pioche. Pourtant, cette
nuit-là, le gardien _____ aucun bruit.

Aisha

À six ans, quand Aisha _____ à l'école,
elle savait déjà lire : c'est en regardant l'émission
de télévision « Des chiffres et des lettres » avec sa
grand-mère qu'elle _____ toute seule à
lire, à écrire et à compter !

EXERCICES

1 Lisez. Observez.

Contes de fées

« Quand tu **auras fini** tes devoirs, je te **raconterai** l'histoire » disait ma grand-mère. Je me dépêchais de terminer mes exercices et, dès que j'**avais fini**, je me précipitais auprès d'elle pour écouter la suite de l'histoire. Mamy ouvrait le vieux livre de contes et la magie recommençait : « – *Quand Blanche Neige* **eut mordu** *dans la pomme, elle* **tomba** *dans un profond sommeil.* » Frissons. Suspense. Bonheur.

2 Futur simple **et** futur antérieur. **Complétez.**

1. **remettre/lire**   Vous *remettrez* votre copie au professeur une fois que vous *aurez relu* votre texte.

2. **goûter/pouvoir**   Une fois que vous _____ ce café, vous ne _____ plus vous en passer.

3. **partir/réparer**   Nous _____ en vacances dès que le garagiste _____ la voiture.

4. **finir/poser**   Quand nous _____ de peindre les murs, nous _____ la moquette

5. **pouvoir/taper**   Vous _____ vous connecter une fois que vous _____ votre code secret.

3 Passé simple **et** passé antérieur. **Complétez.**

1. **identifier/envoyer**   Dès que la police *eut identifié* le lieu du hold-up, elle *envoya* des renforts.

2. **vider/mettre**   Une fois que les voisins _____ leur appartement, ils le _____ en vente.

3. **tomber/prendre**   La fièvre _____ dès que l'enfant _____ son médicament.

4. **enregistrer/aller**   Quand Lola _____ ses bagages, elle _____ au bar de l'aéroport.

5. **s'endormir/éteindre**   Les enfants _____ dès que leur mère _____ la lumière.

4 Plus-que-parfait **et** imparfait. **Transformez avec des pronoms, selon le modèle.**

La première fois   C'est la première fois que je mange des litchies, que Fanny met des talons hauts, que nous allons à l'opéra en famille, que je rencontre les amis de ma fille.

C'était la première fois que je mangeais des litchies, je n'en avais jamais mangé avant… C'était la première fois que

_____

5 Plus-que-parfait. **Complétez les verbes et les pronoms manquants.**

Trop tard

J'ai invité Mélanie à déjeuner, mais elle *avait déjà déjeuné* avec Jules.

J'ai proposé à Isabelle de voir l'expo Picasso, mais elle _____ avec Max.

J'ai demandé à Max de me prêter sa voiture, mais il _____ à Jo.

Je voulais acheter l'appartement du 2e mais les voisins du 3e _____ pour faire un duplex .

J'aurais voulu épouser ma mère, mais elle_____ mon père !

LES TEMPS du PASSÉ : difficultés
Passé composé, imparfait et plus-que-parfait

PASSÉ COMPOSÉ ET IMPARFAIT

■ Le passé composé et l'imparfait s'emploient généralement après des marqueurs de temps différents. Dans certains cas, cependant, les deux formes peuvent être concurrentes.

	Repère précis date, moment	**Durée totale définie** tranche de temps début ou fin précis	**Constat** vision globale, ou rétrospective	**Durée indéfinie** début et fin vagues	**Repère vague** époque ou période révolue, évocation
P A S S É C O M P O S É	**Le 2 août à midi** j'ai quitté Paris. **À 12 ans** j'ai été opéré de l'appendicite. **Au moment où** j'ai traversé la rue, j'ai glissé. **Hier,** j'ai été malade.[1]	**Pendant 10 ans/ Pendant des années** j'ai fait du piano. **Jusqu'en** 2001 j'ai habité chez mes parents. **À partir de ce moment-là,** j'ai arrêté de fumer. J'ai **longtemps** cru au Père Noël.	**Toute ma vie,** j'ai joué du piano. J'ai **toujours** aimé jouer du piano. **Toute ma vie,** jusqu'à maintenant, j'ai été végétarien.[3] Je n'ai **jamais** mangé de viande.		
I M P A R F A I T	**Le 2 août à midi** je quittais Paris.[2] **À 12 ans** j'étais déjà grand. **Au moment où** je traversais la rue, j'ai glissé. **Hier,** j'étais malade.[1]			**Quand j'étais petit,** je jouais du piano. **Tous les soirs,** je jouais du piano. **Quand** mon père entrait, je cessais de jouer.	**À 12 ans** je jouais bien du piano. Je jouais **toujours** du piano le soir. **Jusqu'à maintenant,** j'étais végétarien.[3] **Avant,** je croyais au Père Noël.

❱ [1]On peut dire : *Hier, **j'ai été** malade. Hier, il **a fait** froid.* = constat
  Ou : *Hier, **j'étais** malade. Hier, il **faisait** froid.* = état, situation.
❱ Le passé composé apporte une information complète tandis que l'imparfait demande généralement une « suite ». *Hier, **j'étais** malade, c'est pour ça que je ne suis pas venu.*

❱ En réponse à une question, on peut dire les deux :
  – *Pourquoi n'es-tu pas venu hier ?* – ***J'avais*** *mal à la tête.* – ***J'ai eu*** *mal à la tête*

❱ Courant : *Le 2 août, **j'ai quitté** Paris.*   ***J'ai pris** l'avion pour Montréal.*
  [2]Littéraire : *Le 2 août, **je quittais** Paris.*   ***Je prenais** l'avion pour Montréal.*

❱ [3]*Jusqu'à maintenant **j'étais** végétarien.*   = c'est fini
  *Toute ma vie, jusqu'à maintenant, **j'ai été** végétarien.*   = ça continue

E X E R C I C E S

---

1 Lisez. Soulignez les verbes au passé composé et à l'imparfait.

Mon visage

Très vite dans ma vie il <u>a été</u> trop tard. À dix-huit ans il était déjà trop tard. Entre dix-huit et vingt-cinq ans mon visage est parti dans une direction imprévue. À dix-huit ans j'ai vieilli. Je ne sais pas si c'est tout le monde, je n'ai jamais demandé. Il me semble qu'on m'a parlé de cette poussée du temps qui vous frappe quelquefois alors qu'on traverse les âges les plus jeunes, les plus célébrés de la vie. Ce vieillissement a été brutal. Je l'ai vu gagner mes traits un à un, changer le rapport qu'il y avait entre eux, faire les yeux plus grands, le regard plus triste, la bouche plus définitive, marquer le front de cassures profondes. (…) Les gens qui m'avaient connue à dix-sept ans lors de mon voyage en France ont été impressionnés quand ils m'ont revue, deux ans après, à dix-neuf ans. Ce visage-là, nouveau, je l'ai gardé. Il a été mon visage. Il a vieilli encore bien sûr, mais relativement moins qu'il n'aurait dû. J'ai un visage lacéré de rides sèches et profondes, à la peau cassée. Il ne s'est pas affaissé comme certains visages à traits fins, il a gardé les mêmes contours mais sa matière est détruite. J'ai un visage détruit.

Marguerite Duras, *L'Amant*

---

2 **Passé composé** ou **imparfait**. **Complétez.**

1. Toute sa vie jusqu'à maintenant, Jacques _____ fidèle à Madeleine.

2. Avant de rencontrer Madeleine, Jacques _____ très triste. Il a complètement changé depuis.

3. Quand il _____ petit, Charles _____ de l'asthme. Il _____ de l'asthme jusqu'à l'âge de 10 ans.

4. Tous les jours, pendant 20 ans, je _____ du jogging dans le parc. Je _____ quatre tours avant de rentrer.

5. Jusqu'à maintenant mes jumeaux _____ à l'école primaire, mais ils viennent d'entrer au collège.

6. Les enfants _____ très sages jusqu'à maintenant. J'espère que ça va continuer.

7. Pendant tout le mois de février, il _____ très froid. Tous les matins, il y _____ du givre sur les fenêtres.

8. Pourquoi n'êtes-vous pas venu à la réunion, hier ? – Parce que je _____ malade.

---

3 Écrit. **Temps du passé. Révisions. Imaginez une réponse aux questions suivantes :**

1. Vous ne voulez plus passer vos vacances au bord de la mer. Pourquoi ?

_____

_____

2. Pourquoi avez-vous une bosse bleue sur le front ?

_____

_____

3. Pourquoi couriez-vous derrière une vieille dame jeudi dernier ?

_____

_____

4. On vous a vu(e) entrer chez le voisin par la fenêtre. Expliquez-vous.

_____

_____

5. Vous vous êtes violemment disputé(e) avec la boulangère. Pourquoi ?

_____

_____

PLUS-QUE-PARFAIT ET PASSÉ COMPOSÉ

■ L'antériorité dans le passé se marque généralement avec le **plus-que-parfait**, mais le **passé composé** est possible dans certains cas.

ANTÉRIORITÉ	Plus-que-parfait	Passé composé
Avec **L'IMPARFAIT**	Elle pleurait parce qu'elle **avait perdu** sa poupée. Il était essoufflé parce qu'il **avait couru**.	
Avec **LE PASSÉ SIMPLE**	Il vit que sa fille **avait pleuré**.	
Avec **LE PASSÉ COMPOSÉ**	J'ai acheté en 2003 la maison où **j'avais vécu** l'année précédente. J'ai retrouvé la bague que **j'avais perdue**[1]. Bob a été arrêté en 2010, parce qu'il **avait attaqué** une banque l'année précédente.	J'ai acheté en 2003 la maison où **j'ai vécu** quand j'étais petit. Je n'ai pas retrouvé la bague que **j'ai perdue**[1]. Bob a été arrêté parce qu'il **a attaqué** une banque l'année dernière.

❱ [1]On emploie le **passé composé** quand un événement « antérieur » a encore un impact sur le **présent**.
*J'**ai eu** mal à la tête ce matin parce que j'**ai** trop **bu** hier.*   ~~parce que j'avais trop bu hier.~~
*J'**ai arrêté** de travailler parce que j'**ai gagné** au Loto.*   ~~parce que j'avais gagné.~~

❱ [1]**Le plus-que-parfait** est le passé d'un passé composé si ce passé est « **révolu** », sinon on peut employer le passé composé. Comparez :
*J'ai retrouvé la bague que j'**avais perdue**.*   = la bague n'est plus perdue
*Je n'ai jamais retrouvé la bague que j'**ai perdue**.*   = la bague est encore perdue

❱ **Le plus-que-parfait** évoque des propos passés.
	– *Je l'**avais** bien **dit** !*
– *Marlène a quitté Charles !*	– *Je l'**avais deviné**.*
	– *Je l'**avais prédit**...*

❱ **Le discours indirect** au passé demande une concordance.
Il avoue qu'il a volé.   *Il a avoué qu'il **avait volé**.*
Il affirme qu'il a rendu l'argent.   *Il affirma qu'il **avait rendu** l'argent.*

E X E R C I C E S

1   Passé composé **ou** plus-que-parfait. **Complétez avec les verbes manquants.**

1. Les enfants ont eu mal au ventre parce qu'ils *ont mangé* trop de bonbons hier, à la fête.

2. Jo a vendu sa voiture parce qu'il _____une moto.

3. Paul a retrouvé derrière le canapé les lunettes qu'il_____ et qu'il cherchait partout.

4. Nous sommes arrivés en avance parce que nous _____ un taxi.

5. Charles est parti, après avoir attendu plus d'une heure la personne à qui il _____ rendez-vous.

6. Martin a finalement avoué à sa mère qu'il_____ de l'argent dans son porte-monnaie.

7. À la campagne, les arbres étaient tout blancs, car il _____toute la journée.

8. Les randonneurs étaient exténués, car ils _____ pendant six heures sans s'arrêter.

9. Les supporters ont fait la fête toute la nuit parce que leur équipe _____ le match 3 à 0.

10. L'enfant a été puni parce qu'il _____ des graffitis qu'on ne peut pas effacer. Le directeur a convoqué les parents, car déjà, la semaine précédente, l'enfant _____une caricature de son professeur de français et que, deux jours plus tôt, il _____insolent avec son professeur de maths.

2   Passé composé. Plus-que-parfait. **Lisez.**

> 18 avril :Georges Valois, SDF, 75 ans, reçoit un paquet contenant un imperméable et d'autres objets.
> 19 avril :Il découvre un billet de Loto dans la poche de l'imperméable. C'est un vieux billet de Loto.
> 20 avril :Il se présente à un bureau de tabac et réclame l'argent. On le lui refuse.
> 20 mai : Un journaliste entend parler de Georges. Il l'interviewe pour la télé.
> Les spectateurs manifestent leur solidarité et envoient des pétitions en faveur de Georges.
> 18 juin : La Française des Jeux cède. Georges touche 3 millions d'euros.

a. Racontez les événements dans l'ordre.

Le 18 avril dernier, Georges Valois, SDF de 75 ans, *a reçu* _____

_____

_____

_____

b. Racontez les événements avec un « flash-back ».

Un SDF de 75 ans, Georges Valois, touche 3 millions d'euros ! *Le 18 avril dernier, il avait reçu* _____

_____

_____

_____

3   Passé simple. Imparfait. Plus-que-parfait. **Rédigez un article à partir des titres.**

FERMETURE D'UN FAST-FOOD DANS LE CENTRE	*UN MARIAGE SYMPATHIQUE*	BRAQUEURS* À TREIZE ANS
_____ _____ _____ _____	_____ _____ _____ _____ _____	_____ _____ _____ _____ * braquer : attaquer à main armée

E X E R C I C E S

1 Lisez. Soulignez les temps. Répondez aux questions.

Perdus en forêt

Journaliste : Nous <u>recevons</u> aujourd'hui Luc et Guille Berger, deux jeunes frères passionnés de randonnée qui vont nous raconter leurs aventures. Luc et Guille, présentez-vous.

Luc : Moi, c'est Luc, je suis belge. J'ai 32 ans. Je suis ingénieur agronome.

Guille : Moi, c'est Guille. J'ai 34 ans. Je vis et je travaille à Bruxelles. Je suis ingénieur, comme Luc.

Journaliste : Racontez-nous ce qui s'est passé l'année dernière en janvier.

Luc : L'année dernière, Guille et moi, nous habitions au Brésil où nous étions en mission depuis deux ans. Chaque fois que nous le pouvions, nous partions faire de longues randonnées en Amazonie. Nous connaissions bien la région et nous préparions toujours soigneusement nos expéditions. Jusqu'à ce fameux 13 janvier…

Journaliste : Que s'est-il passé ce jour-là ?

Guille : Quand on est partis, on était bien équipés, on avait nos cartes, nos boussoles et un portable. Mais c'était la saison des pluies. Le terrain était glissant. J'ai dévalé une pente. Mon sac est tombé à l'eau. On a perdu le portable et je me suis foulé la cheville. Ensuite, on s'est perdus. On a marché, marché, sans savoir où on était.

Luc : Là, on a vécu un véritable cauchemar. On est restés 62 jours dans la forêt, sans ressources. On n'a mangé que des graines et des insectes.

Journaliste : Pourtant, on sait maintenant que les secours sont arrivés presque tout de suite dans la zone où vous vous trouviez.

Guille : Oui, on a entendu les hélicoptères survoler la forêt. Alors on a abattu des arbres et on a fait du feu pour être vus. Sans succès.

Journaliste : Les recherches ont duré trois semaines, avant d'être suspendues en février parce qu'aucune des équipes de gendarmes n'avait détecté le moindre indice de votre présence dans la forêt. Comment cela s'est-il terminé ?

Guille : On marchait trois heures par jour, mais je me sentais de plus en plus mal. J'avais perdu la moitié de mon poids. Je n'y arrivais plus. On avait décidé de s'arrêter. On était désespérés.

Luc : C'est à ce moment-là que j'ai entendu un avion de ligne passer à basse altitude. J'ai supposé que nous étions près d'une base et j'ai décidé de partir seul chercher des secours. Une fois Guille installé sous un abri de fortune, je me suis mis en chemin. Après plusieurs heures de marche, j'ai atteint un village. J'ai expliqué notre position. Un hélicoptère de la gendarmerie a retrouvé mon frère, et l'a évacué vers l'hôpital de Cayenne.

Guille : C'est là qu'on a appris que notre camp se trouvait à moins de dix kilomètres du village.

Luc : On a eu chaud. Vraiment. Et on a eu de la chance.

Journaliste : Est-ce que vous allez repartir en randonnée ?

Loïc : Bien sûr, mais la prochaine fois on partira avec des GPS et deux portables.

---

1. Présentez Luc et Guille. _____

2. Que s'est-il passé le 13 janvier ? _____

3. À quelle époque de l'année les randonneurs sont-ils partis? Quel temps faisait-il ? _____

4. Combien de temps les deux hommes sont-ils restés dans la forêt ? _____

5. Comment ont-ils survécu ? Qu'ont-ils mangé ? _____

6. Qu'ont fait les jeunes gens pour tenter d'alerter les hélicoptères ? _____

7. Quelle est la décision qui leur a sauvé la vie ? _____

8. Pourquoi les recherches avaient-elles été suspendues ? _____

9. Les jeunes gens vont-ils cesser de partir en randonnée ? _____

10. Comment s'équiperont-ils la prochaine fois ? _____

E X E R C I C E S

1 Lisez. Soulignez les verbes.

Drames

L'oncle Joseph raconte le drame de Mamèche. Son mari, puisatier, arrive à Aubignane au moment où on cherche à tirer de l'eau d'un puits très dangereux. Le maçon du village ne veut plus descendre dans le puits.

(…) Notre maçon, qui était de Corbières, nous dit :

« Je ne <u>descends</u> plus là-dedans ; j'ai pas envie d'y rester. » Lui, le Piémontais, c'est juste à ce moment-là qu'il arrive à Aubignane, avec guère de sous et une femme qui allait faire le petit. Ce qui l'avait tiré de là-bas, allez chercher : le destin !

« Moi je descends », qu'il dit*.

Il a creusé encore au moins quatre mètres. Il remontait tous les soirs, blanc, gluant comme un ver, avec du sable plein le poil. Et, un soir, vers les six heures, on a entendu, tout par un coup*, en bas, comme une noix qu'on écrase entre les dents ; on a entendu couler du sable et tomber des pierres. Il n'a pas crié. Il n'est plus remonté. On n'a jamais pu l'avoir. Quand, au milieu de la nuit, on a descendu une lanterne au bout d'une corde pour voir, on a vu monter l'eau au-dessus de l'écroulement. (…)
Il y avait au moins dix mètres d'eau au-dessus de lui. (…)

… Elle était marquée, cette femme ! (…) Son homme meurt, comme je vous dis. Et nous, à la commune, on s'arrange pour lui donner du secours. Et on laisse le puits. On ne voulait pas boire de cette eau.

Elle eut son petit peut-être deux mois après. On disait : « Avec ce qu'elle a passé, il naîtra mort. ». Non, son petit était beau. Alors, elle a un peu repris de la vie. Elle faisait des paniers. Elle allait au ruisseau. Elle coupait l'osier et elle tressait la corbeille. Elle portait le jeune homme dans un sac et, pendant qu'elle travaillait, elle le posait dans l'herbe et elle chantait. Il restait tranquille. C'est arrivé combien de fois. Elle lui donnait des fleurs pour l'amuser. C'est de ça qu'elle aurait dû se méfier. Il avait trois ans ; il courait seul. (…)

Alors, une fois, c'était à l'époque des olives, on a entendu dans le bas du vallon comme une voix du temps des loups. Et ça nous a tous séchés de peur sur nos échelles. C'était en bas, près du ruisseau.
On est descendus à travers les vergers (…). Nos femmes étaient restées, toutes serrées en tas.
Et ça hurlait toujours, en bas, à déchirer le ventre !
Elle était comme une bête. Elle était couchée sur son petit comme une bête. On a cru qu'elle était devenue folle. L'Onésime Bus met sa main sur elle pour la lever de là-dessus, elle lui mord la main.
À la fin, on a pu l'emporter. Son petit était dans l'herbe, tout noir déjà, et tout froid, l'œil gros comme un poing et, dans la bouche, une bave épaisse comme du miel. Il était mort depuis longtemps. On a su, parce qu'il en avait encore des brins dans sa petite main, qu'il avait mangé de la ciguë*. Il en avait trouvé une touffe encore toute verte. Il s'en était amusé pas loin de sa mère qui chantait.

Jean Giono, *Regain,* éd. Grasset, 1930.

*qu'il dit : dit-il (français populaire ou régional)   *tout par un coup : tout à coup (régional)   * ciguë : plante très toxique

2 Résumez en quelques lignes.

_____

_____

_____

_____

_____

LES TEMPS de L'INDICATIF
Formation et emploi

Formation du présent

■ **Verbes en -er**
+ offrir, ouvrir, cueillir

■ **Verbes en -ir/-re/-oir**
ex. : finir, partir, mettre, recevoir

Je Tu Il/Elle	verbe	**-e** **-es** **-e**

Je Tu Il/Elle	verbe	**-s** **-s** **-t**

-x pour *je veux /peux*
-x pour *tu veux/peux*
-d pour les verbes
en « dre »

Nous Vous Ils/Elles	verbe	**-ons** **-ez** **-ent**

❱ Jamais de « s » à la 3ᵉ personne du pluriel des verbes.
*Le̲s̲ petit̲s̲ enfant̲s̲ chant**ent** et dan**sent**.*   ~~les petits enfants chantes et danses~~

● **Verbes en -cer :** ils prennent une cédille devant **a** et **o**.   Lancer   *Nous lan**ç**ons*   *En lan**ç**ant*
● **Verbes en -ger :** on écrit **ge** devant **a** et **o**.   Manger   *Nous mang**e**ons*   *En mang**e**ant*
● **Verbes en -yer : y** devient **i** devant un **e** muet.   Envoyer   *Nous envoyons*   *J'envoie*
● **Payer, balayer, bégayer** ont deux orthographes :   Balayer   *Je balaye/Je balaie*
● **Verbes en -eler :** ils redoublent le « l » devant **e** muet.   Appeler   *Nous appelons*   *J'appell̲e̲*
● **Verbes en -eter :** ils redoublent le « t » devant **e** muet.   Jeter   *Nous jetons*   *Je jett̲e̲*
– Certains verbes transforment le « e » du radical en **è** :   Acheter   *Nous achetons*   *J'ach**è**te*
   Congeler   *Nous congelons*   *Je cong**è**le*

Formation de l'imparfait

Sur le radical
de « nous »
au présent
de l'indicatif
+ **-ais -ais -ait -ions -iez -aient**

Je parl-ais
Tu finiss-ais
Il compren-ait

Sauf verbe être : *j'étais, tu étais…*

Formation du futur simple

Sur le
R   de l'infinitif
+ **-ai -as -a -ons -ez -ont**

Je parleR-ai
Tu finiR-as
Il comprendR-a

■ **Verbes irréguliers :**

Être : *Je serai*	Avoir : *J'aurai*	Aller : *j'irai*	Faire : *Je ferai*	Savoir : *Je saurai*
Voir : *Je ve̲r̲rai*	Envoyer : *J'enve̲r̲rai*	Courir : *Je cou̲r̲rai*	Mourir : *Je mou̲r̲rai*	
Pouvoir : *Je pou̲r̲rai*	Devoir : *Je de̲v̲rai*	Venir : *Je vien̲d̲rai*	Tenir : *Je tien̲d̲rai*	
Recevoir : *Je rece̲v̲rai*	Pleuvoir : *Il pleu̲v̲ra*	Falloir : *Il fau̲d̲ra*	Valoir : *Il vau̲d̲ra*	

Formation du passé simple voir p.142

1   Complétez les terminaisons au présent de l'indicatif.

1. Elles écout*ent* Radio Classique.
2. Tu mang____ à la cantine à midi ?
3. Les enfants se lèv____ à sept heures.
4. Nicolas étudi____ le chinois.
5. Tu travaill____ jusqu'à quelle heure ?
6. Les secrétaires parl____ plusieurs langues.
7. Les cours finiss____ en juin.
8. Je met____ un pull et un manteau pour sortir.
9. Eliott fai____ du judo le mardi.
10. Je vous remerci____ de votre aide.
11. Nous déménag____ : nous chang____ de quartier.
12. Léa a pris froid en nag____ dans le lac.

2   Complétez les terminaisons au présent de l'indicatif.

1. Paul écri____ très bien pour son âge.
2. Marie pa____ 500 euros de loyer.
3. Je doi____ aller à la banque.
4. Ce pressing nett___ mal les vêtements.
5. Où est-ce que tu ach____ le café ?
6. Je renouv____ mon adhésion à votre association.
7. Ma grand-mère bala____ le jardin le matin.
8. Où est-ce que tu jet____ la poubelle ?
9. Mon entreprise empl____ plus de 300 personnes.
10. Je cong____ toujours le pain qui reste.
11. « Rosa » est un parfum qui m'ensorc____.
12. Je feuil____ les magazines au kiosque.

3   Complétez les terminaisons.

Échanges (courriels)

Théo : – Tu travai*lles* toujours sur Balzac ? Je t'env____ un document intéressant.

Léa :   – Super. Merci. Mais je ne sai____ pas comment lire ton fichier. Qu'est-ce que je doi____ faire ?

Théo : – Si tu cliq____ sur le lien en couleur, normalement, ça s'ouv____.

Léa :   – Ok. Je li____ le document, mais je ne peu____ pas le copier. Qu'est-ce que je fai____ ?

Théo : – Ça veu____ dire qu'on n'a pas le même système. Je te renv____ le fichier en format document.

4   Complétez en mettant au présent :

vivre   dormir   ~~partir~~   sortir   suivre   recevoir

1. Je *pars* toujours en vacances au mois d'août.
2. Cathy_____ dix heures par nuit.
3. Je _____ des cours de russe.
4. Macha_____ en France depuis deux ans.
5. Tu _____ tous les samedis soirs.
6. Je ne _____ jamais de courrier.

5   Complétez en mettant au présent :

cueillir   écrire   lire   attendre   mettre   prendre

1. Tu _____ avec des lunettes ou sans lunettes ?
2. On _____ les cerises au printemps.
3. En général, j'_____ avec un stylo-feutre.
4. J'_____ le bus depuis vingt minutes !
5. Tu _____ une cravate le dimanche ?
6. Le matin, Max _____ le bus à 8 heures.

6   Mettez les phrases de l'exercice 4 à l'imparfait. *Je partais toujours en vacances au mois d'août.*

_____

7   Complétez avec les dialogues (SMS) au futur simple. Faites l'élision si c'est nécessaire.

| être/pouvoir | – Je *serai* dans ton quartier demain. On _____ se voir ? |
| voir/confirmer | – Je _____ si c'est possible. Je te le _____ ce soir. |

| prendre/arriver | – Je _____ l'avion à 18 h. Je _____ vers 20 h. |
| aller/appeler | – Je _____ chez toi en taxi. Je t'_____ du taxi. |

Formation des temps composés

- **Passé composé** — être/avoir au présent + **participe passé** — *Je suis rentré(e) J'ai dîné*

- **Plus-que-parfait** — être/avoir à l'imparfait + **participe passé** — *J'étais rentré(e) J'avais dîné*

- **Futur antérieur** — être/avoir au futur + **participe passé** — *Je serai rentré(e) J'aurai dîné*

- **Passé antérieur** — être/avoir au passé simple + **participe passé** — *Je fus rentré(e) J'eus dîné*

- **Futur proche** — aller au présent + **infinitif** — *Je vais rentrer Je vais dîner*

(même chose pour toutes les constructions infinitives : *Je pense rentrer Je voudrais dîner*)

> » Finales en **é** : après **avoir** ou **être**   *Je suis allé au cinéma. J'ai dîné. Je suis rentré(e).*
> » Finales en **er** : après **les autres verbes** *Je vais dîner. Je dois travailler. Je pense rentrer.*
> N.B. On emploie l'infinitif après une préposition. *Défense de fumer. Prêt à consommer.*

Temps simples et temps composés : **emploi**

■ Les **temps simples** renvoient à un « monde ».

Présent	= monde actuel	*Maintenant, Jan vit au Brésil.*
Imparfait	= monde passé	*Avant, il vivait en France.*
Futur simple	= monde à venir	*Un jour, il vivra en Norvège.*

■ Les **temps composés** avec un verbe au **présent** renvoient à un **changement** de « monde ».

- **Passé composé :** un événement du passé ouvre sur une **situation** présente.

  Jan habitait à Paris.
  Il a déménagé il y a dix ans.
  Maintenant il habite à Rio.

- **Futur proche :** un événement du présent ouvre sur une **situation** future.

  Jan habite à Rio.
  Il va retourner chez lui, en Norvège.
  Il habitera à Oslo.

■ Les **temps composés** avec un verbe au **passé** ou au **futur** expriment une **antériorité**.

PASSÉ ANTÉRIEUR	PLUS-QUE-PARFAIT	PASSÉ COMPOSÉ	FUTUR ANTÉRIEUR
PASSÉ SIMPLE Il s'endormit	**IMPARFAIT** Il s'endormait	**PRÉSENT** Il s'endort	**FUTUR SIMPLE** Il s'endormira
dès qu'il ▼ eut mangé.	dès qu'il ▼ avait mangé.	dès qu'il ▼ a mangé.	dès qu'il ▼ aura mangé.

EXERCICES

1 **Complétez les terminaisons.**

1. Les garçons sont part*is* à la plage.

2. Marie est arriv_____ en retard à l'école.

3. Ma fille s'est lev_____ plus tôt que d'habitude.

4. Mes amis se sont promen_____ sur les quais.

5. Nous avons achet_____ des romans policiers.

6. Les enfants ont reç_____ des cadeaux.

7. Les étudiants ont réuss_____ aux examens.

8. Ma mère a retrouv_____ ses clés.

9. Vous avez fin_____ de mang_____ ?

10. Ils ont essay_____ de nous contact_____.

11. Pour dîn_____, j'ai cuisin_____ un curry.

12. Nous avons trouv_____ un studio à lou_____.

13. Anne est all_____ se couch_____.

14. Sans cherch_____, j'ai trouv_____ la solution !

15. Ils ont jou_____ et ils ont gagn_____.

16. Ils ont accept_____ de rest_____.

17. Elle a essay_____ de pass_____ le permis.

2 **Complétez les terminaisons.**

Un joli week-end

Ma sœur est ven_____ nous voir et elle a amen_____ ma fille au cinéma. Elles sont rentr_____ pour dîn_____, mais elles ont continu_____ à parl_____ du film jusqu'au moment de se couch_____. Elles se sont endorm_____ très tard, et le dimanche, elles se sont lev_____ vers midi. Elles ont mang_____ des croissants, puis elles sont all_____ se promen_____ au parc. L'après-midi, elles ont découp_____ des images dans des magazines et elles se sont amus_____ à les coll_____ dans un cahier. Elles ont pass_____ un joli week-end.

Une jolie crique

Mon fils et ses copains sont part_____ en bateau pour all_____ se baigner dans la petite crique qu'ils avaient repér_____ lors de leur balade précédente. Ils se sont déshabill_____ et ils se sont allong_____ sur les rochers pour se faire bronz_____. Mais ils se sont endorm_____ et quand ils se sont réveill_____, il était tard : l'eau avait emport_____ le panier du pique-nique et leurs habits. Ils se sont enroul_____ dans leurs serviettes et ils se sont dépêch_____ de rentr_____. Ils étaient si drôles qu'on a tous éclat_____ de rire à leur arrivée.

3 **Complétez les terminaisons.**

Macha

Quand Macha est arriv_____ dans l'entreprise, elle a rencontr_____ plusieurs personnes qui lui ont expliqu_____ ce qu'il fallait faire. Les premiers temps, elle a travaill_____ très dur. Mais elle s'est form_____ rapidement, et quelques semaines après son arrivée, elle a commen_____ à dirig_____ son service sans problème. Elle a décid_____ alors d'amélior_____ son français pour particip_____ plus activement aux réunions. Au début, elle a travaill_____ seule avec des livres et des disques, mais elle a vite décid_____ d'all_____ dans une école de langues pour gagn_____ du temps. Elle a travaill_____ avec Julie, un professeur très sympathique. Macha et Julie sont sort_____ quelquefois ensemble, pour all_____ au cinéma ou au restaurant. Elles sont deven_____ amies et Macha a progress_____ très rapidement en français. Ensuite, Julie s'est mari_____ et elle a quitt_____ Paris pour s'install_____ en Bretagne. Macha est all_____ la voir plusieurs fois et elles ont pass_____ de bons moments. Maintenant, c'est Macha qui apprend à parl_____ russe aux enfants de Julie.

ILS SE SONT VUS. ILS SE SONT PLU.
Accord du participe passé avec être et avoir

Avec ÊTRE

ACCORD	PAS D'ACCORD
• Avec le **sujet** _La voiture_ est **partie.** _La fillette_ s'est **couchée.** _Les invités_ sont **arrivés.**	
• Avec le complément d'objet direct placé **avant** Elle _s'est_ **lavée.** Ils _se_ sont **coupés.** J'aime _la robe_ qu'elle s'est **achetée.**	• Avec le complément d'objet direct placé **après** Elle s'est **lavé** _les mains._ Ils se sont **coupé** _les cheveux._ Elle s'est **acheté** _une robe bleue._
• Avec le complément d'objet **direct** Ils _se_ sont **aimés.** Ils _se_ sont **disputés.** l'un/l'autre	• Avec le complément d'objet **indirect** Ils se sont **parlé.** Ils se sont **souri.** l'un **à** l'autre

Principaux verbes pronominaux invariables :

– Se parler, se mentir, se nuire, se plaire, se sourire, se suffire, se succéder (l'un à l'autre)
  Ils se sont **plu** _tout de suite. Les années se sont_ **succédé.** _Ils ne se sont jamais_ **menti.**

– Se demander, se permettre, se rendre compte (soi-même)
  Elle s'est **permis** _de le critiquer. Elle s'est_ **rendu** _compte de son erreur. Elle s'est_ **demandé** _où aller._
– S'**apercevoir** s'accorde. _Elle s'est_ **aperçue** _dans la glace._   _Elle s'est_ **aperçue** _qu'il était là._
– S'**imaginer** est variable. _Elle s'est_ **imaginée** _en robe de mariée._   _Elle s'est_ **imaginé** _qu'il viendrait._

Avec AVOIR

PAS D'ACCORD	ACCORD
• Avec l'**objet** direct placé **après.** J'ai acheté une _tarte._ J'ai caché _les clés_ dans un pot. (Je ne connais ni le genre ni le nombre du nom quand j'écris le participe passé.)	• Avec l'**objet** direct placé **avant.** Tu as goûté _la tarte_ que j'ai **achetée** ? Tu sais où je _les_ ai **cachées**… (Je connais le genre et le nombre du nom quand j'écris le participe passé.)

• Avec **en**
– _Combien de tartes as-tu_ **achetées** ?
  Combien en _as-tu_ **acheté** ?
– J'**en** ai **acheté** deux.
  J'**en** ai **acheté** plusieurs.
	• **En** n'empêche pas l'accord s'il n'est pas complément d'objet direct du verbe.
	Il a créé une entreprise. Les bénéfices
	_qu'il en a_ **tirés** _sont énormes._
	= accord avec « bénéfices »

❱ **Couru, parcouru, coûté, mesuré, pesé** (mesures) ne s'accordent pas au sens propre.
  Les 6 kilomètres que j'ai **couru.**   _Les dangers que j'ai_ **courus.**
  Les 10 euros que ça m'a **coûté.**   _Les efforts que ça m'a_ **coûtés.**
  Combien ? : pas d'accord   Quoi ? : accord (sens figuré)

❱ **Vécu** + quantité objective de temps est invariable.   **Vécu** + expérience subjective est variable
  Combien d'années avez-vous **vécu** _ensemble ?_   _Les merveilleuses années qu'on a_ **vécues** _sont loin._
  Les 5 ans qu'on a **vécu** _ensemble sont loin._   _Les expériences qu'on a_ **vécues** _sont inoubliables._

E X E R C I C E S

1 **Lisez. Soulignez les participes passés.**

Zoé

Hier Zoé est <u>allée</u> chez le médecin. Elle est arrivée un quart d'heure avant son rendez-vous. La salle d'attente était bondée*, car c'était mercredi, jour de congé des enfants. Tous les sièges étaient occupés. Zoé s'est installée sur le bord extrême d'un canapé et elle s'est plongée dans son roman. Pendant quelques minutes, elle a retrouvé l'univers d'Alice Munro et elle a oublié le vacarme qui l'entourait. Les enfants criaient, ils s'étaient jetés sur les revues qu'ils avaient déchirées en mille morceaux. Une petite fille échevelée s'était accrochée à ses jambes qu'elle avait inondées de Coca-Cola tiède et un gamin aux cheveux hérissés lui donnait des coups de pied dans les chevilles qu'elle avait ramenées en vain* sous son siège. D'abord, les mamans s'étaient fâchées, elles s'étaient excusées, elles s'étaient souri, puis elles s'étaient parlé de leurs soucis et elles s'étaient donné des conseils. Elles avaient comparé leurs pédiatres présents et passés, elles avaient raconté les épreuves qu'elles avaient vécues. Certaines avaient attrapé au passage leurs gamins qui couraient. Elles les avaient mouchés, les avaient rhabillés, ou leur avaient essuyé la bouche. Une maman pâle et nerveuse qui en avait amené deux ou trois semblait clairement dépassée. Elle s'était permis de s'allonger presque complètement sur le canapé. Zoé s'est alors demandé s'il valait la peine, pour un mal de gorge, de subir un après-midi de folie.

*bondé(e) : plein(e)   *en vain : sans succès

2 **Complétez, selon le modèle.**

1. Ils sont arrivés, se tenant par la main.

2. Les randonneurs sont part_____ à l'aube.

3. Marie s'est coup_____ en épluchant les légumes.

4. Les deux amis se sont retrouv_____ à la gare.

5. Ils se sont téléphon_____ toute la soirée.

6. Est-ce que les enfants se sont lav_____ les dents ?

7. Joseph et Adolf se sont coup_____ la moustache.

8. Ma fille s'est achet_____ une grosse moto.

9. Tu as vu la robe que Léa s'est achet_____ ?

10. Les voisins se sont souhait___ une bonne année.

11. Nous nous sommes envoy_____ des SMS.

12. Regarde les photos que j'ai reç_____ par Internet.

13. J'ai retrouv___ les clés que j'avais perd____.

14. La voisine s'est perm____ d'entrer sans frapper.

3 **Mettez au passe composé.**

1. Ils tombent. *Ils sont tombés.*   **2.** Elles dorment. _____ .   **3.** Nous partons. _____ .
4. Elle se lève. _____ .   **5.** Il nous invite. _____ .   **6.** Je les envoie. _____ .   **7.** Ils pleurent. _____ .   **8.** Elles se lèvent. _____ .   **9.** Nous dansons. _____ .   **10.** Elle se lave les cheveux. _____ .   **11.** Tu les appelles. _____ .   **12.** Il les félicite. _____ .

4 **Complétez selon le modèle. Faites l'élision si c'est nécessaire.**

1. – Où as-tu mis les clés du garage ?   – Je *les ai mises* sur l'étagère.

2. – Ne jette pas les journaux d'hier.   – Trop tard, je _____ ce matin !

3. – Tu as pris ces photos en Grèce ?   – Non, je _____ en Provence.

4. – C'est toi qui as fait cette robe ?   – Oui : c'est moi qui _____ .

5. – Ta fille s'est coupé les cheveux ?   – Oui, elle se _____ toute seule.

6. – Tu as mangé tous les chocolats ?   – Non, je _____ seulement deux ou trois…

7. – Tu as emporté des chaussures de sport ?   – Oui, je _____ deux paires.

8. – Combien de cartes postales as-tu envoyées ?   – Je _____ cinq ou six.

PARTICIPES PASSÉS suivis d'un INFINITIF

■ Verbes de **perception** (voir, sentir, entendre, etc.) et verbe **laisser** : l'accord dépend de qui fait l'action de l'infinitif.

ACCORD	PAS D'ACCORD
• **La chose/personne** dont on parle **fait l'action de l'infinitif.**	• **La chose/personne** dont on parle **ne fait pas l'action** de l'infinitif.
*La chanteuse que j'ai **entendue** chanter.* = la chanteuse chante	*La chanson que j'ai **entendu** chanter.* = la chanson ne chante pas.
*Les gâteaux que j'ai **laissés** brûler.* = les gâteaux brûlent	*Les gâteaux que j'ai **laissé** manger par le chat.* = les gâteaux ne mangent pas
*Elle s'est **laissée** tomber sur le divan.* = elle tombe	*Elle s'est **laissé** accuser.* = elle n'accuse pas, elle est accusée

● **Se sentir/se voir** + **participe passé** obéit aux même règles d'accord.

> *Elle s'est **sentie attaquée.***   *Ils se sont **vus cernés** par la police.*
> = elle est attaquée   = ils sont cernés

■ Verbe **faire** + infinitif : **on ne fait jamais l'accord**.

> *C'est la vieille voiture que tu as **fait** réparer ?*
> *Tu as vu les étagères que j'ai **fait** faire ?*
> *La journaliste s'est **fait** critiquer.*

● **Se faire avoir** (expression familière) = être escroqué
> *Tu as payé ce bracelet en cuivre au prix de l'or ! Tu t'es fait avoir...*

> ❱ **Se faire** + **infinitif** a une valeur de passif (aucune idée de « complicité »...).
> *Elle s'est **fait** insulter/tuer/étrangler.*   = Elle **a été** insultée/tuée/étranglée.
> *Ils se sont **fait** cambrioler.*   = Ils **ont été** cambriolés.

■ **Voulu, pensé, pu, cru, fallu** sont **invariables** : un infinitif est sous-entendu.

*Il a pris toutes les photos qu'il a **voulu** (prendre). On a fait tous les exercices qu'on a **pu** (faire).*

■ **Donné, eu, laissé à** + infinitif peuvent s'accorder ou non.

*J'ai emporté les devoirs qu'on m'a **donné/donnés** à faire.*

N.B. Le participe passé du verbe *laisser* suivi d'un infinitif est invariable, cependant on tolère l'application ou non de l'accord. (*Journal Officiel* de 6 décembre 1990)

Cas particuliers

● Les formules **ci-joint, ci-inclus, excepté** peuvent être variables ou invariables selon leur place.
Ci-joint les documents promis.   *Voir les notes **ci-jointes**.*
*J'ai tout trouvé **excepté** les photos 1 et 6.*   *J'ai tout trouvé, les photos 1 et 6 **exceptées**.*

● **Les formes impersonnelles** sont invariables.
*Tu as vu les embouteillages qu'il y a **eu** hier ? Tu as vu la chaleur qu'il a **fait** ?*

> ❱ **Eu** s'accorde avec le complément d'objet placé avant : – *Quelle note avez-vous **eue** ?*
> **Été** est invariable : *Les élèves <u>ont</u> **été** interrogés. Les notes ont <u>**été**</u> distribuées.*

E X E R C I C E S

1 Lisez. Observez.

Cora Richard

J'ai croisé dans la rue Cora Richard la vieille actrice que j'avais **vue** interpréter *Un fil à la patte* de Feydeau au théâtre il y a quelques années et que j'ai **entendue** réciter des textes de Queneau à la radio il y a quelques jours. *Un fil à la patte* est une pièce que j'ai **vu** représenter une bonne dizaine de fois et qui me fait toujours rire, mais l'interprétation de Cora était la plus drôle. Quant aux textes de Queneau, que j'ai **entendu** réciter l'autre jour, je les ai complètement redécouverts. Cora Richard qui s'est **laissé** diriger par les plus grands metteurs en scène et qui s'est **vu** décerner un grand nombre de prix est une artiste originale qui ne s'est jamais **laissée** aller à la facilité (et qui ne s'est jamais **fait** refaire le visage). C'est réconfortant.

2 Complétez les participes passés, selon le modèle.

1. Il y avait des enfants dans le parc et je les ai regard*és* jouer toute la matinée. Je les ai v___ inventer toutes sortes de jeux. **2.** Les voisins sont bruyants : je les ai entend_____ se disputer toute la nuit. **3.** Les jeunes gens étaient furieux, car ils se sont v_____ refuser l'accès à la discothèque. **4.** Quand la jeune fille s'est entend_____ appeler par son prénom, elle s'est vivement retourn___. **5.** Après le premier but, à la trentième minute, les footballeurs se sont v_____ reprendre confiance. **6.** La vieille dame s'est laiss____ mourir quand elle s'est sent_____ abandonnée de tous.

3 **Faire** suivi ou non d'un infinitif.
   Accordez, selon le modèle.

1. – Regarde la bosse que je me suis *faite* en tombant.
2. – Tu as vu la villa qu'il s'est *fait* construire ?
3. – Retire les habits que j'ai _____laver, s'il te plaît.
4. – Goûte les bonnes crêpes que j'ai _____pour toi.
5. – Les voisins se sont _____cambrioler trois fois.
6. – Corrigez les fautes que vous avez _____.
7. – Où sont les chaises que tu as _____ refaire ?
8. – La cantatrice s'est _____siffler par le public.

4 **Laisser** suivi ou non d'un infinitif.
   Accordez, selon le modèle

1. On a volé la bicyclette que j'avais *laissée*
   dans la rue, juste devant chez moi.
2. Je n'ai pas pu sauver les plantes que tu as
   _____ mourir de soif.
3. La conductrice s'est _____ injurier par de
   jeunes motards sans réagir.
4. J'ai récupéré les clés que j'avais _____
   à la concierge avant de partir.

5 Complétez les participes passés, selon le modèle. Plusieurs possibilités.

1. La journaliste qui s'était permi*s* de critiquer le gouvernement s'est fai_____ arrêter.
2. Pour faire cet exposé, nous avons rassemblé toutes les informations que nous avons p____ .
3. Face à la chaleur qu'il a fai_____, les autorités ont pris toutes les mesures qu'il a fall____.
4. Les ouvriers ont terminé à temps les travaux qu'on leur avait donné _____ à faire, mais il y avait
   de petits détails qu'ils ont eu_____ à reprendre.
5. Quand Mina s'est aperç_____ dans la glace, elle s'est rend_____ compte qu'elle avait beaucoup vieilli. Alors,
elle s'est imagin____en blonde. Elle s'est imagin____ qu'en changeant de couleur elle rajeunirait.
6. Les voleurs se sont v_____ encerclés par la foule et ils se sont laiss_____ emmener par la police.
7. Si tu savais les mauvaises notes que Julien a eu_____ à son examen… Quand on pense à toute
   l'énergie qu'il lui a fall_____ pour le préparer et à tous les cours particuliers qu'il a suiv____ !
8. Les voisins se sont aperç____ que notre porte était ouverte et ils se sont rend_____ compte que
   nous avions été cambriolés. Les voleurs ont emporté tous les objets qu'ils ont p_____.
9. Les personnes que nous avions aid_____ à trouver du travail ont fait une grande fête où mon mari et moi avons
   ét___ invit_____. Elles ont ét_____ ému___ de nous revoir. Nous nous sommes rend _____ compte qu'elles nous
   avaient appréci____ et les efforts que ça nous a coût___ ont ét____ récompens___.

E X E R C I C E S

1 Révision. Complétez les participes passés, si c'est nécessaire.

> **Discussions passionnées**
>
> Les étudiants ont appréci____ les deux articles que nous avons étudi____ en classe. Je les avais découp____ dans une revue et je les avais photocopi____ puis je les avais distribu____ aux étudiants et je leur avais demand____ d'en faire un commentaire écrit. Ils ont rédig____ de petits exposés qu'ils ont laiss____ dans mon casier. Je les ai corrig____, je les leur ai rend____ le lendemain et je leur ai expliqu____ les erreurs de langue qu'ils avaient fai____. Les étudiants ont ensuite discut____ des idées qu'ils avaient eu____ et j'ai ét____ impressionnée par la passion qu'ils ont manifest____ pour défendre leurs points de vue. Je les ai laiss____ discuter un bon moment puis je les ai fai____ réfléchir sur quelques points et je leur ai propos____ d'écrire un résumé.

2 Révision. Complétez les participes passés, si c'est nécessaire.

1. – Où sont mes clés ? Je les avais laiss____ sur l'étagère et elles ont dispar___ !

 – Mais non, regarde : tu les as mi____ dans le pot qui est sur la commode.

2. En Italie, nous avons conn____ des amis que nous avons beaucoup aim____ et que

 nous n'avons jamais rev____. Nous nous sommes souvent demand____ce qu'ils étaient deven____.

3. Quand la vendeuse s'est aperç____ qu'elle avait rend____ trop d'argent à la cliente,

 il était trop tard : la cliente avait dispar____.

4. Les enfants ont ét____ sévèrement pun____, car ils nous ont désobéi____.

5. Je suis furieuse : la baby-sitter que j'avais engag____ pour garder les enfants hier soir les

 a laiss____ regarder la télé jusqu'à minuit, elle les a regard____ manger tout un paquet de

 bonbons sans intervenir et ils ont fait toutes les bêtises qu'ils ont voul____…

 Je regrette les vingt euros que ça m'a coût____ !

6. Quand la jeune femme s'est sent____ saisie par des bras puissants, elle s'est cr____ attaquée,

 mais en levant la tête elle vit que ce n'était que son jeune frère qui avait grand____.

7. À la fin du match, les joueurs qui s'étaient puissamment affront____ se sont tend____ la main.

3 Révision. Complétez selon le modèle.

1. rendre/prendre : J'ai *rendu* toutes les revues que j'ai *prises* à la bibliothèque.

2. copier/prêter : J'ai _____ tous les disques que tu m'avais _____.

3. envoyer/dicter : Est-ce que la secrétaire a _____les lettres que je lui ai_____ ?

4. poser/faire : Tu as entendu la question qu'on a _____ au ministre et la réponse qu'il a _____ ?

5. s'entraîner/se donner : Les joueurs se sont _____intensivement. Ils se_____ 10 jours pour être prêts.

6. rencontrer/inviter : Nous avons _____les nouveaux voisins et nous les avons _____chez nous.

7. sélectionner/voir : J'ai _____plusieurs films que je n'ai pas _____ et que je voudrais voir.

8. faire/acheter : Goûte la tarte que j'ai _____ ! Elle est meilleure que celle que j'ai_____.

9. acheter/manger : Où sont les chocolats que j'ai _____hier ? Tu les as tous _____ ?

10. plaire/voir : Anna et Vronski et se sont _____ dès qu'ils se sont_____.

E X E R C I C E S

1　Révision. Complétez les participes passés, si c'est nécessaire.

Fatum (par la critique Anne Fontana)

Les deux tomes de *Fatum* que j'ai l____ cette semaine m'ont beaucoup pl_____. Les personnages m'ont enchant____ et la fin m'a tellement boulevers_____ que j'en ai pleur____. Des émotions comme cela, je n'en avais pas éprouv_____ depuis bien longtemps. Certaines scènes m'ont touch_____ profondément, comme la mort de l'enfant, même si je l'avais pressent_____ dès le début. La sensibilité que le petit garçon avait manifest_____ lors de la maladie de sa sœur semblait le prédestiner à quelque obscure fatalité. Ces malheurs, l'auteur sans doute ou l'un de ses proches les aura véc____. Dans son œuvre, il leur a donn_____ la terrible beauté d'une tragédie grecque. Il les a fait____ basculer dans une autre dimension, profonde, cachée, universelle. Le talent, mais aussi la force et le courage qu'il lui a fall_____ pour le faire m'ont impressionn____.

2　Révision. Complétez avec les participes passés, si c'est nécessaire.

1. Ma sœur a ador_____ l'écharpe que tu lui as off_____ pour Noël.

2. Avez-vous archiv_____les messages que vous avez reç_____ ?

3. Mon petit-fils a découv_____ les bonbons que j'avais cach_____ dans l'armoire et il les a mang____.

4. – Combien de pays avez-vous visit_____ ? – J'en ai visit_____ plusieurs.

5. Max a interview____ de nombreuses personnalités. Les livres qu'il en a tir_____ sont passionnants.

6. Les dix mois que j'ai véc_____ avec Jo, je ne les ai jamais oubli_____.

7. De belles femmes, Serge en a conn____ beaucoup et il les a toutes photographi_____.

8. Nous avons pass_____deux heures en compagnie de Charles et ça nous a suff_____ !

9. Les deux heures où nous avons march_____ dans la campagne nous ont épuis_____

10. Je n'ai jamais oubli_____ les belles années que j'ai pass_____ dans cette petite île grecque.

11. Les enfants ont mangé trop de bonbons et ils se sont rend_____ malades.

12. Les parents de Théo se sont rend_____ compte que leur fils de douze ans fumait en cachette.

3　Révision. Complétez les participes passés, si c'est nécessaire.

1. – Combien de personnes as-tu invit*ées* ? – J'en ai invit___ une vingtaine.

2. – Tu as lu tous les livres que Simenon a écri_____ ? – Oh, non : il en a écri_____ des centaines.

3. Goûte ces beignets de courgette ! C'est ma grand-mère qui les a fai____.
   Des beignets légers comme ça, tu n'en as sans doute jamais mang_____ !

4. Des scientifiques ont pass_____ plusieurs semaines sur les glaciers. Ils les ont observ____ avec
   des instruments de mesure puissants et ils vont communiquer les informations qu'ils en ont retir_____.

5. Quand on voit les résultats de son travail, on oublie les efforts qu'ils ont coût_____.

6. Ces chaussures sont confortables. Je ne regrette pas les cent euros qu'elles m'ont coût_____

7. Les randonneurs étaient épuisés après tous les kilomètres qu'ils avaient parcour_____.

8. Vous n'avez aucune idée des dangers que vous avez cour_____ en partant ainsi à l'aventure.

9. Le vendeur a placé à sa gauche les fruits qu'il doit peser et à sa droite ceux qu'il avait déjà pes_____.
   Les raisins qu'il m'a fai_____ goûter étaient délicieux et j'en ai achet____ trois grappes.

10. Quand Rosalène s'était propos_____ comme candidate aux élections, tous ses amis avaient sour____.

11. Dany nous a accueill_____ à l'aéroport et elle s'est propos_____ de nous faire visiter la ville.

NE ... PAS, NE ... RIEN, NE ... PERSONNE
Formes et place de la négation

Formes de la négation

■ Les termes négatifs encadrent le verbe. Ils portent sur la phrase ou sur un élément de la phrase.

Toute la phrase	**ne ... pas**	– Paul fume ? – Non, il **ne** fume **pas**.
encore	**ne ... plus**	– Jean fume encore ? – Non, il **ne** fume **plus**. (= c'est fini)
toujours = encore	**ne ... plus**	– Jean habite toujours ici ? – Non, il **n'**habite **plus** ici. (= c'est fini)
toujours souvent quelquefois	**ne ... jamais** **ne ... pas toujours** **ne ... pas souvent**	– Le bus part toujours à l'heure. ? – Non, il **ne** part **jamais** à l'heure. – Non, il **ne** part pas **toujours** à l'heure.
déjà	**ne ... jamais** **ne ... pas encore** **ne ... toujours pas**	– Tu as déjà visité Paris ? – Non, je **n'**ai **jamais** visité Paris. – Non, je **n'**ai **pas encore** visité Paris. (= intention) – Non, je **n'**ai **toujours pas** visité Paris ! (= attente)
beaucoup	**ne ... pas beaucoup** **ne ... guère**	– Paul a beaucoup changé. Léa aussi ? – Non, elle **n'**a **guère** changé.
tout	**ne ... rien** **ne ... pas tout**	– Tu as tout fait ? – – Non, je **n'**ai **rien** fait. – Non, je **n'**ai **pas tout** fait. (= une partie seulement)
quelque chose	**ne ... rien**	– Tu as mangé quelque chose ? – Non je **n'**ai **rien** mangé.
quelqu'un	**ne ... personne***	– Tu as rencontré quelqu'un en venant ? – Non, je **n'**ai rencontré **personne**.
quelque part	**ne ... nulle part***	– J'ai dû ranger mes lunettes quelque part, mais je **ne** les trouve **nulle part**.
quelques (-uns), un, plusieurs, chacun	**ne ... aucun***	– J'ai vu plusieurs films de Godard. – Moi, je **n'**en ai vu **aucun**.

Place de la négation aux temps simples et aux temps composés

– Temps simples	**ne +**	verbe conjugué	**+ pas**	Je **ne** fume **pas**.
– Temps composés	**ne +**	auxiliaire	**+ pas**	Je **n'**ai **pas** compris.

● **La majorité des termes négatifs** se placent comme **pas :**
  Je **n'**ai **plus** vu Paul.   Je **n'**ai **jamais** fumé.   Je **n'**ai **rien** compris.   Je **n'**ai **guère** dormi.

● *** Personne, aucun, nulle part** se placent **après** le participe passé.
  Je **n'**ai vu **personne**.   Je **n'**ai lu **aucun** livre.   Je **ne** suis allé(e) **nulle part**.

EXERCICES

1   **Lisez. Soulignez toutes les expressions de la négation.**

Portrait d'Éric G. (*Libération* du 18 mai 2011)

Éric G. est charcutier. Cela fait trente ans qu'il fait ce métier. Il l'aime. Sa boutique <u>ne l'a pas rendu</u> riche, loin de là, mais elle le rend heureux. Éric n'a tué personne, à notre connaissance. Il ne vient pas de sortir un disque, ni un livre. Il n'appelle pas à la révolution. Il n'a joué dans aucun film, n'a pas rencontré d'extraterrestre, ne se présente à aucune élection, n'habite pas en zone inondable. Éric Gelabale n'a aucune des qualités généralement requises pour occuper cette page, mais sa charcuterie se trouve au cœur de la Goutte d'Or*, à Paris, et cette simple affaire – ajoutée au fait qu'Éric a une bonne tête et qu'il est rudement sympathique – fait de lui l'improbable ambassadeur d'un quartier qu'on dit violent, insalubre, difficile. Photographié par le célèbre photographe anglais Martin Parr, le charcutier est devenu l'icône* et le porte-parole de son quartier. Son message est : « *Ce quartier n'est pas plus violent qu'un autre. Au contaire, il est vivant, coloré, chaleureux.* » Ainsi le Cochon d'Or* s'est-il mué en symbole de la tolérance.

*Goutte d'Or : quartier situé dans le 18e arrondissement de Paris près de Montmartre   *icône : célébrité
*Cochon d'Or : nom de la charcuterie d'Éric Gelabale.

---

2   Ne ... rien, ne ... personne, ne ... plus, ne ... aucun, ne ... jamais. **Complétez au passé composé.**

1. ne rien manger   Nous *n'avons rien mangé* de toute la journée.

2. ne jamais boire d'alcool.   Marco _____ de sa vie.

3. ne plus danser   Salomé _____ depuis longtemps.

4. ne faire aucun bruit   Les enfants _____ en rentrant.

5. ne rencontrer personne   Rose _____ dans la rue.

6. ne rien acheter   Je _____cette année pendant les soldes.

7. ne trouver aucun indice   Les enquêteurs _____ sur le lieu du crime.

---

3   Ne ... rien, ne ... plus, ne ... pas encore, ne ... pas toujours, ne ... aucun (e), ne ... nulle part, ne ... personne. **Répondez à la forme négative. Plusieurs possibilités.**

1. – Il est neuf heures. As-tu déjà dîné ? – *Non, je n'ai pas encore dîné.*

2. – Je vais au marché. Tu as besoin de quelque chose ? _____

3. – Les enfants ont mangé quelque chose ce matin ? _____

4. – On part dans un mois. Tu as déjà réservé les billets d'avion ?_____

5. – J'ai arrêté de fumer. Et toi, tu fumes encore ?_____

6. – Plusieurs chambres sont libres. Avez-vous une préférence ? _____

7. – Est-ce qu'on doit toujours dire la vérité aux enfants ?_____

8. – J'attends le bus n° 27. Est-ce qu'il est déjà passé ? _____

9. – Allez-vous quelque part pour Pâques ? _____

10.– Est-ce que le facteur passe toujours à la même heure ? _____

11.– Est-ce qu'il reste encore du lait ? _____

12.– Avez-vous des projets pour les prochaines vacances ? _____

13.– Connaissez-vous quelqu'un qui sache piloter un avion ? _____

Place de la négation en position sujet

■ Les deux termes négatifs se placent **devant** le verbe.

Personne ne : *Personne n'a appelé.*
Rien ne : *Rien n'a changé.*
Aucun ne : *Aucun étudiant n'est encore arrivé.*
Nul ne : *Nul ne peut ignorer la loi.*

● Distinguer : *Une personne est venue.* (affirmation) ***Personne** n'est venu.* (négation)

● **Nul ne** = **personne ne** lorsqu'on énonce une vérité générale.

*   ***Nul** n'est parfait.* = Personne n'est parfait.   ***Nul** n'est immortel.* = Personne n'est immortel.

● **Nul** = aucun en français littéraire ou administratif.
*Je n'ai **nulle** envie de partir.*   = Je n'ai aucune envie de partir.
***Nul** n'est censé ignorer la loi.*   = Personne ne peut prétendre ignorer la loi.

● Placé après le nom, **nul** signifie :
– « de mauvaise qualité »   *Le film était vraiment **nul**. Mal dirigé. Mal joué.*
– « à égalité »   *Les deux équipes ont fait match **nul** : 1 à 1.*

Négation de plusieurs éléments

■ La négation porte sur deux ou plusieurs éléments.

● **Et ... et**   → **ne ... ni ... ni**   *Paul n'est **ni** riche, **ni** beau, **ni** intelligent.*
  ni ... ni ... ne   ***Ni** Paul **ni** Rose **ne** sont riches.*

● **Avec ... avec** → **sans ... ni**   *Il est difficile de vivre **sans** argent **ni** famille.*
  pas de ... ni de   *C'est difficile si on n'a **pas d'**argent **ni de** famille.*

● **Sans... ni** peut porter sur un infinitif : *Il est sorti **sans** parler **ni** sourire.*

■ Rappel : les article indéfinis et partitifs sont omis après une négation.

– *Vous avez **une** voiture ?*   – *Non, je n'ai **pas de** voiture.*
– *Vous buvez **du** vin ?*   – *Non, je ne bois **pas de** vin.*
– *Vous prenez **du** lait et **du** sucre ?*   – *Non, je ne prends **ni** lait **ni** sucre.*
– *Vous partez avec **une** valise ?*   – *Non, je pars **sans** sac **ni** valise.*

● **Sans** est parfois suivi d'un article indéfini :
Il est parti sans un mot, sans un geste. = sans dire un mot, sans faire aucun geste

Combinaison de plusieurs négations

● **Pas** ne peut jamais se combiner avec une autre négation.

● **Plus, jamais, sans** se combinent entre eux et avec les autres pour renforcer une négation.

*Je ne dirai **rien**.*	*Il ne sort **jamais**.*	*Elle ne voit **personne**.*
*Je ne dirai **plus** rien.*	*Il ne sort **plus** jamais.*	*Elle ne voit **plus** personne.*
*Je ne le verrai **plus**.*	*Il ne sort **jamais** plus.*	*Elle ne voit **jamais** personne.*
*Je ne le verrai **jamais** plus.*	*Il ne va **plus jamais nulle** part.*	*Elle ne voit **plus jamais** personne.*
*Je n'ai **plus aucun** espoir.*	*Il n'attend **rien ni** personne.*	*Elle est sortie **sans rien** dire.*

E X E R C I C E S

1 Lisez. Soulignez les expressions de la négation.

Interview d'un naufragé

– Vous êtes resté cinq jours seul au milieu de l'océan. Racontez-nous.

– Quand le ferry a fait naufrage, il y avait des centaines de personnes à bord. Au moment du choc, j'ai ressenti une violente douleur au genou. Je me suis évanoui et quand je me suis réveillé, j'étais allongé tout seul sur une chaloupe. Je ne savais pas où j'étais ni qui j'étais. Je n'avais plus aucun souvenir.

– Qu'est-ce-que vous avez fait ?

– J'ai appelé. Personne n'a répondu. J'espérais voir un bateau. Rien. Aucun signe de vie, nulle part.

– Comment avez-vous survécu ? Qu'est-ce que vous avez mangé ?

– J'ai grignoté pendant trois jours le morceau de parmesan qui était dans mon sac à dos. Et j'avais aussi une petite bouteille d'eau. Après j'ai fait des trous dans ma chemise pour en faire un filet. Mais je n'ai rien attrapé. Je n'ai rien mangé ni rien bu pendant deux jours. J'ai dormi. J'ai attendu. Sans jamais perdre espoir.

2 Personne ne, aucun ne, rien ne. **Répondez selon le modèle.**

1. – J'attends un coup de fil. Est-ce que quelqu'un a appelé ? – *Non, personne n'a appelé.*

2. – Quelle est la situation : est-ce que quelque chose a changé ? – _____

3. – Tu es différente avec cette perruque ! Est-ce que quelqu'un t'a reconnue ? – _____

4. – Quelque chose vous a plu dans la nouvelle boutique ? – _____

5. – Est-ce qu'un candidat a été retenu après vos entretiens ? – _____

3 Ne ... ni ... ni, sans ... sans, sans ... ni. **Mettez à la forme négative.**

1. Je mange de la viande et du poisson. **2.** Cet artisan travaille avec soin et avec amour. **3.** Ma nièce a réussi ses examens en travaillant et en prenant des notes. **4.** Le comptable est parti à la retraite avec regret et avec tristesse. **5.** Je mets du lait et du sucre dans mon café. **6.** Le voyageur avait un sac et une valise.

1. *Je ne mange ni viande ni poisson.* _____

4 Ni... ni... ne, ne ... ni ... ni. **Continuez, selon le modèle.**

Dans ce grand hôtel international

On peut payer par chèque ou par carte de crédit.
Il y a une piscine et un terrain de golf.
Les chambres et les balcons sont immenses. La décoration et les meubles sont anonymes.
Le directeur et le personnel parlent anglais.
Il y a du bruit et et de l'animation.

Dans ce petit hôtel local

On ne peut payer ni par chèque ni par carte
de crédit _____
_____
_____
_____

5 Ne ... jamais rien/personne/nulle part/aucun(e). **Transformez, selon le modèle.**

1. Max est très casanier (aller quelque part) *Il ne va jamais nulle part.*

2. Charles est très avare (dépenser quelque chose) _____

3. Jean est très solitaire (recevoir quelqu'un) _____

4. Paul est très rancunier (oublier une offense) _____

5. Bob est très paresseux (faire un effort) _____

6. Jim est indifférent à tout (s'intéresser à quelque chose) _____

Place de la négation à l'infinitif

| Ne pas | + | infinitif |

*Ne **pas** fumer.*
*Ne **pas** faire de bruit.*
*Ne **pas** marcher sur la pelouse.*

● **La majorité des terme négatifs** se placent comme **pas.**

*Ne **plus** sortir.*   *Ne **rien** faire.*   *Ne **guère** dormir.*   *Ne **jamais** renoncer.*

● **Personne, aucun, nulle part** se placent **après** l'infinitif.

*Ne voir **personne**.*   *N'aller **nulle part**.*   *N'avoir **aucun** ami.*

● **Avec l'infinitif passé,** la négation peut se placer de deux manières.

*Je suis désolé(e) de **ne pas** être venu(e).*   (courant)
*Je suis désolé(e) de **n'**être **pas** venu(e).*   (soutenu)

Place de la négation avec les pronoms compléments

■ **La négation** encadre le bloc pronom verbe. La négation suit immédiatement le sujet.

Je	ne	lui parle	pas.	
Je	ne	lui ai	pas	parlé.
Je	ne	lui en ai	pas	parlé.

● Même chose à l'**impératif** :   *Ne les attends **pas** !*   *Ne lui en parle **pas** !*

● À l'infinitif, les deux termes négatifs précèdent le bloc pronom verbe.

*J'ai décidé de **ne pas** lui en parler.*   *Je suis désolé de **ne pas** lui en avoir parlé.*

Tournures à l'oral

● En français familier, on supprime souvent **ne** : *C'est pas bon.*   *J'ai pas faim.*   *Je sais pas.*

● La forme négative peut avoir une valeur affirmative**.**

– *Le fils du voisin a passé son bac à quinze ans.*   – *Il n'est **pas bête**.*   (= Il est intelligent)
– *Comment tu trouves ce petit vin ?*   – *Il n'est **pas mauvais**.*   (= Il est bon.)
– *Que penses-tu de ce fromage de chèvre ?*   – *Il n'est **pas terrible**.*   (= Il est médiocre)

● **Jamais** (employé sans **ne**) peut avoir un sens positif.

*Tu es plus belle que **jamais**.*   *Avez-vous **jamais** songé à changer de métier ?*
*C'est le plus beau film que j'aie **jamais** vu.*   *Si **jamais** tu as besoin de moi, appelle-moi.*

● On emploie souvent une phrase interro-négative pour proposer ou demander quelque chose.

– *Tu **n'as pas** envie d'aller au cinéma ?*   = Veux-tu aller au cinéma ?
– *Vous **n'auriez pas** du feu, s'il vous plaît ?*   = Avez-vous du feu ?

● **La réponse affirmative** à une phrase interro-négative est **si**. Comparez :

– *Aimez-vous cette chanson ?* – **Oui.**   – *N'aimez-vous pas cette chanson ?* – **Si.**

Voir place des pronoms, p. 106

E X E R C I C E S

1 Lisez et transformez à l'impératif ou à l'infinitif selon le modèle. Commentez.

Quelques règles de savoir-vivre à table (d'après Internet)

– On ne souhaite pas « bon appétit » avant de manger. On ne parle pas la bouche pleine.
– On ne met pas les coudes sur la table, ni les mains sur ses genoux.
– On ne parle pas fort. On ne rit pas fort. On ne coupe pas la parole.
– On n'accapare* pas l'attention du maître/de la maîtresse de maison.
– On ne déplie pas entièrement sa serviette, on la pose sur ses genoux. On ne mange pas avec les doigts.
– On ne laisse rien dans son assiette et on complimente son hôte/hôtesse sur les mets servis.

Ces règles s'appliquent à la France. En Espagne, il est impoli de s'extasier sur la qualité des mets ou des vins ; dans les pays anglo-saxons, on ne met pas les poignets sur la table, mais on garde la main inutilisée sur le genou. On ne finit pas complètement son assiette pour signifier qu'on a assez mangé . Dans les pays musulmans, on peut manger certains mets avec les doigts, mais seulement avec la main droite.

*accaparer : monopoliser

Conseil : *Ne souhaitez pas « bon appétit » avant de manger.*   Règle : *Ne pas souhaiter « bon appétit » avant de manger.*

_____   _____

2 Transformez selon le modèle.

1. Je suis désolée : je suis en retard et je n'ai pas pu vous avertir.
Je suis désolée d'être en retard et de ne pas avoir pu vous avertir.

2. Mon frère est content : il a trouvé un nouveau travail et il ne travaille plus la nuit .

_____

3. L'étudiant est déçu : il a cherché un studio pendant deux mois et il n'a rien trouvé de correct.

_____

4. L'athlète est fier : il a gagné la coupe à 35 ans et il n'a jamais abandonné la compétition.

_____

5. Je suis désolé : j'ai découvert votre message tardivement et je n'ai pas pu répondre plus tôt.

_____

6. Nous regrettons : nous n'acceptons plus les chèques et nous ne pouvons plus vous livrer à domicile.

_____

7. Je vous remercie : vous m'avez écouté(e) et vous ne m'avez pas jugé(e).

_____

3 Révision. Mettez à la forme négative.

1. Tout le monde a rendu sa copie au professeur le jour prévu.   **2.** Il pleut encore.   **3.** Nous regardons toutes les émissions sportives et tous les débats politiques.   **4.** Ce quartier a beaucoup changé.   **5.** Nous avons vu quelque chose d'intéressant à la télévision.   **6.** Tous les étudiants sont arrivés à l'heure.   **7.** J'ai une question à poser au professeur. – **8.** Finalement, les syndicats ont pu faire quelque chose pour éviter les licenciements.   **9.** Quelqu'un a réclamé le sac qui a été trouvé dans la salle de classe.   **10.** J'ai toujours aimé les mathématiques.   **11.** Mon fils prend toujours quelque chose pour le petit déjeuner.   **12.** Plusieurs Français ont gagné une médaille depuis le début des Jeux olympiques. – **13.** La vendeuse sert les clients en souriant.   **14.** Tout le monde veut travailler avec Lucie.   **15.** Mon frère achète toujours tout sur Internet.   **16.** La concierge parle toujours à quelqu'un.

Récréation n° 5

1 *Reconstituez les proverbes en mettant au futur les verbes :*
avoir - boire - pleurer - voir - aider - dire

1. Un bon « tiens » vaut mieux que deux « tu l'_____ ». = Chose obtenue vaut mieux que chose promise.
2. Qui a bu, _____ = Une mauvaise habitude est difficile à perdre.
3. Tel qui rit vendredi, dimanche _____ = Heureux aujourd'hui, malheureux peut-être demain.
4. Qui vivra, _____ = Attendons et le temps nous apportera la réponse.
5. Aide-toi, le ciel t'_____. = Le ciel aide ceux qui s'aident eux-mêmes.
6. Dis-moi qui tu fréquentes, je te_____ qui tu es. _____ = Nos fréquentations nous influencent.

2 *Décrivez, en employant l'imparfait, les inventions de l'an 2000 telles qu'on les imaginait au début du siècle.*

Des créations visionnaires

Comment imaginait-on l'an 2000 il y a un siècle ?

Certaines machines présentées sur des vignettes très probablement destinées à accompagner des produits alimentaires ne sont pas si éloignées de la réalité contemporaine, même si, curieusement, la mode vestimentaire reste celle…de la Belle Époque !

Parmi ces inventions futuristes, on retrouve la communication à distance, la diffusion d'images, les trottoirs roulants, la surveillance policière par caméra, les centres commerciaux abrités de la pluie, les mobile homes… Les voitures individuelles volaient dans les airs, les trains se déplaçaient sur l'eau, des coiffeurs-robots coupaient les cheveux, on contrôlait la météo et des machines avalaient des livres savants avant d'en recracher le contenu directement dans la tête des écoliers.

Si certaines de ces élucubrations ont réellement vu le jour, d'autres sont restées lettres mortes. Comment s'est opéré le tri et que peut-on apprendre de la façon dont les hommes imaginent le futur ?

D'après Luca Sabbatini

(Voir série de documents site bnf.fr/utopie.)

Le Départ pour la Promenade.

A l'École.

3 *Imaginez, à votre tour, l'an 3000.*

4 *Mettez au passé simple. Transformez au passé composé*

recevoir	Un coup de foudre *je reçus*	*j'ai reçu un coup de foudre*
voir	Lorsque votre visage je _____	_____
être	Tellement bouleversé je _____	_____
écrire	Que cent poèmes j'_____	_____
ignorer	Mais vos beaux yeux m'_____	_____
supplier	Mes vers en vain _____	_____
pleurer	Et très longtemps mes yeux _____	_____
partir	Et puis, un beau jour, je _____	_____
faire	Le tour de la terre je _____	_____
apprendre	De nouvelles langues j'_____	_____
découvrir	Grandes beautés je _____	_____
vivre	Longues années je _____	_____
connaître	Nombreuses choses je _____	_____
demeurer	Mais votre image _____	_____
enchanter	Celle qui le plus m'_____	_____

5 *Les conjugaisons sont difficiles pour tous, même pour les grands écrivains.*

Henri Calet retrouve dans ses cahiers d'école les traces de son difficile apprentissage des conjugaisons.

Les conjugaisons

Je viens de remettre la main sur* un de mes vieux cahiers de l'école de la rue Saint-Ferdinand. Sur la couverture rose (…) je vois mon nom tracé maladroitement. En revanche, j'ai fait quantité de gentils dessins tout le long des marges : un chameau, un rossignol, un soldat, une huître, des fleurs… Je ne me savais pas si talentueux.

À la manière toute personnelle dont je conjuguais le verbe: « ne pas s'émouvoir », je m'aperçois avec déplaisir que la grammaire n'était pas non plus mon fort* :

Présent : *Je ne m'émouvois pas, tu ne t'émouvois pas…*

Passé simple: *Je ne m'émettai pas, tu ne t'émeutais pas…*

Zéro en grammaire.

Là-dessous, une annotation de mon maître, à l'encre rouge (il avait une belle écriture, lui).

« Le jeune Calet devient très bavard et trop inattentif. »

Zéro de conduite.

Depuis lors, je me suis appliqué à me corriger : je bavarde de moins en moins, mais je suis resté inattentif, malheureusement.

Henri Calet, *Les Grandes Largeurs*

*mettre la main sur : retrouver

°ce n'est pas mon fort : ce n'est pas mon point fort

Valère Novarina pousse à l'extrême l'idée de conjugaison…

Les temps

« Seize temps sont quand il est encore temps : le présent lointain, le futur avancé, l'inactif présent, le désactif passé, le plus-que-présent, son projectif passé, le passé postérieur, le pire-que-passé, le jamais possible, le futur achevé, le passé terminé, le possible antérieur, le futur postérieur, le plus-que-perdu, l'achevatif, l'attentatif. »

Valère Novarina,
Vous qui habitez le temps.

Les erreurs de conjugaison sont toujours amusantes : le verbe « être » par Julia (5 ans)

J'être
Tu êtres
Il être
Nous êtrons
Vous êtrez
Ils êtrent

Sondage-test n° 5 *(50 points)*

1 Complétez le sondage, répondez et interrogez votre voisin(e). *(20 points)*

Études

1. _____ vos études dans une école publique ou privée ?
Votre école _____ une école mixte ?

2. À quel âge _____ à l'école primaire ? _____ à l'école maternelle auparavant ?

3. Est-ce que vous _____ à l'école tous les jours ? De quelle heure à quelle heure ?

4. Est-ce que vous _____ à la cantine à midi ? Le matin, _____ du chocolat, du jus d'orange, du café au lait ?

5. Quels sports _____ à l'école ? _____ parfois à la piscine ?

6. Quelles _____ vos matières préférées et celles que vous _____ le moins ?

7. Le matin _____ un effort pour aller à l'école ou _____ motivé(e) ?

8. Quel genre de livres _____ : des classiques ? des romans d'aventures ? des bandes dessinées ?

9. Vous souvenez-vous d'un poème que vous _____ par cœur ?
Pouvez-vous en réciter un extrait ?

10. À douze ans, vos meilleur(e)s ami(e)s _____ des filles ou des garçons ?

11. Au cours de votre scolarité, _____ des enseignants des deux sexes ?
_____ amoureux/amoureuse d'un de vos professeurs ?

12. _____ des contacts avec vos anciens camarades ou _____ complètement leur trace ?

2 Complétez le sondage avec les verbes et les éléments manquants. *(30 points)*
Répondez à la forme positive (en précisant où, quand, comment) ou à la forme négative.

Dans votre vie : vous avez fait… vous n'avez pas fait…

1. _____champagne ?

2. _____ foie gras ?

3. _____ auto-stop ?

4. _____ bain de minuit ?

5. _____ à la belle étoile ?

6. _____ étoile filante?

7. _____ vœu ?

8. _____ la main d'une célébrité ?

9. _____ mensonges ?

10. _____ pardon à quelqu'un ?

11. _____ la valse, pieds nus sur la plage ?

12. _____plongée sous-marine ?

13. _____ en haut de la tour Eiffel ?

14. _____ argent à un clochard ?

15. _____ très mal aux dents ?

16. _____ château de Versailles ?

17. _____ dans un karaoké ?

18. _____ en hélicoptère ?

19. _____dans des catacombes ?

20. _____ lever du soleil?

21. _____ quelqu'un sur Internet ?

22. _____ « Je t'aime » à quelqu'un ?

23. _____ le cœur brisé ?

24. _____ une perceuse, un tournevis ?

25. _____ vêtements que vous n'avez jamais mis ?

26. _____ cadeau affreux pour votre anniversaire ?

27. _____ tatouer une partie du corps ?

28. _____ percer une partie du corps ?

29. _____ à un procès, au tribunal ?

30. _____ juré(e) lors d'un procès ?

6 - Le verbe : les modes

(façons de voir/de dire)

Récréation n° 6
Sondage-test n° 6

Tu crois qu'IL VIENDRA ? J'aimerais qu'IL VIENNE.
Subjonctif : verbes introducteurs (1)

L'INDICATIF ET LE SUBJONCTIF expriment deux perceptions de la réalité.

■ **Indicatif** : monde objectif
Indépendance affective du sujet

■ **Subjonctif** : monde subjectif
Dépendance affective du sujet

● Verbes de la « tête »

● Verbes du « cœur »

Je constate J'observe Je sens	QU'	il fait froid.	Je voudrais Je souhaite Je désire	QU'	il fasse beau.
Je pense Je crois Je suppose	QU'	il va neiger.	Je crains Je redoute J'ai peur	QU'	il (ne)* pleuve.
J'estime Je juge Je décide	QU'	on doit partir.	J'exige J'ordonne J'ai hâte	QU'	on parte.
Je suis sûr	QU'	on reviendra.	Je doute	QU'	on revienne.

● **Subjonctif** vient de *subjungere* : mettre sous le **joug** (pièce de bois qui maintient ensemble les têtes des bœufs/contrainte imposée par un dictateur). La réalité est filtrée par les sentiments ou les intentions du sujet et elle est virtuelle ou discutable.

● **Indicatif** vient de *index* : indiquer. La réalité existe, elle n'est pas mise en doute, et on peut la percevoir, l'analyser, la commenter, la juger.

❱ On dit : *Je pense que ce tableau est un Picasso.* ~~Je pense que ce tableau soit un Picasso.~~
❱ Mais : *Je doute que ce tableau soit un Picasso.* ~~Je doute que ce tableau est un Picasso.~~

❱ On emploie l'indicatif avec **espérer** : *J'espère qu'il fera beau.* ~~J'espère qu'il fasse beau.~~
(Si on « espère », on a plus de raisons de croire que de ne pas croire à un fait.)

● Certains verbes sont trompeurs. On emploie l'indicatif après :
  – « Avoir le sentiment » = penser
  – « Juger », « reconnaître », « décider » = réfléchir et conclure que

❱ Le subjonctif demande deux sujets distincts. Avec un seul sujet on emploie l'infinitif.
  On dit : *JE désire qu'IL parte.* *JE désire partir.* ~~je désire que je parte~~
  JE suis désolé que TU partes. *JE suis désolé de partir.* ~~je suis désolé que je parte~~

*ne explétif, ou « d'accompagnement », est surtout employé à l'écrit, avec les verbes de crainte.

E X E R C I C E S

1 Indicatif **ou** subjonctif **et ne explétif : complétez selon le modèle.**

La mère (1)

Je crois que mes enfants *feront* toutes sortes d'expériences dans la vie. Je suppose qu'ils _____ des problèmes à surmonter, comme tout le monde. J'imagine qu'ils _____ de bonnes et de mauvaises décisions. Je constate qu'ils _____ encore beaucoup de choses à apprendre, mais j'estime qu'ils _____ assez mûrs et qu'ils_____ un bon esprit critique, aussi je suis convaincue qu'ils _____ se débrouiller très vite sans moi.

La mère (2)

Je voudrais que mes enfants *fassent* seulement des expériences positives. J'aimerais qu'ils n'_____ jamais de problèmes dans la vie. Je souhaite qu'ils_____ toujours les bonnes décisions. Mais je crains qu'ils _____ trop influençables, qu'ils _____ de mauvaises rencontres ou qu'ils _____ de mauvaises habitudes. J'ai peur qu'ils ne_____ pas assez mûrs pour affronter la vie et qu'ils ne_____ pas se débrouiller sans moi.

2 Indicatif **ou** subjonctif **et ne explétif : complétez, selon le modèle.**

Le professeur

Je pense que cet élève _____ intelligent et je crois qu'il _____ des capacités inexploitées.

Je trouve qu'il _____ intuitif et je reconnais qu'il _____ le sens de la logique. Je regrette cependant qu'il ne _____ aucune note en cours, qu'il _____ ses devoirs sans beaucoup de soins et qu'il _____ aussi souvent absent. Je crains qu'il _____ pas conscience de mettre en danger son avenir. Je juge qu'il _____ tout à fait capable de passer dans la classe supérieure et j'espère qu'il _____ tous les efforts nécessaires dans ce sens. J'ai le sentiment que cet élève _____ un fort potentiel en lui.

3 Transformez selon le modèle.

– On pourrait <u>faire</u> quelque chose, mais quoi ?
– On pourrait <u>aller</u> quelque part : mais où ?
– On pourrait <u>partir</u> tôt, mais quand ?
– On pourrait <u>dormir</u> quelque part, mais où ?

Que veux-tu qu'on fasse ? Où _____
_____

4 Transformez selon le modèle.

Ne pas <u>savoir</u> toute la vérité
Ne pas <u>dire</u> le fond de sa pensée
Ne pas <u>avoir</u> confiance en nous
Ne pas <u>connaître</u> bien la situation

Je pense qu'il ne sait pas toute la vérité.

Je voudrais qu'il sache toute la vérité.

5 Complétez avec un subjonctif ou un infinitif, selon le modèle.

1. Tu ne peux pas venir ? Je suis désolé(e) *que tu ne puisses pas venir.*

2. Je ne peux pas venir. Je suis triste *de ne pas pouvoir venir.*

3. Vous êtes libre ce soir ! Je suis ravi(e) _____

4. Oh là là ! Je suis en retard. Je ne supporte pas _____

5. Il fait beau aujourd'hui. Je suis contente _____

6. Je fais la queue à la poste. J'ai horreur _____

6 Complétez, selon le modèle.

1. Je voudrais que tu *apprennes* à jouer du saxo et moi aussi, *je voudrais apprendre à jouer du saxo !*

2. J'aimerais que tu _____ moins de vin et moi aussi, _____

3. Je voudrais que mon fils _____ plus de sport et moi aussi, _____

4. Je voudrais que tu _____ sans somnifère et moi aussi, _____

5. Je n'aime pas que ma fille _____ du rouge à lèvres et moi non plus, _____

6. J'aimerais que mes enfants _____ plusieurs langues et moi aussi, _____

L'INDICATIF ET LE SUBJONCTIF : **difficultés**

■ **Admettre et comprendre**

● Avec l'**indicatif**
= constater, tenir pour vrai

*J'admets que j'**ai eu** tort.*
*Je comprends qu'il y **a** un problème.*

● Avec le **subjonctif**
= accepter, tenir pour possible

*J'admets qu'il **soit** fâché.*
*Je comprends que tu **sois** anxieux.*

■ **Dire, écrire, téléphoner, expliquer**

● Avec l'**indicatif**
= déclaration

*Dites à Max que je l'**attends**.*
*Écris-lui que je **viendrai** demain.*

● Avec le **subjonctif**
= ordre

*Dites-lui qu'il **attende***
*Écris-lui qu'il **vienne**.*

■ **Il <u>me</u> semble + indicatif**

= je trouve

*Il <u>**me**</u> semble qu'il **a** de la fièvre.*
*Il <u>**me**</u> semble qu'il **fait** plus chaud.*
(impression personnelle)

■ **Il semble + subjonctif**

= on dirait

*Il semble **qu'il ait** de la fièvre.*
*Il semble qu'il **fasse** plus chaud*
(impression générale)

■ **<u>Se</u> douter + indicatif**

= imaginer/penser

*Je <u>**me**</u> doute de son honnêteté.*
*Je <u>me</u> **doute** qu'il **est** honnête.*

(je pense qu'il est honnête.)

■ **Douter + subjonctif**

= avoir des doutes

*Je **doute** de son honnêteté.*
*Je **doute** qu'il **soit** honnête.*

(je pense qu'il n'est pas honnête.)

On dit : *Les enfants sont ravis de partir en vacances.* – **Je <u>m</u>'en doute./Je n'en doute pas.**

● **Je redoute** = je crains, j'ai peur — *Lé bébé tousse. Je **redoute** qu'il ait une bronchite.*
● **Sans aucun doute** = certainement — *On viendra **sans aucun doute** en juin. <u>C'est sûr.</u>*
● **Sans doute** = peut-être — *On viendra **sans doute** en juin, mais <u>ce n'est pas sûr</u>…*

> 》 On dit : – *J'ai réussi à mes examens !* – *Bien sûr… Je m'en doutais !* = j'en avais la certitude
> – *Pourtant, moi, j'en doutais !* = j'avais des doutes

■ **Attendre** et **s'attendre à** + subjonctif ont des sens différents.

● **Attendre**
= patienter

J'attends que le bus passe.
J'attends que Max revienne de vacances.

● **S'attendre à**
= se préparer à une éventualité

*Je m'attends **à ce qu**'il ait du retard.*
*Je m'attends **à ce qu**'il soit bronzé.*

> 》 Avec un verbe ou une construction avec « à » (tenir à, s'attendre à, s'opposer à, se refuser à)
> On dit : *Je ne m'attendais pas <u>**à** ce qu'</u>il parte.* ~~Je ne m'attendais pas qu'il parte~~
> *Je ne tiens pas <u>**à** ce</u> qu'il vienne.* ~~Je ne tiens pas qu'il vienne~~

E X E R C I C E S

1   Indicatif **ou** subjonctif. **Complétez.**

1. Arthur est vraiment insupportable, mais j'admets qu'il *est* beau garçon.

2. J'admets difficilement qu'on ne _____ pas la vérité à un enfant.

3. Dis à la femme de ménage qu'elle _____ la vaisselle, je n'ai pas eu le temps de la faire.

4. Mon fils mesure 1,80 m à treize ans ! Je comprends que tout le monde _____ surpris en le voyant.

5. Il me semble que tu _____ beaucoup maigri : tu as fait un régime ?

6. Il semble que la plupart des jeunes _____ beaucoup de fautes d'orthographe.

7. Vous avez vécu 3 ans à Lyon ? Je me doute que vous _____ un bon niveau de français.

8. Je doute qu'il y _____ de la neige en mai, dans les Alpes, il fait trop chaud.

9. Paul a une immense fortune, mais je doute qu'il l'_____ accumulée de façon honnête.

10. Il semble qu'il y _____ plus d'étudiants cette année que l'année dernière.

2   Douter. S'en douter. **Choisissez.**

1. – Ce bracelet est en argent massif.
  – *Je m'en doute* : il est très lourd.
  – *J'en doute* : il est trop léger.

2. – Il va faire beau cet après-midi.
  – _____ : le temps se couvre.

3. – J'adore mon nouvel appartement !
  – _____ : il est magnifique.

4. – On sera à Lyon dans une heure…
  – _____ : il reste 250 km !

3   Sans doute. Sans aucun doute. **Choisissez.**

1. – Tu crois que Paul sera à l'heure ?
  – *Sans aucun doute.* Il est toujours ponctuel.
  – *Sans doute.* Mais on ne sait jamais.

2. – Vous viendrez nous voir ?
  – _____, mais ça dépendra de ma mère.

3. – Tu crois que le bébé a la varicelle ?
  – _____ : le médecin l'a confirmé.

4. – Vous partez toujours en Chine ?
  – _____, mais on attend notre visa.

4   Choisissez le verbe correspondant le mieux au contexte et transformez.

regretter   suggérer   exiger   ~~comprendre~~   admettre   redouter

1. L'institutrice : « Les petits enfants sont agités et ils ont besoin de bouger. »
  L'institutrice comprend que les petits enfants soient agités et qu'ils _____

2. Le vieux monsieur : « – Il n'y a plus d'arbres et on ne peut plus s'asseoir à l'ombre. »
  _____

3. Le dictateur : « – Toutes les radios feront mon éloge et entretiendront mon image de chef infaillible. »
  _____

4. Le comptable : « – C'est vrai : il y a une erreur dans mes calculs. Le directeur est furieux. C'est compréhensible ».
  _____

5. Le professeur : « – Et si nous faisions une pause-café ? Et si nous allions dans le jardin ? »
  _____

6. L'entrepreneur : « – La crise sera plus longue que prévu. Il faudra licencier du personnel. »
  _____

5   Transformez.

Le candidat n'a pas réagi positivement.
Il n'a pas pris de position nette.
Il n'a pas défendu son point de vue.
Il n'a pas répondu aux critiques.

Je m'attendais à ce qu'il réagisse
positivement, _____
_____

6   Subjonctif + que/à ce que.
Complétez selon le modèle.

1. (aller) Il propose *que* nous *allions* au cinéma.

2. (emmener) Il s'oppose _____ nous _____ sa fille.

3. (partir) Il tient _____ nous _____ tout de suite.

4. (prendre) Il suggère _____ nous _____ le bus.

5. (rentrer) Il veille _____ nous _____ tôt.

CROYEZ-VOUS qu'il SOIT coupable ? SUPPOSONS qu'il le SOIT...
Subjonctif : verbes introducteurs (2)

Les verbes habituellement suivis de l'indicatif peuvent être suivis du subjonctif lorsqu'ils intro-duisent une nuance de **doute**, qu'ils **atténuent** la portée d'une affirmation ou qu'ils portent une **appréciation subjective**.

Négation et interrogation avec inversion

– Je crois que X **est** coupable.

– Je pense qu'il **a** raison.

– Est-ce que vous pensez qu'il **a** raison ?

– Je ne crois pas qu'il **soit** coupable.

– Je ne pense pas qu'il **ait** raison.

– Pensez-vous qu'il **ait** raison ?

> ❯ Lorsque le sujet des deux phrases est le même, on emploie l'infinitif.
> On dit : Je ne crois pas qu'il puisse venir. Mais : Je ne crois pas **pouvoir** venir.

● On conserve l'indicatif avec une phrase interro-négative ou un futur.

– Ne croyez-vous pas qu'il **est** coupable ?

– Croyez-vous qu'il **viendra** demain ?

– Ne pensez-vous pas qu'il **est** temps d'agir ?

– Je ne crois pas **qu'il** viendra demain.

Adjectifs à valeur subjective ou morale

Je trouve qu'il **est** intelligent.

J'estime qu'il **a** du charisme.

Je juge qu'il **est** capable.

Je trouve <u>absurde</u> qu'il **soit** sous-employé.

J'estime <u>normal</u> qu'il **ait** du succès.

Je juge <u>bon</u> qu'il **soit** directeur.

Supposition à valeur d'hypothèse

● Après un **impératif** à valeur d'hypothèse (= si... alors...), on emploie souvent le subjonctif.

On suppose qu'il **est** coupable.

On admet qu'il **a** des excuses.

On imagine qu'il **fera** des aveux.

Supposons qu'il **soit** coupable...

Admettons qu'il **ait** des excuses...

Imaginons qu'il **fasse** des aveux...

● Et : **en supposant que/en admettant que + subjonctif** : En supposant qu'il **soit** coupable...

> ❯ **À supposer que** est toujours suivi du subjonctif.
> À supposer qu'il fasse froid demain, que ferons-nous ?   ~~À supposer qu'il fera froid~~

Mise en relief avec la subordonnée en début de phrase

Je suis certain(e) **qu'il est** coupable.

Il est évident **qu'il a** menti.

Qu'il soit coupable, j'en suis certain(e).

Qu'il ait menti, c'est évident.

> ❯ On emploie le **subjonctif** après « c'est que » dans une mise en relief.
> L'idée, c'est que vous **veniez** avec nous.   ~~l'idée, c'est que vous venez avec nous~~
> Mon projet, c'est que nous **partions** ensemble.   ~~mon projet, c'est que nous partons~~

E X E R C I C E S

1   Transformez, selon le modèle.

> **La presse**
>
> La presse écrite est morte.
> Les blogs peuvent remplacer les journaux.
> Le Web est plus démocratique.
> Les besoins des lecteurs ont changé.
> L'information doit être totalement gratuite.
>
> *Je ne crois pas que la presse écrite soit morte.* ____
> _____
> _____

2   Complétez, selon le modèle.

	est là	soit là
Je crois qu'il	x	
Je ne pense pas qu'il		x
J'imagine qu'il		
Je suppose qu'il		
Je trouve normal qu'il		
Imaginons qu'il		
Supposons qu'il		
Croyez-vous qu'il		
Est-ce que vous croyez		
Je trouve rassurant qu'il		

3   Transformez, selon le modèle.

Je déteste   j'adore   Je n'aime pas   J'accepte   Je n'accepte pas   Je trouve sympathique/dangereux/normal

un homme/une femme

être mal élevé(e)
être négligé(e)
me faire la cour
avoir les cheveux teints
mettre du parfum
flirter avec tout le monde
mettre des vêtements très serrés
me faire rire
dire des gros mots
avoir besoin d'indépendance
me mentir
être de bonne humeur

Je déteste qu'un homme soit mal élevé. _____
_____
_____
_____

ma fille/mon fils de seize ans

boire de l'alcool
être de mauvaise humeur
conduire sans permis
dormir chez des copains
recevoir son copain/sa copine dans sa chambre
sortir sans autorisation
boire directement à la bouteille
mettre mes vêtements
avoir les cheveux rasés
lire des bandes dessinées
se servir dans le frigo
aller à une rave partie*   *fête techno en plein air*

Je n'accepte pas que ma fille _____
_____
_____
_____

4   Complétez avec un indicatif ou un subjonctif.

1. Je trouve que les jeunes _____ influençables et je trouve dangereux qu'ils _____ livrés à eux-mêmes.

2. J'estime que la vie en société _____ difficile et j'estime normal qu'il y _____ des tensions.

3. Croyez-vous que les syndicats _____ prêts à négocier ? Est-ce que vous pensez qu'ils _____ tous d'accord ?

4. Le principal pour moi, c'est que tout le monde _____ conscience des difficultés et que nous _____ solidaires.

5. L'objectif de la direction, c'est que l'entreprise _____ des bénéfices et qu'elle _____ bien cotée en Bourse.

6. Que le pouvoir d'achat se_____ détérioré, et qu'il y _____ plus de précarité, c'est évident.

7. Le train part à 15 h, en supposant qu'il y _____ des trains aux mêmes heures le dimanche.

8. Nous fêterons Noël dans notre nouvelle maison, à supposer que les travaux _____ d'ici là.

9. Supposons que vous _____ une augmentation, que ferez-vous de cet argent ?

10. Que la politesse _____ en voie de disparition, c'est malheureux.

Il faut que JE PARTE. IL se peut qu'IL PLEUVE.
Subjonctif : formes impersonnelles

On emploie le subjonctif dans les formes impersonnelles quand elles placent le sujet sous la dépendance d'une situation (sous le « joug » des circonstances) et selon le degré de réalité qu'elles introduisent.

Formes impersonnelles

■ **Il faut que/il vaut mieux que/il suffit que**, etc.

Il faut que	
Il vaut mieux que	*tu t'en **ailles**.*
Il suffit que	

> ❱ Si, par le contexte, le sujet n'a pas besoin d'être mentionné, on emploie **il faut + infinitif.**
> *Bon, je n'aime pas ça, mais **il faut aller travailler.*** = il faut que j'aille travailler.

> ❱ On dit : *Il **faut** que je parte. Il **vaut** mieux que je parte.* il ~~faut~~ mieux que je parte.

■ **Il est + adjectif** s'emploie avec l'indicatif ou le subjonctif selon le degré de réalité de l'adjectif.

*Il est sûr/certain/probable/<u>fort</u> probable qu'il **sera** élu.* (+ 50 % de chances = indicatif)
*Il est possible/impossible/<u>peu</u> probable, qu'il **soit** élu.* (– 50 % de chances = subjonctif)

● On dit aussi :

Il se peut/Il arrive qu'	
Il y a des chances qu'	*il **pleuve** en juin.*
Il est fréquent/rare qu'	

● Les adjectifs d'appréciation ou les verbes de sensation sont suivis du subjonctif.

*Il est <u>normal/étonnant/honteux</u> qu'il **parte**.*
*Ça <u>m'agace/m'ennuie/me déprime</u> qu'il **parte**.*

– Expression : *Il **s'en est fallu** de peu que je <u>sois en retard.</u>*
= J'ai failli être en retard. C'est presque arrivé.

Quelques autres emplois

● **Prière, souhait, ordre, injonction** et formules figées.

– ***Fasse** le ciel qu'on nous entende.*
– ***Vive** la France !*
– *Qu'il **sorte** !*
– *Allez, on y va : **advienne** que pourra !*

– ***Vienne** la pluie !*
– *Ainsi **soit-il**.*
– ***Pourvu** qu'il **fasse** beau !*
– *Que **je fasse** ça, moi ?*

> ❱ Les formes adverbiales placées en début de phrase sont suivies de l'indicatif. On dit :
> *Il se peut/il est possible qu'il **vienne**.* Mais : <u>*Peut-être **qu**'il **viendra**.*</u> ~~Peut être il va venir.~~
> *Je suis heureux qu'il **soit** là.* <u>*Heureusement **qu**'il **est** là.*</u>
> *J'empêcherai qu'il (ne) **parte**.* <u>*N'empêche **qu**'il **partira**...*</u>

EXERCICES

1 Il faut que. **Transformez, selon le modèle.**

1. Dormez davantage ! Faites plus de sport ! *Il faut que vous dormiez davantage et que vous* _____

2. Prenez des congés ! Partez en vacances ! _____

3. Allez à la piscine ! Buvez plus d'eau ! ' _____

4. Écrivez à vos amis ! Sortez davantage ! _____

5. Mettez des couleurs gaies ! Changez de garde-robe ! _____

6. Faites des exercices ! Apprenez le subjonctif ! _____

2 Indicatif ou subjonctif : **transformez, selon le modèle. Commentez.**

Notre époque

A : Un footballeur a un salaire 1 000 fois supérieur à celui d'un médecin. C'est scandaleux.

B : Pendant ce temps, des milliers de postes d'infirmiers sont supprimés. C'est inquiétant.

A : Une star devient un modèle à imiter et les comiques de la télévision font la pluie et le beau temps*. C'est choquant. C'est le siècle de la frivolité !

B : Et, regardez, les émissions de téléréalité ont du succès dans le monde entier. Et chaque émission fait de la surenchère* dans la vulgarité. C'est affligeant.

A : Alors, les jeunes veulent devenir riches et célèbres sans faire d'effort. C'est normal.

B : Ils ne savent plus ce qui est vrai ou faux, ce qui est réel et ce qui est virtuel, c'est évident.

A : Ils ne savent pas vivre sans ordinateur. Ils n'ont plus le temps ni l'envie de lire. C'est dommage.

B : Ils auront du mal à trouver un emploi s'ils n'ont pas de qualification. C'est probable.

A : Mais ils auront peut-être accès à d'autres emplois. Ils seront peut-être plus solidaires et plus responsables que nous sur le plan politique et écologique… C'est possible.

*Faire la pluie et le beau temps : être une référence, diriger les opinions des autres   * surenchérir : faire toujours plus

---

Il est scandaleux qu'un footballeur ait un salaire 1 000 fois supérieur à celui d'un médecin. _____

_____

_____

3 **Complétez librement.**

1. – Léo veut sortir le soir? Eh bien qu'il *sorte* le soir ! Il veut boire de la bière ? Eh bien qu'il _____ de la bière !

Il veut dormir jusqu'à midi ? Eh bien qu'il _____ jusqu'à midi ! Il veut faire l'idiot ? Eh bien qu'il

_____ l'idiot, mais qu'il ne _____ pas pleurer sur mon épaule s'il rate ses examens.

– Moi, j'empêcherai que mon fils _____ de l'alcool et qu'il _____ tard le soir…

– N'empêche qu'il _____ de l'alcool et qu'il _____ tard, comme tous les autres… Ne te fais pas d'illusion.

2. – Je suis heureuse que Max _____ ses congés en même temps que moi. Ça fait longtemps que nous ne sommes pas partis ensemble. Nous allons en Bretagne. Pourvu qu'il _____ beau…

– Emporte un parapluie et un imperméable : il est probable qu'il _____, c'est normal, sur la côte bretonne. Mais il arrive aussi qu'il _____ très chaud, comme la semaine dernière.

3. – Une vieille dame a traversé la rue sans regarder. Il s'en est fallu de peu qu'elle _____ renversée par une voiture. Heureusement que le conducteur _____ de bons réflexes. La voiture a stoppé à deux centimètres de la dame.

– Il est fréquent qu'il y _____ des accidents à ce carrefour. Il se peut que la signalisation _____ défectueuse…

Je cherche un studio QUI SOIT bon marché.
Subjonctif : subordonnées relatives

Lorsque les faits introduits par une subordonnée relative sont réels, on emploie l'indicatif.
Lorsqu'ils ne sont que possibles, souhaités, rares ou uniques, on emploie le subjonctif.

Indicatif et subjonctif dans les subordonnées relatives

■ **Expression du réel :** verbe à **l'indicatif**

> *Je connais une jeune fille **qui peut** garder les enfants le soir.*
> *J'ai visité une maison **qui a** trois chambres et un jardin.*

■ **Expression du possible :** verbe au **subjonctif**

> *Connaissez-vous quelqu'un **qui puisse** garder les enfants le soir ?*
> *Je cherche une maison **qui ait** trois chambres et un jardin.*

■ **Expression de l'exception :** verbe au **subjonctif**

● **Le seul, l'unique, le premier :** superlatifs d'exception.

> *Gilda est très belle. C'est <u>la plus belle femme</u> **qui soit**.*
> *Seule Jane connaît la vérité. C'est <u>la seule</u> **qui connaisse** la vérité.*
> *Je connais un poème par cœur. C'est d'ailleurs l'<u>unique</u> poème **que je connaisse**.*

> ❭ On emploie le subjonctif pour marquer l'exception et l'indicatif pour un simple classement.
> *Léonard de Vinci est <u>le premier qui</u> **ait** imaginé des lentilles de contact.*
> *<u>Le premier qui</u> **a** trouvé la réponse a gagné un prix.*

■ **Expression de la rareté :** verbe au subjonctif (l'indicatif est accepté)

● **Personne, rien, peu de..., ne ... que**

Comparez : *Personne ne **sait** danser comme toi.*
> *Je ne connais <u>personne</u> **qui sache** danser aussi bien que toi.*

> *Rien n'**est** meilleur qu'une pêche bien mûre.*
> *<u>Il n'y a rien</u> **qui soit** meilleur qu'une pêche bien mûre.*

> *Toi seul me **fais** rire.*
> *<u>Il n'y a que toi</u> **qui** me **fasses** rire.*

<u>Expressions</u> : – *Il fait chaud !* – *C'est **le moins qu'on puisse dire** : on étouffe...*
> – *Pourtant on est en hiver, (**pour**) **autant que je sache**.*

LE FAIT est QUE.../LE FAIT QUE...

■ **Le fait <u>est</u> que** + indicatif
constate une réalité.

*Le fait est qu'on **est** en hiver.*
*Le fait est qu'il **fait** très chaud.*

■ **Le fait que** + subjonctif
met en lumière une réalité.

*Le fait qu'on **soit** en hiver rend encore plus étrange le fait qu'il **fasse** si chaud.*

● L'indicatif est possible (mais rare) après **le fait que** : *Le fait qu'il **est** malade justifie son absence.*

E X E R C I C E S

> Nous rêvons tous d'une société qui **puisse** répondre à nos besoins vitaux et superflus.

> Connaissez-vous un homme
> qui n'**ait aimé** qu'une femme ?
> Alfred de Musset

1 Exception. Rareté. **Transformez.**

Max t'accompagnera : Il a mon adresse.
  Il vient en voiture.
  Il connaît le chemin.
  Il a le code

C'est le seul qui ait mon adresse, c'est le seul _____

_____

2 Indicatif ou subjonctif. **Complétez.**

1. Je cherche un ordinateur portable qui *soit* très léger et qui _____ un clavier américain.

2. Je connais une personne qui _____ parler cinq langues et qui _____ de la traduction simultanée.

3. J'aimerais trouver une employée qui _____cuisiner aussi bien que Flora et qui _____aussi agréable.

4. J'ai trouvé un petit chat noir qui _____ très mignon et qui _____ seulement quelques semaines.

5. Je cherche un appartement qui _____ bon marché et où il n'y ___ pas de travaux. C'est difficile…

3 Indicatif ou subjonctif. **Complétez, selon le modèle :**

Marco
Marco est l'ami qui me *comprend* le mieux. C'est le seul d'ailleurs qui me _____ vraiment.   (comprendre)
Il fait les meilleures lasagnes qui _____ : des lasagnes qui _____ à la fois légères et savoureuses.   (être)
Il _____ très bien faire les gâteaux. C'est le seul qui _____ faire « Le Vrai Tiramisu ».   (savoir)
Marco est un garçon qui me _____. Je ne connais personne qui me _____   (faire rire)
autant que lui. C'est une des rares personnes auprès de qui je _____ bien. D'ailleurs, tout le   (se sentir)
monde _____ bien avec lui et nos soirées entre amis sont formidables.

4 **Complétez.**

1. Il est rare qu'un homme *sache* bien repasser une chemise. Une femme aussi d'ailleurs…

2. Je connais une fille très belle. Elle s'appelle Mina. C'est la plus belle fille que je _____.

3. Je ne connais personne qui _____ autant de paires de chaussures que ma tante Mimi.

4. Il y a très peu de gens qui _____ parfaitement les règles d'accord du participe passé.

5. Pour moi, il n'y a rien qui _____ plus important que l'amitié.

6. Cathy fait des poteries à l'ancienne. Il n'y a presque plus d'artisans qui _____ des poteries à la main.

7. « Chez Pipo » est le seul restaurant que je _____ où l'on paie selon son humeur.

8. Il est rare qu'une viande blanche*_____ autant de goût. Comment l'avez-vous préparée ?

* viande blanche : volaille

5 Indicatif ou subjonctif. **Complétez.**

1. Le fils du voisin veut devenir acteur. Le fait est qu'il _____ joli garçon…   **2.** Le fait que tu _____ en vacances ne te dispense pas de faire ton lit !   **3.** Tu cuisines merveilleusement. C'est le moins que l'on _____ dire !   **4.** Pour autant que je _____, il y a très peu de mots masculins qui finissent par « té ».   **5.** Le fait est qu'il n'y _____ plus beaucoup d'îles désertes aujourd'hui.   **6.** Il neige, mais le fait qu'il y _____ du soleil est déjà pas mal.

AVANT QU'il ne PARTE. JUSQU'À CE QU'Il PARTE.

Subjonctif : subordonnées de temps

On emploie le subjonctif quand l'action de la principale se situe **avant** celle de la subordonnée et qu'elle exprime une **dépendance temporelle**.

Expressions de temps suivies du subjonctif

■ **Avant que, en attendant que, jusqu'à ce que** = avant

> *Composte ton billet **avant que** le train (ne*) **parte**.*   * ne explétif facultatif
> *Je lirai un magazine **en attendant que** le train **parte**.*
> *J'attendrai sur le quai **jusqu'à ce que** le train **parte**.*

■ **Le temps que, d'ici (à ce) que** = délai

> *Attends-moi, **le temps que** je **mette** un pull.*   = neutre
> ***D'ici (à ce) que***tu **sois** prêt(e), tout sera fermé.*   = nuance d'ironie

> ❱ Si les deux propositions ont le même sujet, on emploie « de » + infinitif.
> *J'ai tout rangé **avant de** partir.*   *J'ai tout rangé ~~avant que je parte~~*
> *J'ai lu **en attendant de** prendre le train.*   *J'ai lu ~~en attendant que je prenne~~*
> Mais avec « jusqu'à ce que », on dit :   *J'ai travaillé **jusqu'à ce que** je sois épuisée.*

Expressions de temps suivies de l'indicatif

■ **Tant que, aussi longtemps que** = pendant

> ***Tant qu**'il y a de la vie, il y a de l'espoir.*   les actions sont contemporaines
> ***Aussi longtemps que** je vivrai, je t'aimerai.*   les temps sont symétriques

> ❱ **Tant que** est suivi de l'indicatif, **jusqu'à ce que** du subjonctif. Comparez :
> *Tu ne pourras pas travailler **tant que** tu n'auras pas 16 ans.*
> = *Tu dois attendre **jusqu'à ce que** tu aies plus de 16 ans.*   ~~jusqu'à ce que tu as~~

■ **Après que, une fois que, dès que, aussitôt que, à peine … que** = après

> *J'ai dîné **après que** Max est parti.*
> ***Une fois qu**'on a compris la règle, c'est facile.*
> ***Dès que** je suis rentré(e), je me suis couché(e).*

● Par analogie avec « avant que », on entend souvent : *J'ai dîné **après que** tu sois parti.*

> ❱ Avec le même sujet, on emploie l'**infinitif passé**.
> *Je suis sorti(e) **après avoir** dîné. J'ai pris mon petit déjeuner **après m'être** habillé(e).*
> ❱ On dit : ***Avant d'avoir** fait…*   Mais : ***Après avoir** fait…*   ~~Après d'avoir fait~~
> ❱ On dit : ***Une fois que** l'examen **est** passé, on est soulagés.*   ~~Une fois que l'examen soit passé~~

E X E R C I C E S

1 Lisez. Observez.

> **La cigale**
>
> Sur un grand pin, près de la mer,
> **De** l'aube **jusqu'au** soir, la cigale fredonne
> Elle le sait, elle mourra, **d'ici** l'automne.
> Mais **d'ici qu'**elle meure, elle aura bien chanté.
> Jusqu'à sa dernière heure, et **jusqu'à** satiété
> **Tant qu'**elle aura du souffle, elle répétera :
> « Que l'on pleure ou l'on chante,
> Mes amis, ici-bas, la vie passe quand même,
> J'ai fait mon choix, faites de même. »
>
> Rose Ablémont

2 Avant de/avant que. **Continuez.**

Je dois te revoir avant

mon départ.	= *avant de partir.*
ton départ.	= *avant que tu ne partes.*
ton mariage.	= _____
mon mariage.	= _____
la fin de la journée.	= _____
mon retour au pays.	= _____
le retour de ton mari.	= _____

3 En attendant que. **Transformez.**

1. On viendra vous chercher. *Patientez en attendant qu'on vienne vous chercher.*

2. On vous fera signe. Restez chez vous _____
_____

3. On vous dira que faire. Restez en contact _____
_____

4. On vous recevra. Installez-vous _____
_____

4 Jusqu'à ce que. **Transformez.**

1. travailler/revenir (tu) *Je travaillerai jusqu'à ce que tu reviennes.*

2. répéter/comprendre (tous les élèves) _____

3. attendre/partir (le train) _____

4. lire/s'endormir (ma petite fille) _____

5 Tant que, jusqu'à ce que. **Complétez.**

1. (pouvoir) Jo vivra chez moi tant qu'il ne *pourra* pas travailler. Je le logerai jusqu'à ce qu'il *puisse* travailler.

2. (savoir) Révise jusqu'à ce que tu _____ ta leçon. N'arrête pas tant que tu ne la _____ pas.

3. (obtenir) Insistez jusqu'à ce vous_____ une réponse. Continuez tant que vous n'_____ pas de réponse.

4. (être) Tu ne pourras pas conduire tant que tu ne _____ pas majeur. Attends jusqu'à ce que tu _____ majeur.

6 Complétez avec tant que ou jusqu'à ce que et retrouvez les verbes manquants.

1. L'enfant a agacé le chat _____il _____ patience et qu'il le griffe.

2. Les traversées en ferry seront suspendues _____la mer _____aussi agitée.

3. Il y aura des conflits _____il _____ des injustices sociales.

4. Nous nous battrons _____ toute la lumière _____faite.

5. Nous habiterons à l'hôtel _____les travaux de notre appartement ne_____ pas finis.

6. _____ la loi sur les pesticides ne _____ pas appliquée, notre santé _____ en danger.

7. Je rappellerai le service dépannage _____ un être humain me _____ !

Tableau récapitulatif des subordonnées de temps

Moments	+ nom	+ infinitif ou participe passé	indicatif	subjonctif
AVANT — **Avant** / **En attendant** / **D'ici** / **Jusqu'à**	notre départ votre arrivée			
Avant de / **En attendant de**		partir avoir fini		
Avant que / **En attendant que** / **Jusqu'à ce que** / **D'ici (à ce que)** / **Le temps que**				tu partes tu reviennes tu sois prêt
PENDANT — **Quand** / **Au moment où**			nous sommes partis nous sommes rentrés nous rentrions	
Pendant que / **Tandis que** / **Alors que** / **Comme**			nous dormions nous partions nous rentrions	
Tant que			nous pourrons nous vivrons	
APRÈS — **Après**	notre départ votre arrivée	être partis avoir fini		
Dès / **Depuis**	notre départ votre arrivée			
Après que / **Dès que** / **Depuis que** / **Sitôt que** / **Aussitôt que** / **Une fois que**			nous sommes partis nous sommes rentrés	
À peine ... que			étions-nous partis étions-nous rentrés	
Une fois / **Aussitôt** / **Sitôt** / **À peine**		partis rentrés		

❱ **Une fois, aussitôt, sitôt, à peine** peuvent souvent être omis.
Un fois passé l'examen, ça ira mieux.   *Passé l'examen, ça ira mieux.*
Aussitôt arrivés en haut de la côte, ils s'arrêtèrent.   *Arrivés en haut de la côte, ils s'arrêtèrent.*

EXERCICES

1 Complétez avec avant de, après avoir ou après être, et les pronoms éventuels, selon le modèle.

entrer – retirer – manger – repasser – ~~utiliser~~

Bonne attitude

Je lis le mode d'emploi *avant d'utiliser* un appareil et je range l'appareil *après l'avoir utilisé*.

Je m'essuie les pieds _____ et je ferme la porte à clé _____

Je me lave les mains _____ et les dents _____

Je remplis d'eau le réservoir du fer _____ et je vide le réservoir _____

Je consulte mon solde _____ de l'argent et je range tout de suite l'argent _____

---

2 Après + infinitif passé. **Transformez.**

1. Jules et Jim se sont réconciliés
après leur dispute./*après s'être disputés.*

2. Le ministre a tenu une conférence de presse
après sa démission./_____

3. Paul et Anne se sont mariés juste
après leur rencontre./_____

4. Les joueurs étaient déprimés
après leur défaite en finale./ _____

5. Jules a fait une fête
après sa réussite au baccalauréat./ _____

3 Une fois que. **Complétez librement.**

1. On sait faire du vélo toute sa vie,
une fois qu'on a appris.

2. Il est difficile d'arrêter de fumer,
_____

3. Cette règle est facile à appliquer,
_____

4. On ne doit pas recongeler un produit,
_____

5. Les piétons peuvent traverser,
_____

4 Complétez avec les éléments manquants.

tant que – en attendant que – dès que – d'ici que – avant que – jusqu'à ce que

1. Asseyez-vous dans la salle d'attente, _____ le docteur vienne vous chercher.

2. Les hirondelles partent _____l'hiver arrive et reviennent _____le printemps est là.

3. Ne vous découragez pas : continuez à chercher _____vous trouviez la réponse.

4. Tu es trop lent : _____ tu aies fini tes devoirs, il fera nuit.

5. On est responsable de ses enfants _____ ils ne sont pas majeurs.

6. L'oiseau s'est envolé _____j'ai ouvert la cage.

7. _____il y a de la vie, il y a de l'espoir, dit-on.

8. Les équipes de secours ont continué les recherches _____il n'y ait plus aucun espoir.

9. Les enfants n'auront pas le temps de tout ranger _____ leurs parents ne reviennent.

5 Complétez librement.

1. On ne connaît pas les gens tant que _____

2. L'oiseau nourrit ses petits jusqu'à ce qu'ils _____

3. On ne sait pas qui gagnera tant que le match _____

4. Il faut profiter de la vie tant que _____

5. Révise ta poésie jusqu'à ce que tu _____

6 Commentez la phrase de Jean Rostand :

« Tant qu'il y aura des dictatures, je n'aurai pas le cœur à critiquer une démocratie. »

FORMATION du SUBJONCTIF
Subjonctif présent et subjonctif passé

Le subjonctif comprend quatre temps mais seuls le présent et le passé sont employés dans la langue courante.

PRÉSENT	IMPARFAIT	PASSÉ	PLUS-QUE-PARFAIT
que j'aime	que j'aimasse	que j'**aie aimé**	que j'**eusse aimé**
que tu aim**es**	que tu aim**asses**	que tu **aies aimé**	que tu **eusses aimé**
qu'il aim**e**	qu'il aim**ât**	qu'il **ait aimé**	qu'il **eût aimé**
que nous aim**ions**	que nous **aimassions**	que nous **ayons aimé**	que nous **eussions aimé**
que vous aim**iez**	que vous **aimassiez**	que vous **ayez aimé**	que vous **eussiez aimé**
qu'ils aim**ent**	qu'ils **aimassent**	qu'ils **aient aimé**	qu'ils **eussent aimé**

Présent du subjonctif

● Il se forme sur :
le radical de « ils »   + | -e   -es   -e   -<u>ions</u>   -<u>iez</u>   -ent |
au présent de l'indicatif

Ils finissent   *que je finisse*   *que tu finisses*   *que nous finissions...*
Ils mettent   *que je mette*   *que tu mettes*   *que nous mettions...*

● Si « nous » et « vous » ont un radical différent de « ils » au présent de l'indicatif, on conserve cette différence au subjonctif.   *que je reçoive*   *que nous rece**v**ions*

● Les verbes en **-ier** prennent deux « i ». Distinguez :

*nous étud**ions*** (indicatif présent)   *que nous étud**iions***   (subjonctif présent)
*nous recop**ions*** (indicatif présent)   *que nous recop**iions***   (subjonctif présent)

– Attention aussi aux verbes en **-yer** :
*nous envoy**ons*** (indicatif présent)   *que nous envoy**ions*** (subjonctif présent)

● **Verbes irréguliers**

	ÊTRE	AVOIR	ALLER	FAIRE	POUVOIR	SAVOIR	VOULOIR
que je	sois	ai**e**	aille	fasse	puisse	sache	veuille
que tu	sois	aies	ailles	fasses	puisses	saches	veuilles
qu'il	soit	ai**t**	aille	fasse	puisse	sache	veuille
que nous	soyons	ayons	allions	fassions	puissions	sachions	voulions
que vous	soyez	ayez	alliez	fassiez	puissiez	sachiez	vouliez
qu'ils	soient	aient	aillent	fassent	puissent	sachent	veuillent

❱ Notez l'orthographe : *J'ai peu de temps pour finir mon travail.* (indicatif)
Il faut que j'aie plus de temps pour finir. (subjonctif)
– Tous les verbes sauf « être » et « avoir » se terminent par « e » à la 3e personne du singulier. *Il faut qu'il **voie** un médecin. Il faut qu'il **croie** en nous.*

EXERCICES

1 Complétez selon le modèle.

VERBES	INDICATIF PRÉSENT	SUBJONCTIF PRÉSENT
acheter	*Ils achètent des fruits.*	*Il faut qu'il achète des fruits. Il faut que nous achetions des fruits*
jeter		
étudier		
conduire		
repeindre		
avoir		
dire		
copier		
finir		
savoir		
dormir		
vivre		
balayer		
être		
éteindre		
boire		
prendre		
aller		
envoyer		
voir		
croire		
venir		
faire		
pouvoir		

2 Révision. Complétez librement.

1. *Je suis ravi(e)* que vous soyez parmi nous ce soir.

2. _____ qu'il fera beau le week-end prochain.

3. _____ qu'il y ait des embouteillages vendredi soir.

4. _____ que la voisine ait entendu ce que tu lui as dit : elle est sourde.

5. _____ que tu mettes un manteau, il fait très froid.

6. _____ que Paul Durand sera élu à une grande majorité.

7. _____ que vous n'aimiez pas le dernier Woody Allen. Je le trouve réjouissant.

8. _____ que ton fils ait encore grandi : il a pourtant plus de 20 ans !

PASSÉ DU SUBJONCTIF

■ **Formation :** | être ou avoir au subjonctif présent | + | participe passé |

que je sois parti	*qu'il soit rentré*	*que nous soyons arrivé(e)s*
que j'aie fini	*qu'il ait dîné*	*que nous ayons parlé*

● On emploie le subjonctif présent pour un événement postérieur à la principale et le subjonctif passé pour un événement antérieur.

*J'ai peur qu'elle (ne) **parte***	*J'ai peur qu'elle (ne) **soit partie***
= à venir	= passé

● On emploie souvent le passé du subjonctif après des phrases exprimant le regret.

Je suis désolé(e)
Il est dommage | *que vous **n'ayez pas eu** le temps de venir.*
Dommage

IMPARFAIT DU SUBJONCTIF

● Il se forme sur :
la 3ᵉ personne du singulier + | -sse -sses -^t -ssions -ssiez -ssent |
du passé simple

Il **parla**	*que je parlasse*	*que tu parlasses*	*qu'il parlât*
Il **voulu-t**	*que je voulusse*	*que tu voulusses*	*qu'il voulût*
Il **fini-t**	*que je finisse*	*que tu finisses*	*qu'il finît*

● L'imparfait du subjonctif est surtout employé à l'écrit dans un texte littéraire ancien. Il a une connotation précieuse. Aujourd'hui, on lui préfère le subjonctif présent.

*Il était nécessaire qu'il **parlât**.* → *Il était nécessaire qu'il **parle**.*

PLUS-QUE-PARFAIT DU SUBJONCTIF

■ **Formation :** | être ou avoir au subjonctif imparfait | + | participe passé |

*que tu **fusses** venu*   *que j'**eusse** parlé*   *qu'ils **eussent crû***

● Le plus-que-parfait du subjonctif est peu usité, même à l'écrit. On lui préfère le subjonctif passé.

Il a regretté que vous fussiez parti si tôt. → *Il a regretté que vous soyez parti si tôt.*

● On l'emploie surtout avec une valeur de conditionnel.

*On **eût dit** un animal sauvage.*	*Ils reculèrent comme s'ils **eussent été frappés** de stupeur.*
= On aurait dit	= comme s'ils avaient été

E X E R C I C E S

1 Subjonctif passé. **Transformez.**

Avant l'examen, il faut :
lire tous les livres au programme
rédiger des fiches de lecture
faire un maximum d'exercices
se documenter sur Internet
trier les informations recueillies
s'exercer à parler en public

Avant l'examen, il faut que :
vous ayez lu tous les livres au programme

_____

_____

_____

_____

_____

2 Subjonctif passé. **Transformez.**

1. Jo s'est souvenu de mon anniversaire ! Ça me fait plaisir *que Jo se soit souvenu de mon anniversaire !*

2. Paul a encore oublié notre rendez-vous. Ça m'énerve _____

3. Albert a eu une mauvaise note en maths. Ça me surprend _____

4. Ma nièce a raté son examen… Ça me fait de la peine _____

5. Les ouvriers n'ont pas fini le chantier. Ça m'ennuie _____

3 Subjonctif passé. **Transformez.**

1. – Tu n'as pas eu mon message ? C'est bizarre. – *C'est bizarre que tu n'aies pas eu mon message…*

2. – Tu as pensé à appeler tes grand-parents ? C'est bien. – _____

3. – Tu as oublié d'emporter ton maillot ? C'est bête. – _____

4. – Tu as retrouvé ton sac bleu ! C'est génial… – _____

5. – Tu as perdu ta carte d'identité ? C'est embêtant. – _____

4 Superlatif. **Transformez selon le modèle.**

1. J'ai rencontré des gens très ennuyeux. Ce sont les gens *les plus ennuyeux que j'aie jamais rencontrés.*

2. J'ai passé un week-end horrible ! C'est le week-end _____

3. J'ai mangé de très mauvaises pâtes chez « Schifo ». Ce sont les pâtes _____

4. Je suis monté(e) dans un ascenseur ridiculement petit. C'est l'ascenseur _____

5. J'ai vu un film idiot à la télé. C'est le film _____

5 Révision. Subjonctif présent et passé. **Complétez.**

Mademoiselle Grimbert

Mademoiselle Grimbert remplace notre vieille institutrice qui est malade. Je trouve qu'elle _____ plus belle que toutes les actrices que je collectionne dans mon classeur. Je ne connais personne qui _____ d'aussi beaux yeux et d'aussi beaux cheveux. J'ai l'impression que tout le monde _____ amoureux d'elle et j'ai le sentiment que toute la classe _____ des efforts pour travailler le mieux possible. Il arrive que mademoiselle Grimbert _____ son cours de sciences dehors au soleil, et il est fréquent qu'elle nous _____ des livres de contes en fin de journée. Les poésies que nous apprenons sont les plus jolies que nous _____ jamais _____, les musiques que nous écoutons sont les plus belles que nous_____ jamais_____, et nos résultats scolaires sont les meilleurs que nous _____ jamais _____. On est surpris que mademoiselle Grimbert _____ toujours positive et qu'elle ne se _____ jamais en colère.

S'IL FAISAIT beau, ON IRAIT à la plage.
La condition : les hypothèses avec si

Pour imaginer une situation soumise à condition, on crée une hypothèse.

L'HYPOTHÈSE avec *si*

■ **Sur le futur :**   **SI** + présent   //   futur
                  *Si je **gagne** au Loto,*   *j'**achèterai** un bateau.*
                  *Si tu ne **cours** pas,*   *tu **vas rater** le bus.*

● Le présent ou l'impératif peuvent remplacer le futur si la conséquence est immédiate.
                  *Si tu **veux**, je **viens** avec toi.*   *S'il **insiste**, **acceptez** !*

■ **Sur le présent :**   **SI** + imparfait   //   conditionnel présent
                  *Si j'**étais** jeune,*   *je **voyagerais**.*   = je ne suis pas jeune.
                  *S'il **faisait** beau,*   *on **irait** à la mer.*   = il ne fait pas beau.

● Cette construction peut avoir la valeur d'un futur improbable ou d'un souhait.
                  *Ah, si un jour les guerres **cessaient**, le monde **serait** plus beau.*

■ **Sur le passé :**   **SI** + plus-que-parfait   //   conditionnel passé
                  *Si tu **avais étudié**,*   *tu **aurais réussi**.*   = tu n'as pas étudié
                  *Si je **n'avais pas couru**,*   *j'**aurais raté** le bus.*   = j'ai couru

● L'imparfait peut remplacer le conditionnel passé (conséquence inévitable).
                  *Si je **n'avais pas couru**, je **ratais** le bus.*

● Selon les contextes, on peut avoir de nombreuses combinaisons de temps.
                  *Si vous **avez planté** votre arbre en septembre, il **fleurira** en mars.*
                  *Si tu **avais** mieux **rangé** tes affaires hier, tu les **retrouverais** aujourd'hui.*

● On emploie généralement **que** + **subjonctif** lorsqu'on enchaîne plusieurs conditions.
                  *Si vous appelez et **que** je sois occupé(e), laissez un message.*

> ❱ Après **si**, jamais de futur ni de conditionnel (pas de formes en « r »).
> On dit : *Si j'avais su, je ne serais pas venu.*   ~~Si j'aurai su, je ne serais pas venu(e).~~
> ❱ Après **si**, pas de subjonctif : *Si nous avions su, nous serions venus…*   ~~Si nous ayons su…~~

LE CONDITIONNEL : formation

● **Le conditionnel présent** se forme sur le futur simple + terminaisons de l'imparfait.
                  Je danserai   Je serai   Il faudra   →   *Je danserais   Je serais   Il faudrait*

● **Le conditionnel passé** se forme avec **être** ou **avoir** au conditionnel présent + participe passé.

                  J'ai voulu   Je suis venu   →   *J'aurais voulu   Je serais venu*

E X E R C I C E S

– Monsieur, si j'**étais** votre épouse, je **mettrais**
   de l'arsenic dans votre café.

– Madame, si j'**étais** votre mari,
   je le **boirais**.

Sir Winston Churchill
(dialogue avec Lady Astor)

1 **Complétez.**

Paradoxe

Si *je travaillais moins,* je ferais plus de sport.

Si _____ , je serais plus musclé.

Si _____ , j'aurais plus de résistance.

Si _____ , je serais moins fatigué.

Si _____ , je travaillerais plus…

2 **Trouvez les verbes. Faites l'élision si c'est nécessaire.**

1. Si je *gagne* au Loto, j'achèterai une maison.

2. Si on _____ le bus, on prendra le suivant.

3. Si tu _____ bien, tu trouveras la solution.

4. Si je _____ vingt ans, je voyagerais.

5. Si tu _____ une sieste, tu te sentiras mieux.

6. Si je _____ plus courageux, je démissionnerais.

7. S'il _____ beau, nous déjeunerions dehors.

8. Si je _____ toi, j'accepterais cette offre.

3 **Trouvez les verbes. Plusieurs possibilités. Faites l'élision si c'est nécessaire.**

1. Si je *bois* du café après cinq heures de l'après-midi, je ne dors pas la nuit.

2. Si la température _____ en dessous de zéro degré, il va geler.

3. Si tu me _____ ton portable, je te prêterai le mien.

4. L'ordinateur s'allume si on _____ sur le bouton rouge.

5. Si tu _____ ton examen en juin, tu devrais le repasser en septembre.

6. Si tu as mal à la tête, _____ tout de suite une aspirine.

7. Si le conducteur _____ le feu rouge, l'accident n'aurait pas eu lieu.

8. Si quelqu'un m'appelle, _____ de me rappeler plus tard.

9. Si tu es bien sage, le Père Noël te _____ de jolis cadeaux !

10. Si les voisins ne _____ les pompiers, la maison aurait entièrement brûlé.

11. Si, par miracle, il _____ beau le week-end prochain, on pourrait aller à la plage.

4 **Imaginez des hypothèses**

1. La caissière d'un supermarché vous rend trop d'argent. Que faites-vous ?
   Si _____

2. Un petit enfant joue avec un couteau. Que faites-vous ?
   Si _____

3. Un SDF ivre vous insulte dans la rue. Que faites-vous ?
   Si _____

4. Vous montez dans le bus et vous vous rendez compte que vous n'avez ni argent ni ticket. Que faites-vous ?
   Si _____

5. On vous propose de vous lire les lignes de la main. Que faites-vous ?
   Si _____

6. Vous trouvez une statuette ancienne enterrée dans votre jardin. Que faites-vous ?
   Si _____

EXERCICES

1 Lisez. Observez.

Invectives

Moi, **si j'avais** vingt fils,
Ils auraient vingt chevaux,
Et **fuiraient** au galop,
Le Pédant et l'École
(…)
Et **si j'avais** cent fils,
Ils **auraient** cent chevaux,
Pour vite déserter,
Le sergent et l'Armée.

Paul Verlaine

2 Transformez avec une hypothèse.

La candidate n'a pas de voiture.   Elle connaît mal l'informatique.   Elle a peu d'expérience.
Elle n'a pas assez d'ambition.   Elle n'est pas disponible le samedi.   Elle est trop timide.

Si la candidate avait une voiture, _____

_____ *, je l'embaucherais.*

3 Répondez librement.

1. Que se passera-t-il si :

– votre propriétaire double votre loyer ? – _____

– vous buvez trop d'alcool ? – _____

– vous oubliez de recharger votre portable ? – _____

2. Que se passerait-il si :

– le soleil s'éteignait ? – _____

– on avait des ailes ? – _____

– les hommes devenaient végétariens ? – _____

3. Que ce serait-il passé si :

– le feu avait pris chez vous en votre absence ? – _____

– votre père n'avait pas rencontré votre mère ? – _____

– Christophe Colomb avait été peintre (au lieu de navigateur) ? – _____

4 Répondez en articulant les conditions, selon le modèle.

1. On vous attaque. Vous êtes seul dans la rue. On vous prend votre portefeuille. Que faites-vous ?

2. Votre femme (votre mari) vous trompe. Vous le savez. Que faites-vous ?

3. Vous marchez dans la rue. Il se met à pleuvoir. Vous n'avez pas de parapluie. Que faites-vous ?

4. Vous faites la queue à la poste. Une vieille dame passe devant vous sans rien dire. Que faites-vous ?

5. Vous êtes dans un café. Quelqu'un part en oubliant son portable sur une table. Que faites-vous ?

Si on m'attaquait, que je sois seul dans la rue et qu'on me prenne mon portefeuille, je n'essaierais pas de résister,
je le donnerais, puis j'irais porter plainte à la police.

EXERCICES

1 **Lisez. Observez.**

Jacques le Fataliste

Jacques a contraint une bande de brigands à se coucher et à lui remettre ses armes et ses biens. Le maître de Jacques s'étonne de sa hardiesse.

Le maître : – S'ils **avaient refusé** de se coucher ?
Jacques : – Cela était impossible.
Le maître : – Pourquoi ?
Jacques : – Parce qu'ils ne l'ont pas fait.
Le maître : – S'ils **se relevaient** ?
Jacques : – Tant pis ou tant mieux.
Le maître : – Si…si… si…et…
Jacques : – Si la mer **bouillait**, il y **aurait**, comme on dit, bien des poissons de cuits.

Denis Diderot

W ou le souvenir d'enfance

Georges Perec imagine ce qu'il aurait vécu s'il n'avait pas perdu ses parents.

Moi, j'**aurais aimé** aider ma mère à débarrasser la table de la cuisine après le dîner, sur la table il y **aurait eu** une toile cirée à petits carreaux bleus, au-dessus de la table il y **aurait eu** une suspension avec un abat-jour presque en forme d'assiette. (…) Puis **je serais allé** chercher mon cartable, j'**aurais sorti** mon livre, mes cahiers et mon plumier de bois, je les **aurais posés** sur la table et j'**aurais fait** mes devoirs. C'est comme ça que ça se passait dans mes livres de classe.

Georges Perec

2 Hypothèses sur le passé. **Lisez puis transformez.**

Quelle poisse* !

C'est idiot ! Paul et moi, on est partis en week-end sans écouter la météo. On n'a pas su qu'il allait neiger et on n'a pas emporté de chaînes. Alors on est restés coincés sur la route dans un motel minable, comme des idiots. En plus, je n'avais pas pris mon ordinateur et on n'a pas pu voir les super DVD que j'avais emportés. Au lieu de ça, on a été obligés de regarder des trucs débiles à la télé. Pour arranger le tout, je n'avais pas pris de chaussures fourrées, je me suis enrhumée et je n'ai même pas pu profiter de la neige. Quelle poisse !

*poisse (familier) : malchance

Si on avait écouté la radio avant de partir, on aurait su _____

_____

_____

_____

3 Hypothèses. **Transformez, selon le modèle.**

1. Tu ranges mal tes affaires et tu es toujours paniqué(e). *Si tu rangeais mieux tes affaires, tu serais moins paniqué(e).*

2. Tu parles trop vite : on comprend mal ce que tu dis. _____

3. Les spectacles coûtent trop cher. Les gens ne sortent pas souvent. _____

4. Les jeunes ne lisent pas assez. Leur vocabulaire est très limité. _____

5. Le réseau n'est pas assez puissant, mon portable marche mal. _____

6. Tu n'as pas réservé les billets de train assez tôt. Tu n'as plus trouvé de place. _____

7. Léa n'a pas trié son linge et tous ses vêtements ont déteint. _____

8. On a fait beaucoup de publicité pour ce film et il y a eu beaucoup de spectateurs. _____

9. On a trouvé la fuite très tard et il y a eu beaucoup de dégâts. _____

60

IL FERAIT beau, ON IRAIT à la plage.
La condition : les hypothèses sans si

L'HYPOTHÈSE sans si

■ On peut employer le **conditionnel** dans les deux termes de la phrase. Comparez :

*Si j'**étais** président, je **ferais** des réformes.*	*Je **serais** président, je **ferais** des réformes.*
*Si j'**avais su** que tu étais seul, je t'**aurais invité**.*	*J'**aurais su** que tu étais seul, je t'**aurais invité**.*
*Si je **n'avais pas couru**, j'**aurais raté** le train.*	*Je **n'aurais pas couru**, j'**aurais raté** le train.*

● L'**imparfait** peut remplacer le conditionnel dans la condition et dans la conséquence.

*L'entraîneur **aurait fait** entrer Riri plus tôt, on **gagnait** le match.*
*L'entraîneur **faisait** entrer Riri plus tôt, on **gagnait** le match.*

■ **Au cas où/pour le cas où/dans le cas où** + conditionnel = si par hasard

*__Au cas où__ je ne **serais** pas là, laissez un message.*
*Je te redonne le code **pour le cas où** tu l'**aurais** oublié.*
*Je te laisse les clés **dans le cas où** tu en **aurais** besoin.*

● **Au cas où** est une ellipse fréquemment employée, à l'oral, en fin de phrase :

*Appelez-moi, **au cas où**.* = en cas de nécessité

> ❯ On dit :
> *Appelez-moi au cas où il y **aurait** un problème.*   ~~au cas où il y avait~~   ~~au cas où il y ait~~

● On emploie **où** + conditionnel ou **que** + subjonctif lorsqu'on enchaîne plusieurs conditions.

*__Au cas où__ tu passerais et **où** je ne **serais** pas là, je te laisse les clés.*
*__Au cas où__ tu passerais et **que** je ne **sois** pas là, je te laisse les clés.*

■ **Quand bien même/même si** = même dans ces circonstances (condition + restriction)

● **Quand bien même** + conditionnel	● **Même si** + imparfait
*Je ne **viendrais** pas, **quand bien même** tu me <u>supplierais</u> à genoux.*	*Je ne **viendrais** pas, **même si** tu me <u>suppliais</u> à genoux.*

■ **Constructions verbales et nominales**

– *__Avec toi__, j'irais n'importe où.*	– *__Sans papiers__, on ne peut pas travailler.*
– *__À trop exiger__, tu vas tout perdre.*	– *__En vous taisant__, vous acceptez.*
– *Dépêche-toi, **sinon** on va être en retard !*	– *__À quelques minutes près__, je ratais mon train.*

● À l'oral, on emploie souvent **sans ça** ou **autrement** au lieu de **sinon** :

– *Dépêche-toi, **sans ça** on va être en retard.*
– *Réservons vite, **autrement** ce sera complet.*

196

E X E R C I C E S

1 Lisez. Observez.

La petite fille de Monsieur Linh*

(Monsieur Linh) n'a jamais faim. Il **serait** seul, il ne **mangerait** pas. D'ailleurs, s'il avait été seul, il ne serait même pas là, dans ce pays qui n'est pas le sien. Il **serait resté** au village. Il **serait mort** en même temps que le village. Mais il y a l'enfant, sa petite fille.

* réfugié d'un pays asiatique en guerre

Philippe Claudel

Non, quand bien même une amère souffrance

Non, quand bien même une amère souffrance
Dans ce cœur mort **pourrait** se ranimer
Non, quand bien même une fleur d'espérance
Sur mon chemin **pourrait** encore germer

Quand la pudeur, la grâce et l'innocence
Viendraient en toi me plaindre et me charmer
Non chère enfant, si belle d'ignorance
Je ne **saurais**, je n'**oserais** t'aimer.

Alfred de Musset

2 Transformez, selon le modèle.

1. Si j'étais en vacances, j'irais à la plage. *Je serais en vacances, j'irais à la plage.*

2. S'il faisait beau, on ferait une balade. _____

3. Si j'étais plus jeune, je ferais le tour du monde. _____

4. Si j'avais joué le 10, j'aurais gagné un million**.** _____

5. Si tu étais venu(e) plus tôt, tu aurais vu Julie. _____

3 Au cas où. Transformez, selon le modèle.

Appelez-moi
si vous passez dans le quartier,
si vous avez besoin de quelque chose,
si vous êtes libre pour déjeuner,
si vous voulez avoir d'autres informations.

Appelez-moi au cas où vous passeriez dans le quartier.

_____
_____
_____

4 Sinon. Sans ça. Autrement. Transformez.

Mise en garde

Si tu ne finis pas ton plat, tu n'auras pas de dessert.
Si tu ne mets pas de crème, tu vas prendre un coup de soleil.
Si tu ne te dépêches pas, on sera en retard.
Si tu ne prépares pas ton examen, tu risques de le rater.

Finis ton plat, sinon/sans ça/autrement tu n'auras pas
de dessert ! _____
_____
_____

5 Complétez avec même si ou quand bien même, selon le modèle.

1. (supplier) Je ne l'accompagnerais pas, *même s'il me suppliait/quand bien même il me supplierait.*

2. (regretter) Je ne lui pardonnerais pas _____

3. (insister) Je ne leur aurais pas ouvert, _____

4. (menacer) Je les aurais dénoncés _____

5. (neiger) Je serais parti(e) à la campagne, _____

6 Hypothèses sur le passé. Transformez en employant « si », selon le modèle.

1. Sans ton aide, je ratais mes examens. *Si tu ne m'avais pas aidé, j'aurais raté mes examens.*

2. Un pas de plus et je tombais dans le vide. _____

3. Sans l'expulsion du capitaine, notre équipe gagnait le match. _____

4. À cent voix près notre candidat était élu. _____

5. Un peu plus de sel dans ton plat, et il était divin. _____

LES SUBORDONNÉES de CONDITION
La condition : indicatif ou subjonctif

On emploie le subjonctif avec la plupart des conjonctions de condition, car elles soumettent la réalité à une condition, une réserve ou une limitation.

Expressions de la condition suivies du subjonctif

■ **À condition que, pourvu que, sans que, à moins que** = condition stricte

*Les enfants pourront entrer **à condition qu'**un adulte vienne avec eux.*
*Les enfants pourront entrer **pourvu qu'**ils soient accompagnés.*
*Ils ne pourront pas entrer **sans qu'**un adulte les accompagne.*
*Ils ne pourront pas entrer **à moins qu'**un adulte ne* les accompagne.* * ne explétif

● Autre sens de « pourvu que » = souhait

***Pourvu qu'**il fasse beau !* ***Pourvu qu'**on soit à l'heure...*

> ⟩ Lorsque le sujet est le même, on peut employer **à condition de/à moins de** + infinitif.
> *Les enfants pourront entrer **à condition d'être** accompagnés.*
> *Les enfants ne pourront pas entrer **à moins d'**être accompagnés.*

■ **En admettant que, en supposant que, si tant est que, pour autant que** = réserve, restriction

| *Nous vous rembourserons* | ***en admettant que***
en supposant que *vous puissiez prouver notre erreur.*
si tant est que
pour autant que |

■ **Pour peu que** = condition légère mais suffisante

*Tu progresses vite, **pour peu que** tu fasses quelques efforts.*
***Pour peu** qu'elle soit maquillée, Alice peut être très jolie.*

■ **Que ... que** = conditions variables, conséquence identique

***Qu'**on soit riche ou pauvre, chacun a les mêmes droits.*
***Qu'**il y ait ou **qu'**il n'y ait pas de vent, il fait toujours chaud.*

Expressions de la condition suivies de l'indicatif

■ **Selon que, suivant que** = conditions variables, conséquences variables

***Selon qu'**il y a ou qu'il n'y a pas de vent, il fait chaud ou froid.*
*Le paysage change **suivant qu'**on va vers le nord ou le sud.*

■ **Du moment que/dès lors que** = condition + cause évidente

***Du moment que** vous êtes d'accord, on va signer le contrat.*
***Dès lors que** vous êtes abonné(e), vous avez 20 % de réduction.*

Voir subjonctif, p. 188-190.

EXERCICES

1 **Lisez. Observez.**

> Le chemin le plus court d'un point à l'autre est la ligne droite **à condition que** les deux points soient bien en face l'un de l'autre.
>
> Pierre Dac, *L'Os à moëlle*

> Une pomme par jour éloigne le médecin… **pourvu que** l'on vise bien.
>
> Winston Churchill

> **Selon que** vous serez puissant ou misérable, les jugements de cour vous rendront blanc ou noir.
>
> Jean de La Fontaine

2 **À condition que/pourvu que. Transformez**

1. Paul peut jouer dehors s'il met des bottes. *Paul peut jouer dehors à condition/pourvu qu'il mette des bottes.*

2. Je veux bien aller à la manifestation si tu viens avec moi. _____

3. Je te prête ma voiture, si tu me la rends samedi. _____

4. Vous pourrez déjeuner en terrasse si vous venez avant midi. _____

5. Le spectacle a lieu s'il y a plus de 20 personnes. _____

6. Un élève passe dans la classe supérieure s'il a la moyenne. _____

7. S'ils sont séparés, mes jumeaux sont sages. _____

3 **Pourvu que (souhait). Transformez.**

> **Souhaits**
>
> Il pourrait pleuvoir demain. On ne pourra peut-être pas partir tôt. Il y aura peut-être trop de monde sur les routes. Jo ne pourra peut-être pas nous rejoindre. Il viendra peut-être avec son horrible chien. Les hôtels seront peut-être complets.

Pourvu qu'il ne pleuve pas ! _____

4 **À moins que/à moins de. Transformez.**

1. S'il ne pleut pas, je sortirai. *Je sortirai, à moins qu'il ne pleuve.*

2. Je vous offre un café, sauf si vous êtes pressé. _____

3. On ne pourra pas partir, sauf si on fait réparer la voiture. _____

4. J'irai à l'hôtel Luxor, sauf s'il est fermé. _____

5. S'il n'est pas trop tard, je te téléphonerai. _____

6. On ne peut pas aller sur ce site, sauf si l'on est abonné. _____

5 **Transformez avec dès lors/du moment que.**

1. Vous avez signé le contrat. Vous êtes engagé pour un an *dès lors que/du moment que vous avez signé le contrat.*

2. Nos droits ne sont pas respectés ! Comment ne pas se révolter _____

3. Il n'y a plus d'autre issue. Nous sommes déterminés à nous battre _____

4. Vous ne voyez pas d'obstacle à cette démarche ? Engageons la procédure _____

6 **En admettant que, pour peu que, selon que, si tant est que, que … que. Complétez.**

1. Même *en admettant* que la direction *fasse* des concessions, les chances de sortir du conflit sont minces.

2. Nina est très timide : _____ on lui _____ un compliment, elle rougit violemment.

3. Nous vous rembourserons _____ vous _____ prouver notre erreur.

4. Il y a toujours du monde dans le parc, _____il _____ chaud ou _____il _____ froid.

5. La justice est très partiale, _____on _____ riche ou pauvre.

6. Sylvester se muscle rapidement, _____il _____ un peu de sport.

Ce pull A ÉTÉ FABRIQUÉ en Chine. Il SE LAVE à 30°.
La forme passive

LE PASSIF met l'accent sur l'objet du verbe plutôt que sur le sujet.

■ **Forme active :**
le sujet du verbe **fait** l'action.

L'ouragan **a dévasté** *la région.*
Le feu **a ravagé** *l'entrepôt.*

sujet actif + verbe + complément d'objet

■ **Forme passive :**
le sujet du verbe **subit** l'action.

La région **a été dévastée** *par l'ouragan.*
L'entrepôt **a été ravagé** *par le feu.*

sujet passif + verbe + complément d'agent

● Formation :   être + participe passé + **par**

● L'agent peut être omis.   *La région* **a été dévastée.**   *Kennedy* **a été assassiné.**

> » Le pronom « On » remplace souvent le passif lorsque l'agent est impersonnel.
>   *On a trouvé du pétrole en mer du Nord.*   ~~Du pétrole a été trouvé en mer du Nord.~~

■ Le passif est surtout employé dans les médias pour annoncer des **événements** subis, des **découvertes** réalisées, des **lois** adoptées.

> *Deux journalistes* **ont été kidnappés.**   *Une banque* **a été attaquée.**
> *Un nouveau vaccin* **a été découvert.**   *La réforme des retraites* **a été votée.**

> » Généralement l'accent porte sur le **résultat** et on emploie le **passé composé.**
>   *Deux journalistes* **ont été** *kidnappés.*   ~~Deux journalistes étaient kidnappés.~~
>   *Les otages* **ont été** *libérés.*   ~~Les otages étaient libérés.~~
> » Comparez : *Il* **était** *blessé au bras.* (= état) *Il* **a été** *blessé au bras.* (= événement)

■ **De** peut remplacer **par** avec les verbes :

● **d'accompagnement** : être accompagné, précédé, suivi...
     Les enfants étaient accompagnés **de** *leur baby-sitter et suivis* **de** *leur chien.*

● **de description** : être entouré, couvert, bordé, rempli, composé...
     La maison était entourée **d'**oliviers. Les arbres étaient couverts* **de** *neige.*

● **exprimant un sentiment général** : être admiré, détesté, connu, oublié, respecté...
     Ce peintre admiré **de** *tous au siècle dernier est aujourd'hui ignoré* **de** *tous.*

■ **Certains verbes à la forme pronominale** indiquant un usage ou une habitude ont un sens passif.
     Le vin blanc **se** *boit très frais.* = est bu   *L'arabe* **se** *lit de droite à gauche.* = est lu

● **Se faire** + infinitif peut avoir un sens passif, **sans idée de complicité*,** avec des verbes impliquant que le sujet subi l'action (cambrioler, tuer, étrangler, violer, etc.)

La victime **s'est fait étrangler.**	= elle a été étranglée
Les voisins **se sont fait cambrioler.**	= ils ont été cambriolés

*Avec d'autres verbes, cette construction a aussi un usage actif, ce qui peut troubler...
     Il s'est fait couper les cheveux.   = il a demandé à quelqu'un de lui couper les cheveux.

E X E R C I C E S

1   Lisez, observez.

Portraits du Fayoum

Des portraits d'une grande beauté **ont été** exhumés au XIXᵉ siècle dans la région du Fayoum. Ils **ont été découverts** lors de la mise au jour d'une nécropole romaine et ils **ont été présentés** pour la première fois au public lors de l'Exposition universelle de 1900. Ces portraits, aujourd'hui **connus** et **admirés de** tous, semblent dater de quelques années alors qu'ils **ont été exécutés** il y a presque deux mille ans. Ils **sont exposés**, entre autres, au Caire, à Paris, à New York et à Montréal.

2   Transformez les titres de journaux

1. Nouvelle agression d'un chauffeur de bus
Annonce d'une grève des transports

Un chauffeur de bus a été de nouveau agressé.
Une grève des transports a été annoncée.

2. Arrestation d'un chef de gang
Saisie de 300 kilos de cocaïne

3. Découverte d'un tableau de Goya
Estimation à 3 millions d'euros

4. Assassinat du patron du « Disco »
Interpellation de deux suspects

5. Paralysie du trafic ferroviaire par la neige
Indemnisation des voyageurs

6. Destruction d'une tour par le feu
Évacuation de 150 personnes

_____
_____
_____
_____
_____
_____
_____
_____
_____
_____

3   Complétez avec les prépositions et les verbes manquants.

La pyramide du Louvre

Conçue *par* l'architecte sino-américain Ieoh Ming Pei, la pyramide _____ inaugurée en 1989. Cette œuvre qui _____ photographiée _____ les amateurs du monde entier est aujourd'hui connue et appréciée _____ tous. Entièrement composée _____ segments de verre, la pyramide de Pei, comme la tour Eiffel, _____ attaquée au départ _____ un certain nombre de détracteurs…

4   Complétez, selon le modèle.

boire   acheter   fabriquer
~~prendre~~   fermer   laver

1. Ce médicament *se prend* à jeun.

2. Le champagne _____ glacé.

3. Les timbres _____ à la poste.

4. Le linge délicat _____ à 30 °.

5. Le verre _____ avec du sable.

6. Ce blouson _____ avec un zip.

5   Imaginez des dialogues avec où, quand, comment , pourquoi, par qui, etc.

1. enlever/libérer des otages   **2. accuser/acquitter** une personne   **3. voler/retrouver** des tableaux

4. détruire/reconstruire un théâtre   **5. taguer/repeindre** une façade   **6. arrêter/relâcher** des manifestants

– Les otages qui avaient été enlevés ont été libérés.   – Où avaient-ils été enlevés ?   – Quand ont-ils été libérés ?

Maigrissez EN DORMANT ! Cherche vendeur AYANT voiture.
Le gérondif et le participe présent.

LE GÉRONDIF

■ On l'emploie quand le **sujet** de deux verbes **est le même** pour exprimer, entre autres :

La simultanéité : *Il travaille **en écoutant** la radio.*   La manière : *Il est tombé **en faisant** du ski.*
Le temps :   *Je l'ai croisé **en rentrant**.*   La condition : ***En vous taisant**, vous acceptez.*

■ **Formation :**   **en** + participe présent

   en lisant   en travaillant   en mangeant

● **Tout en** renforce la simultanéité temporelle. *Il travaille **tout en écoutant** la radio.*

> ❱ On n'emploie pas le gérondif si les sujets ne sont pas identiques.
> <u>La police</u> l'a arrêté quand <u>il</u> passait la frontière.   ~~la police l'a arrêté en passant la frontière~~

> ❱ Lorsqu'il y a deux actions, seule celle qui exprime la manière peut être au gérondif.
> *Elle s'est coupée **en ouvrant** la boîte de conserve.*   ~~elle a ouvert la boîte en se coupant~~

> ❱ On n'emploie pas le gérondif avec le verbe « passer… » + période de temps
> *Il a passé la nuit **à travailler**.*   ~~il a passé la nuit en travaillant~~

LE PARTICIPE PRÉSENT exprime surtout un état, une caractéristique.

● On l'emploie surtout à l'écrit (annonce, lettres, etc.), à la place d'une **relative**.
Le participe présent est **invariable**.

   *Nous recherchons une baby-sitter **habitant** le quartier.*   = qui habite le quartier
   *Nous recevrons les candidats **ayant répondu** tout de suite.*   = qui ont répondu
   *Les dossiers **concernant** les candidatures sont disponibles.*   = qui concernent

■ On distingue le gérondif et le participe présent. Comparez :

   *Je l'ai vu **en traversant** la rue.*   *Je l'ai vu **traversant** la rue sans regarder.*
   = c'est moi qui traverse   = c'est lui qui traverse

● **Formation :**   radical de « nous » au présent + **ant**

   *fais-**ant**   pren-**ant**   buv-**ant***

– Participes présents irréguliers   avoir : ***ayant***   savoir : ***sachant***   être : ***étant***

> ❱ On dit : *****Étant** malade, le professeur ne peut venir.*   ~~En étant malade~~
>   *****Cherchant** un emploi, je m'adresse à vous.*   ~~En cherchant un emploi~~

> ❱ À l'oral, le participe présent est peu employé. On dira :
> *J'ai vu des jeunes **qui fumaient** et **qui buvaient** sans interruption.* ~~fumant et buvant~~
> *Je l'ai rencontré **qui se promenait** sur la plage.*   ~~je l'ai rencontré sepromenant~~

Participe présent et gérondif de cause, voir p. 222.

E X E R C I C E S

1 Gérondif. **Transformez, selon le modèle.**

Mésaventures

manger du nougat/se casser une dent
salir ses chaussures/marcher dans la boue
faire du tennis/se tordre la cheville
se pincer le doigt/fermer la portière de la voiture
déraper/prendre le virage trop vite
jouer avec un couteau/se blesser

Il s'est cassé une dent en mangeant du nougat.

_____

_____

_____

_____

2 Participe présent. **Rédigez une petite annonce.**

Ce travail est peut-être pour vous :

Vous parlez espagnol couramment ?
Vous avez entre 30 et 40 ans ?
Vous connaissez bien l'informatique ?
Vous savez prendre des initiatives ?
Vous avez vécu à l'étranger ?
Vous êtes disponible le week-end ?

Recherche personne parlant espagnol couramment,

_____

_____

_____

_____

3 Participe présent. **Reformulez selon les modèles.**

1. Les bagages à main qui font plus de dix kilos ne sont pas autorisés. *faisant plus de dix kilos*

2. Les étudiants qui ont passé l'examen en mai peuvent retirer leur diplôme. *ayant passé l'examen*

3. Les personnes qui connaissent des poèmes par cœur sont de plus en plus rares. _____

4. Nous recherchons toutes les personnes qui ont connu Marie Julliard. _____

5. Tous les étudiants qui ont obtenu plus de 15 sur 20 auront une bourse. _____

6. Les aliments qui contiennent trop de produits chimiques peuvent être toxiques. _____

7. Je recherche des personnes qui ont vécu à Bruxelles dans les années soixante-dix. _____

8. La police interroge les témoins qui ont assisté à l'attaque de la banque. _____

9. Il y a peu de personnes qui ne savent pas utiliser un ordinateur. _____

4 Gérondif **ou** participe présent. **Complétez.**

1. essayer Paul a abîmé sa cravate *en essayant* de la nettoyer lui-même.

   La police a découvert le voleur *essayant* de pénétrer par effraction dans les bureaux.

2. boire Je me suis étranglé _____ de travers et j'ai toussé pendant un bon moment.

   J'ai surpris la femme de ménage _____ mon porto en cachette !

3. faire Pour le casting, on cherche des acteurs _____ plus d'un mètre quatre-vingt-dix.

   Un jeune homme a impressionné tout le monde _____ un numéro d'acrobate formidable.

4. danser Danièle s'est foulé la cheville _____ le rock avec Bernard.

   Je revois ma fille, toute petite, _____ devant nous pour la fête de l'école.

5 **Complétez avec les verbes manquants.**

1. Léo a perdu un portefeuille *contenant* mille euros ! – **2.** La police a arrêté une voiture _____ à 200 km à l'heure sur l'autoroute. – **3.** Je cherche une femme de ménage _____ cuisiner. – **4.** Martin a épousé une femme _____ le double de son âge ! – **5.** L'homme portait une valise_____ plus de 30 kg. – **6.** Des caisses _____ plusieurs kilos de haschich ont été interceptées par la police. – **7.** Tous les étudiants _____ les épreuves écrites jeudi dernier passeront les épreuves orales lundi prochain. – **8.** Tous les spectateurs _____ un SMS avec la bonne réponse ont gagné un téléviseur à écran plat.

64

Un homme PRÉVOYANT, une femme PRÉVOYANTE
L'adjectif verbal

L'ADJECTIF VERBAL est un participe présent qui s'accorde.

Comparez.   *La police a retrouvé la fillette **tremblant** de froid.* = qui tremblait
*La fillette, **tremblante**, s'élança vers eux.*   = craintive, inquiète

■ L'adjectif verbal s'écrit parfois différemment du participe présent.

Verbe : **-quer-guer**	Participe présent : **-quant/-guant**	Adjectif verbal : **-cant/-gant**
Communi**qu**er	On voit de plus en plus de gens communi**quant** par SMS.	Nous voudrions des chambres communi**cantes**.
Provo**qu**er	J'aime les émissions de télé provo**quant** des débats.	J'adore les femmes provo**cantes**.
Fati**gu**er	On m'a interdit les travaux fati**guant** les yeux.	Enseigner aux enfants est une activité fati**gante**.
Zigza**gu**er	La voiture fumant et zigza**guant** s'éloigna.	Ils prirent une route verdoyante et zigza**gante**.

– Même chose pour « convaincre » : *convain**quant*** (part. prés)   *convain**cant*** (adj. verbal)
– « Choquer » n'a qu'une forme :   *cho**quant*** (part. prés)   *cho**quant*** (adj. verbal)

> **Cas particuliers**   part. présent   adj. verbal ou nom
> – verbe fabriquer   *fabri**quant***   *(un) fabri**cant***
> – verbe trafiquer   *trafi**quant***   *(un) trafi**quant***

Verbe	Participe présent : **-ant**	Adjectif verbal : **-ent**
Adhérer	Adhérant	Adhérent
Affluer	Affluant	Affluent
Coïncider	Coïncidant	Coïncident
Conver**g**er	Conver**geant**	Convergent
Différer	Différant	Différent
Diver**g**er	Diver**geant**	Divergent
Émer**g**er	Émer**geant**	Émergent
Équivaloir	Équivalant	Équivalent
Exceller	Excellant	Excellent
Expédier	Expédiant	Expédient
Influer	Influant	Influent
Négli**g**er	Négli**geant**	Négligent
Précéder	Précédant	Précédent
Somnoler	Somnolant	Somnolent
Violer	Violant	Violent

– Les noms sont généralement dérivés de l'adjectif verbal : *négligent/la négligence violent/la violence*, mais on écrit : *différent/un différend* (= un léger conflit).

> **Cas particuliers** : exiger, obliger, excéder, résider
> part. présent   *exi**geant***   *obli**geant***   *excé**dant***   *rési**dant***
> adj. verbal   *exi**geant***   *obli**geant***   *excé**dant***   *rési**dant***
> nom   *l'exi**gence***   *l'obli**geance***   *un excé**dent***   *un rési**dent***

E X E R C I C E S

1 Participe présent **ou** adjectif verbal. **Complétez les finales.**

1. Il est rare de voir une émission de télé intéress*ant* tous les publics qui soit aussi enrichiss*ante*.

2. Tous les hommes viv_____ sur cette terre exploitent d'autres organismes viv_____.

3. Paul sortit à la nuit tomb_____ et il aperçut une ombre pénétr_____ dans le garage.

4. Ma tante, prévoy_____ l'orage, avait emporté deux parapluies. Vraiment, quelle femme prévoy_____ !

5. Des haies de roses sépar_____ les habitations apportaient une touche viv_____ dans le paysage.

2 **Complétez les finales.**

1. On apercevait de petites embarcations navi*guant* le long des côtes.

2. Le personnel navi_____ des compagnies aériennes a lancé un préavis de grève.

3. La voiture freina brusquement, provo_____ un carambolage.

4. Les journalistes ont dénoncé les propos provo_____ du ministre.

5. On vit apparaître de petits bateaux, conver_____ vers le milieu du lac.

6. Mon mari et moi avons parfois des opinions diver_____, mais nos intérêts sont conver_____….

7. Les enfants regardent trop la télé, négli_____ souvent leurs devoirs.

8. Certains pensent que dans cette affaire la police a été trop néglig_____.

9. Pour le mode d'emploi, reportez-vous à la page précéd_____.

10. L'année précé_____ notre mariage nous avons vécu en Chine.

11. La fillette, suffo _____ d'émotion, s'élança dans les bras de sa mère.

12. Il y avait trop de monde dans la pièce et il y faisait une chaleur suffo _____.

13. Au-delà de dix kilos, vous devez retirer l'excé_____ de bagages.

14. Pour toute communication excé_____ votre forfait, vous serez facturé trente centimes d'euro.

15. J'ai trouvé les arguments du député peu convain_____ et son agressivité assez cho_____.

16. Le climat du Nord diffé_____ beaucoup de celui du Sud, il vous faut prévoir un temps d'adaptation.

17. Le diffé_____ qui oppose les deux hommes n'est pas diffé_____ de celui qui oppose les deux partis.

18. Jo devint trafi_____ de drogue, alors que son père avait toujours été un honnête fabri_____ de meubles.

19. Le nageur émerg_____ de l'eau apparut pâle et suffo_____. Il avait risqué sa vie par néglig_____.

20. Nous demandons à nos résid_____ d'avoir l'obli_____ de laisser leurs clés à la réception.

21. Les clients rési_____ dans notre hôtel étant exi_____, notre personnel est très qualifié.

22. Paul apparut vêtu d'un vêtement violet très adhér_____, intrig_____ tous les adhér_____ de son club.

3 **Complétez avec les expressions.**

un compte courant   une expression courante   poste restante   à la nuit tombante
un escalier roulant   un toit ouvrant   une rue passante   donnant-donnant

1. Tous les grands magasins ont des _____ pour se rendre aux étages supérieurs.

2. Je n'ai pas encore de domicile. Veuillez m'adresser mon courrier _____.

3. Il est agréable de prendre le soleil en roulant si votre voiture a _____.

4. Je peux vous faire un virement bancaire si vous avez _____.

5. Mon quartier est très animé et j'habite dans _____, près du marché.

6. Si nous travaillons ensemble, nous y gagnerons tous les deux : c'est _____.

7. Les parcs et les jardins ferment en général _____.

8. « J'en ai marre ! » est _____ en français pour dire qu'on est excédé.

Il m'a dit qu'il AVAIT vingt ans et qu'il ALLAIT se marier
Le discours indirect

On peut rapporter un dialogue au discours direct ou au discours indirect au présent ou au passé.

DISCOURS INDIRECT au PRÉSENT

■ **Discours direct**	■ **Discours indirect**
Il me dit : « – *Je suis au téléphone.* »	*Il me dit **qu**'il est au téléphone.*
Il me dit : « – *Entre et assieds-toi.* »	*Il me dit **d**'entrer et **de** m'asseoir.*
Il me demande : « – *Tu veux un café ?* »	*Il me demande **si** je veux un café.*
Il me demande : « – *Qu'est-ce que tu veux ?* »	*Il me demande **ce que** je veux.*

● On conserve les adverbes **quand, comment, où, combien, pourquoi,** sans inversion du sujet.

Il me demande : « – *Pourquoi partez-vous ?* »   *Il me demande **pourquoi** nous partons,*
« – *Quand reviendrez-vous ?* »   ***quand** nous reviendrons.*

> ❯ On dit : *Il demande **ce qu'**on va faire.*   ~~il demande qu'est-ce qu'on va faire~~
> *Il demande **ce qui** se passe.*   ~~il demande qu'est-ce qui se passe~~

DISCOURS INDIRECT au PASSÉ

■ Après un verbe introducteur **au passé**, on emploie un **passé** de **concordance**.

● Le présent devient l'imparfait.
*Il dit qu'il **pleut**.*   →   *Il a dit qu'il **pleuvait**.*

● Le passé composé devient le plus-que-parfait.
*Il dit qu'il **a plu**.*   →   *Il a dit qu'il **avait plu**.*

● Le futur simple devient le conditionnel présent.
*Il dit qu'il **pleuvra**.*   →   *Il a dit qu'il **pleuvrait**.*

♪ Passé de concordance :
on applique l'imparfait sur le verbe conjugué.

> ❯ On dit : *Elle a compris que Bernt **était** allemand.*   ~~Elle a compris que Bernt est allemand.~~
> *Il a confirmé qu'il **viendrait** en juin.*   ~~Il a confirmé qu'il viendra en juin.~~
> L'imparfait et le conditionnel de concordance ne sont pas des temps « réels »
> (Bernt <u>est</u> allemand et il <u>viendra</u> en juin), mais il s'agit plutôt d'une sorte « d'accord » au
> sens musical, dans un discours au passé, surtout à l'écrit.

> ❯ Lorsqu'on se réfère au futur, on n'emploie jamais de temps composé :
> *Il a dit qu'il **viendrait** demain.*   ~~Il a dit qu'il serait venu demain.~~
> *Ils ont dit qu'ils **se marieraient** en mai.*   ~~Ils ont dit qu'il se seraient mariés en mai~~

● **À l'écrit**, pour rapporter un dialogue direct, on fait l'inversion du verbe et du sujet.
« *Veux-tu un café ?* » lui **demanda-t-il**.   « *Il est tout chaud* », **ajouta-t-il**.
« *Il va pleuvoir* », lui **dis-je**.   « *On est prêtes* », **dirent-elles**.

– On emploie parfois « faire » pour « dire » : « *Il va pleuvoir* », ***fit-il**.*

● **Références temporelles :**

présent :	hier	demain	après-demain
passé :	la veille	le lendemain	le surlendemain

E X E R C I C E S

1 Lisez. Observez. Soulignez selon le modèle.

L'étranger

Le patron m'a fait appeler et sur le moment j'ai été ennuyé parce que j'<u>ai pensé</u> qu'il <u>allait me dire</u> de moins téléphoner et de mieux travailler. Ce n'était pas cela du tout. Il m'a déclaré qu'il allait me parler d'un projet encore très vague. Il voulait seulement avoir mon avis sur la question. Il avait l'intention d'installer un bureau à Paris qui traiterait ses affaires sur la place, et directement, avec les grandes compagnies et il voulait savoir si j'étais disposé à y aller. (…) J'ai dit que oui mais que dans le fond cela m'était égal. Il m'a demandé alors si je n'étais pas intéressé par un changement de vie. J'ai répondu qu'on ne changeait jamais de vie, qu'en tout cas toutes se valaient et que la mienne ici ne me déplaisait pas du tout. Il a eu l'air mécontent, m'a dit que je répondais toujours à côté, que je n'avais pas d'ambition et que cela était désastreux dans les affaires. (…)

Le soir, Marie est venue me chercher (…) elle m'a pris le bras en souriant et elle a déclaré qu'elle voulait se marier avec moi. J'ai répondu que nous le ferions dès qu'elle le voudrait. Je lui ai parlé alors de la proposition du patron et Marie m'a dit qu'elle aimerait connaître Paris. Je lui ai appris que j'y avais vécu dans un temps et elle m'a demandé comment c'était. Je lui ai dit : « C'est sale. Il y a des pigeons et des cours noires. Les gens ont la peau blanche. »

Albert Camus   *L'Étranger*, éd Gallimard, 1942.

2 Transposez au discours indirect.

Grand-mère

– Entre vite mon chéri et enlève ton manteau.
  J'ai fait des crêpes ! Tu en veux ? Assieds-toi !
  Tu es allé au cinéma ? Qu'est-ce que tu as vu ?
  Ça t'a plu ? On va passer l'après-midi à la piscine
  avec ta cousine. Il y aura d'autres jeunes. Ça
  t'amusera et ça te fera du bien. Prends ton
  maillot.

La grand-mère a dit à son petit-fils d'entrer,

et d'enlever son manteau. Elle lui a dit _____

_____

3 Mettez le message au discours indirect.

À monsieur Castro

Bonjour monsieur. C'est madame Bourgoin,
la concierge. J'ai besoin des clés de la cave : j'ai
perdu les miennes. Les employés du gaz passeront
demain entre 8 et 10 heures et il faut leur ouvrir.
Si vous êtes d'accord, ils sonneront chez vous.
Appelez-moi au 01 02 03 04 s'il y a un problème.
Merci.

Madame Bourgoin, la concierge, a téléphoné.

Elle a dit qu'elle _____

_____

4 Mettez le message au discours indirect.

À la jeune maman

– Alors ? À quelle heure est né ton bébé ?
  Comment va-t-il ? Combien pèse-t-il ?
  As-tu souffert ? Est-ce que tu l'allaites ?
  As-tu une chambre individuelle ? Je pense passer
  demain : ça te convient ? Qu'est-ce qui te ferait
  plaisir ? Il y a de belles fleurs dans le jardin :
  je peux en apporter ?

Sophie a appelé la jeune maman.

Elle lui a demandé _____

_____

5 Mettez le message au discours indirect.

Au responsable du dépôt

Bonjour. Marc Blomet, directeur de l'entreprise
A.R.L. Je voulais vous signaler que le lot de
batteries 326 que vous nous avez expédié hier
est défectueux et qu'il faudra de toute urgence le
retirer du marché. Nous vous le renverrons demain
par camion sécurisé. Nous déduirons des factures
aussi bien le montant des lots restitués que les frais
engagés à cette occasion.

Marc Blomet nous a appelé hier.

Il a signalé que _____

_____

E X E R C I C E S

1   **Transformez, selon le modèle, en utilisant :** Je ne sais pas / J'aimerais savoir / Je me demande

1. – Qu'est-ce que Sonia cherche désespérément ? Est-ce que je peux l'aider ?

Je ne sais pas ce que Sonia cherche désespérément et je me demande si je peux l'aider.

2. – Qu'est-ce que Nick est allé faire rue Saint-Denis ? Quand va-t-il revenir ?

_____

3. – Que disait le SMS qu'a reçu Jacek ? Pourquoi rit-il ?

_____

4. – Est-ce que Karolina a fini son reportage ? Où est-elle en ce moment ?

_____

5. – Pourquoi Yakub est-il si élégant ? A-t-il a mis ses belles chaussettes rouges aujourd'hui ?

_____

6. – Pourrons-nous pique-niquer demain ? Qu'est-ce que la météo a annoncé ?

_____

7. – Qu'est-ce que Dorota a écrit dans son journal intime ? Pourquoi est-elle si rêveuse ?

_____

8. – Est-ce qu'on regardera le match à la télé ? Est-ce que le PSG va retrouver sa forme ?

_____

9. – Que fait Darek pour être si musclé ? – Est-ce qu'il fait des pompes tous les matins ?

_____

2   **Transformez en variant les verbes introducteurs** (affirmer, annoncer, estimer, ajouter, préciser, **etc.**).

1. Selon le porte-parole des syndicats, dix-huit ouvriers ont trouvé la mort sur les chantiers de T. en six mois. « Cette hécatombe n'est pas due au hasard : ce n'est pas le destin. Ce sont des accidents du travail. Les normes de sécurité n'ont pas été respectées. »

Le porte-parole des syndicats a affirmé que dix-huit ouvriers _____

_____

_____

2. Selon le ministère de l'Intérieur, le policier agressé lors d'affrontements avec des manifestants lundi dernier a succombé à ses blessures. « Cependant, la victime n'est pas décédée dans la rue, comme l'ont annoncé les médias, mais à l'hôpital où elle a été transportée. »

_____

_____

3. Selon le chef de la Protection civile italienne, le nombre des victimes du tremblement de terre de L'Aquila s'établit autour de 200 morts et de 1 500 blessés. « Il faudra reloger près de 50 000 sans-abri et il faudra des années pour réparer les dégâts. »

_____

_____

E X E R C I C E S

1 Remplacez le verbe « dire » par d'autres verbes appropriés au contexte et transformez, selon le modèle.

promettre ~~avouer~~ prétendre jurer ordonner
annoncer conseiller nier garantir reconnaître

1. « *C'est moi qui ai tué la voisine* », <u>a dit le suspect</u>, et le commissaire a poussé un soupir.

   Le suspect a avoué qu'il avait tué la voisine, et le commissaire a poussé un soupir.

2. « *Ah oui, j'ai fait une erreur* », <u>a dit la caissière.</u> Et elle a refait l'addition.
   _____

3. « *Je dirai toute la vérité* », <u>a dit le témoin</u>. Et il a posé la main sur la Bible.
   _____

4. « *J'ai moins de 16 ans* », <u>a dit le jeune homme</u>, pour payer demi-tarif, alors qu'il avait 18 ans.
   _____

5. « *Je rentrerai avant minuit* », <u>a dit la jeune fille</u>. Et elle a embrassé sa mère.
   _____

6. « *Vous serez remboursés si vous n'êtes pas satisfaits* », <u>a dit le v</u>endeur. Et nous avons acheté le produit.
   _____

7. « *Je n'ai pas copié sur mon voisin !* » <u>a dit l'élève</u>. Pourtant sa copie était presque identique.
   _____

8. « *Levez-vous !* » nous <u>a dit le directeur</u>. Et nous avons obéi immédiatement.
   _____

9. « *Je vais me marier* », <u>a dit le jeune homme</u>. Et il a offert un verre à ses amis.
   _____

10. « *Faites plus d'exercices. Mangez moins !* » <u>m'a dit le médecin</u>. Et il m'a serré la main.
   _____

2 Employer les verbes introducteurs correspondant le mieux au contexte et mettez au discours indirect.

estimer ~~assurer~~ remarquer annoncer confier laisser entendre

1. Le gendarme : « Il n'y a plus aucun danger, on a dégagé la route. »

   Le gendarme a assuré qu'il n'y avait plus aucun danger et qu'on avait dégagé la route.

2. L'institut de sondage : « Le taux d'abstention atteindra au moins 40 pour cent. »
   _____

3. L'acteur célèbre : « Je n'ai pas confiance en moi. Je tremble chaque fois que j'entre sur scène. »
   _____

4. La météo « Il va pleuvoir sur toute la France et il y aura des orages dans le Sud. »
   _____

5. L'homme politique : « Je me représenterai peut-être aux prochaines élections. »
   _____

6. La voisine du 1ᵉʳ : « Tiens ! Le voisin du second a rasé sa moustache. »
   _____

3 Transformez, selon le modèle.

1. Il avoua qu'il avait menti. « *J'ai menti* », avoua-t-il. ____   **4.** Elle lui demanda d'attendre. _____

2. Il jura qu'il ne le ferait plus. _____   **5.** Ils répondirent qu'ils étaient pressés. _____

3. Elle leur ordonna de se taire. _____   **6.** Elle annonça qu'elle allait avoir un enfant. _____

1 *Discours direct et discours indirect.*

Dans **L'Amant**, Marguerite Duras évoque l'amant chinois qui la séduisit à l'âge de quinze ans et demi. À la suite de l'adaptation cinématographique dont elle n'était pas satisfaite, elle écrivit une deuxième version du texte. Comparez les versions.

L'Amant (1984)

L'homme élégant est descendu de la limousine, il fume une cigarette anglaise. Il regarde la jeune fille au feutre d'homme et aux chaussures d'or. Il vient vers elle lentement. C'est visible, il est intimidé. Il ne sourit pas tout d'abord. Tout d'abord il lui offre une cigarette.

Sa main tremble. Il y a cette différence de race, il n'est pas blanc, il doit la surmonter, c'est pourquoi il tremble. Elle lui dit qu'elle ne fume pas, non merci. Elle ne dit rien d'autre, elle ne lui dit pas laissez-moi tranquille. Alors il a moins peur. Alors il lui dit qu'il croit rêver. Elle ne répond pas. Ce n'est pas la peine qu'elle réponde, que répondrait-elle. Elle attend. Alors il le lui demande : mais d'où venez-vous ? Elle lui dit qu'elle est la fille de l'institutrice de l'école de filles de Sadec. Il réfléchit et puis il dit qu'il a entendu parler de cette dame, sa mère, de son manque de chance avec cette concession qu'elle aurait achetée au Cambodge*, c'est bien ça n'est-ce pas ? Oui c'est ça.

Il répète que c'est tout à fait extraordinaire de la voir sur ce bac. Si tôt le matin, une jeune fille belle comme elle l'est, vous ne vous rendez pas compte, c'est très inattendu, une jeune fille blanche dans un car indigène.

Il lui dit que le chapeau lui va bien, très bien même, que c'est... original... un chapeau d'homme, pourquoi pas ? elle est si jolie, elle peut tout se permettre.

Elle le regarde. Elle lui demande qui il est. Il dit qu'il revient de Paris où il a fait des études, qu'il habite Sadec lui aussi, justement sur le fleuve, la grande maison avec les grandes terrasses aux balustrades de céramique bleue. Elle lui demande ce qu'il est. Il dit qu'il est chinois, que sa famille vient de la Chine du Nord, de Fou-Chouen. Voulez-vous me permettre de vous ramener chez vous à Saigon ? Elle est d'accord. Il dit au chauffeur de prendre les bagages de la jeune fille dans le car et de les mettre dans l'auto noire.

* Cette concession a été ravagée peu à peu par l'océan.

Éd. Gallimard.

L'Amant de la Chine du Nord (1991)

De la limousine noire est sorti un autre homme que celui du livre, un autre Chinois de la Mandchourie.

Il la regarde. Ils se regardent.

Se sourient. Il s'approche.

Il fume une 555. Elle est très jeune. Il y a un peu de peur dans sa main qui tremble, mais à peine, quand il lui offre une cigarette.

– Vous fumez ?

L'enfant fait signe : non.

– Excusez-moi... C'est tellement inattendu de vous trouver ici... Vous ne vous rendez pas compte...

L'enfant ne répond pas. Elle ne sourit pas. Elle le regarde fort. (...) L'enfant dit :

– C'est quoi votre auto ? ...

– Une Morris Léon Bollée.

L'enfant fait signe qu'elle ne connaît pas. Elle rit. Elle dit :

– Jamais entendu un nom pareil ...

Il rit avec elle. Elle demande :

– Vous êtes qui ?

– J'habite Sadec.

– Où ça à Sadec ?

– Sur le fleuve, c'est la grande maison avec des terrasses. juste après Sadec.

L'enfant cherche et voit ce que c'est. Elle dit :

– La maison couleur bleu clair du bleu de Chine...

– C'est ça. Bleu-de-Chine-clair.

Il sourit. Elle le regarde. Il dit :

– Je ne vous ai jamais vue à Sadec.

– Ma mère a été nommée à Sadec il y a deux ans et moi je suis en pension à Saigon. C'est pour ça. (...)

Elle demande :

– Et vous ?...

– Moi, je reviens de Paris. J'ai fait mes études en France pendant trois ans. Il y a quelques mois que je suis revenu. (...) Et vous ?

– Je prépare mon bac au collège Chasse-loup-Laubat. Je suis interne à la pension Lyautey.

Éd. Gallimard.

Marguerite Duras (1914-1996) : écrivain, dramaturge et cinéaste.

2 Conditionnel.

« *Avec des "si", on peut faire tout ce qu'on ne peut pas faire* » **Pierre Dac**.

Gibert Bécaud rêve d'avoir des sous.

Ah ! si j'avais des sous

Ah ! si j'avais des sous
Je ferais des affaires
Mais pour faire des affaires
D'abord faut savoir les faire
Et ensuite avoir des sous
Et pour avoir des sous
Il faut faire des affaires
Les sous appellent les sous
Petits sous mis bout à bout
Ça te fait une grosse affaire

Mais des sous, ben j'en ai pas
Et je donnerais très cher pour savoir où y' en a
À Bahia, au Pérou
Mais pour aller au Pérou, il faut des sous
C'est bien connu

Ah ! si j'avais des sous
J'irais chez le notaire
J'achèterais de la terre
À Narbonne ou en Poitou
Où je planterais mes choux
Mais pour planter des choux
Il me faut de la terre
Pour acheter de la terre
Comme dit monsieur le notaire
C'est une affaire de sous

Mais des sous, ben j'en ai pas
Et je donnerais très cher pour savoir où y'en a
À Bahia, au Pérou
Mais pour aller au Pérou, il faut des sous
C'est bien connu

Ah ! si j'avais des sous
Je ferais des affaires
Mais pour faire des affaires
D'abord faut savoir les faire
Et ensuite avoir des sous
Ah ! si j'avais des sous
Comme j'en ai envie
Je s'rais riche maintenant
Et j'aurais évidemment
Beaucoup de sou........cis
C'est bien connu !

Paroles : Pierre Delanoë

Gilbert Bécaud (1927-2001) : chanteur, compositeur, pianiste et acteur français.

Diderot imagine Internet et la web-cam

Si j'avais seulement un miroir magique qui me montrât mon amie dans tous les instants ; si elle se promenait sous mes yeux dans une glace comme dans les lieux qu'elle habite (…) combien je me lèverais de fois la nuit pour l'aller voir dormir.

Diderot, *Lettres à Sophie Volland* (28 juillet 1762)

Si cet homme-là étendait un jour la correspondance d'une ville à une autre […], il ne s'agirait plus que d'avoir chacun sa boîte. Ces boîtes seraient comme deux petites imprimeries où tout ce qu'on imprimerait dans l'une, subitement s'imprimerait dans l'autre.

Diderot, *Lettres à Sophie Volland* (1er août 1765)

Sempé s'amuse des « possibles ».

– *J'aurais voulu que tu sois, quand je t'ai rencontré, un artiste pauvre et malade. Je t'aurais soigné. Je t'aurais aidé de toutes mes forces. Nous aurions eu des périodes de découragement, mais aussi des moments de joie intense. Je t'aurais évité, dans la mesure de mes possibilités, tous les mille et un tracas de la vie, afin que tu te consacres à ton art. Et puis, petit à petit, ton talent se serait affirmé. Tu serais devenu un grand artiste admiré et adulé, et un jour, tu m'aurais quittée pour une femme plus belle et plus jeune. C'est ça que je ne te pardonne pas.*

Sauve qui peut, éd. Denoël, 1964.

Sempé, né en 1932, illustrateur français, est l'auteur de nombreux ouvrages drôles, poétiques et nostalgiques, dont *Le Petit Nicolas*.

Sondage-test n° 6 *(50 points)*

Complétez le sondage, répondez et interrogez votre voisin(e).

1. Est-ce que vous croyez que l'homme _____ supérieur aux animaux ? Pourquoi ?

2. Vous paraît-il souhaitable que l'homme _____ plus de cent ans ? Imaginez les conséquences.

3. Trouvez-vous normal que les banques _____ des profits avec votre argent ? Y a-t-il des alternatives ?

4. Dans quel lieu est-ce que vous _____ vivre, si vous _____ le choix ? Imaginez.

5. Pensez-vous qu'un jour tous les hommes _____ la même langue et _____ la même culture ?

6. Si vous _____ un million d'euros au Loto, que _____ de cet argent ?

7. Souhaiteriez-vous que l'humanité _____ végétarienne et que les animaux _____ sauvages?

8. Ne croyez-vous pas qu'il _____ trop de monde sur terre ? Faut-il que les naissances _____ contrôlées ?

9. Si vous _____ président(e) de votre pays, quelles sont les mesures que vous _____ ?

10. Pensez-vous qu'il _____ toujours des pauvres et des riches, quoi qu'on _____ ?

11. Croyez-vous que la planète _____ à se réchauffer et que nous _____ d'eau un jour ?

12. Trouvez-vous regrettable que les jeunes ne _____ plus de livres et qu'ils ne _____ plus écrire à la main ?

13. Pensez-vous que les campagnes publicitaires à but humanitaire _____ efficaces ? Justifiez.

14. Pensez-vous que le téléchargement gratuit _____ une bonne chose ? Donnez le pour et le contre.

15. Pensez-vous qu'un jour notre alimentation _____ totalement contaminée ? Que faire ?

16. Pensez-vous qu'on _____ faire obstacle aux trafi_____ de drogue en légal_____ le cannabis?

17. Avez-vous le sentiment que le monde _____ trop vite et qu'on ne_____ plus le temps de vivre ?

18. Jugez-vous que l'idée de ramener l'âge de la majorité à 16 ans _____ dangereuse ?

19. Est-ce que cela vous surprend qu'il y _____ toujours des guerres quelque part ?

20. Est-ce que votre vie _____ différente si vous _____ d'un autre sexe ?

21. Trouvez-vous dommage que parents et grands-parents ne _____ plus sous le même toit familial ?

22. Que pensez-vous du fait que l'image _____ omniprésente dans la vie quotidienne ?

23. Quel don extraordinaire _____ avoir ? Quel métier ne _____ -vous sous aucun prétexte ?

24. Est-ce que cela vous plaît, ou est-ce que cela vous laisse indifférent qu'on vous _____ des compliments ?

25. Si vous _____ d'un instrument dans une fanfare, de quel instrument _____ vous ?

26. Ne trouvez-vous pas scandaleux qu'un homme sur cinq _____ de faim et que des populations entières ne _____ pas accès à des médicaments de base ?

27. Que se _____ - il à votre avis si on _____, un jour, cloner l'espèce humaine ?

28. Quel est le film le meilleur que vous _____, la personne la plus extraordinaire que vous _____, le rêve le plus affreux que vous _____, la chanson la plus belle que vous _____ entendue?

29. Si vous _____ que vous allez mourir demain, que _____ vous ?

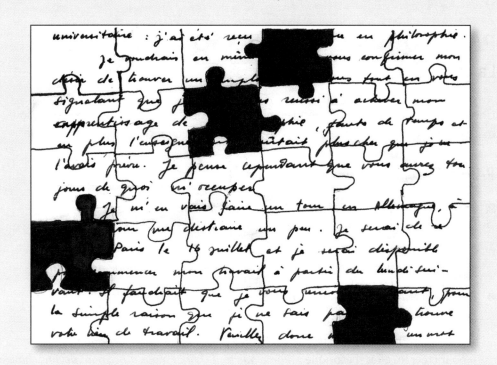

7 - Le discours : les articulations logiques

Récréation n° 7
Test n° 7

PARCE QUE, COMME, PUISQUE, CAR
La cause (1)

Une cause peut se placer en début ou en fin de phrase. Elle peut apporter une explication, mettre l'accent sur une circonstance ou justifier une conséquence.

PARCE QUE, COMME, CAR : cause neutre, objective

■ **Parce que** introduit généralement la cause <u>en fin de phrase</u>.

Il y a du monde dans la rue
***parce que** c'est samedi*

■ **Comme** introduit toujours la cause en <u>début de phrase</u>.

***Comme** c'est samedi,*
il y a du monde dans la rue.

● **Parce que** répond à la question « pourquoi ? » pour **expliquer** un fait.

On peut l'employer en début de phrase :

– pour répondre à une question : – *Pourquoi partez-vous ?* – ***Parce que** j'ai un rendez-vous.*
– pour créer un effet rhétorique : ***Parce que** tout change, nous aussi, nous devons changer.*

● **Comme** met l'accent sur une **circonstance** objective, connue de tous.
***Comme** l'été approche, les jours sont plus longs.*
***Comme** l'eau est plus lourde que l'huile, l'huile flotte sur l'eau.*

■ **Car** introduit la cause en fin de phrase et s'emploie surtout à l'écrit.
*Nous ne pouvons assurer les livraisons, **car** nous sommes en rupture de stock.*

PUISQUE, DU MOMENT QUE, SI : cause subjective

■ **Puisque** introduit en début ou en fin de phrase une **cause connue de l'interlocuteur**.
– *Tu as la migraine ? **Puisque** tu as la migraine, va te coucher !*
– *Paul est arrivé ? La réunion peut commencer **puisqu'**il est là !*

● **Puisque** part d'une cause évidente pour **justifier** une conséquence.
On l'emploie souvent avec une exclamation dans une **argumentation**.
– ***Puisque** tu n'écoutes pas, je m'en vais !*   = si... alors
– *Réponds, **puisque** tu sais tout...*   = si... alors

> ❯ **Comme** est objectif, **puisque** apporte un argument pour convaincre. Comparez :
> *Comme Max est écologiste, les problèmes d'environnement le concernent.*
> *Qu'il donne l'exemple en triant ses déchets, **puisqu'**il est écologiste !*   ~~parce qu'il est~~
> ***Puisqu'**il est écologiste, pourquoi a-t-il acheté une si grosse voiture ?*   ~~comme il est~~

■ **Du moment que/Si** = puisque
***Du moment que** tu ne veux pas venir, je n'insiste pas.*
*Comment aurais-je pu te répondre, **si** je n'ai pas reçu ta lettre.*

■ On enchaîne plusieurs causes avec **que**.
*Je vais rentrer **parce que** je suis fatigué et **que** je dois me lever tôt.*
*Comme il est très tard et **qu'il** n'y a plus de métro, j'espère trouver un taxi.*
*Puisque tu es si fatigué et **qu'il** est si tard, pourquoi ne dors-tu pas ici ?*

E X E R C I C E S

1 **Lisez. Soulignez les expressions de cause.**

Acrobate

– Bonsoir, ma chérie. J'ai vu que tu m'avais appelé, mais je n'ai pas pu répondre <u>parce que</u> j'étais en voiture. Pourquoi est-ce que tu m'as cherché ?

– Parce que j'ai perdu mes clés. J'étais dans la rue et je ne pouvais plus rentrer.

– Comment ça ?

– Eh bien, il était huit heures moins dix, et comme il n'y avait plus de pain, je suis descendue en vitesse à la boulangerie. Quand je suis arrivée devant la porte, je n'avais plus les clés. J'ai cherché partout dans la rue, mais comme il faisait noir, je n'ai rien trouvé.

– Mais comment as-tu fait pour rentrer puisque tu n'avais pas de clé ?

– Je t'ai appelé, pas de réponse. Alors, j'ai sonné chez le voisin : comme la fenêtre de sa chambre est à côté de la fenêtre de notre salon et que notre fenêtre était ouverte, je suis passée par là.

– Mais tu es folle ! C'était risqué… Par la façade ! Dans le noir…

– Oh, on est au premier étage. Si je l'ai fait, c'est parce qu'il y avait peu de risques, qu'il fallait sortir le rôti du four et que c'était rigolo…

2 **Parce que/comme. Transformez en commençant par la cause ou par la conséquence.**

1. Il a été arrêté. Il a insulté un agent de police. *Il a été arrêté parce qu'il a insulté un agent de police.*

2. Il est sorti sans autorisation. Il a été puni. *Comme il est sorti* _____

3. Elle a pris un taxi. Elle était en retard. _____

4. Elle était mal garée. Elle a eu une contravention. _____

5. Il s'est dopé. Il a perdu son titre de champion. _____

6. La route est barrée. Il y a des travaux. _____

3 **Parce que/puisque. Choisissez.**

	parce que	puisque
1. Je te rappellerai plus tard : je n'ai plus de batterie.	☒	☐
2. Je te rappellerai plus tard. Tu es occupé.	☐	☒
3. Si tu veux des renseignements sur la France, demande à Jules. Il est français.	☐	☐
4. Mes amis n'ont pas pu partir. Leur voiture est tombée en panne.	☐	☐
5. Pourquoi tu ne m'as rien dit ? Tu savais tout…	☐	☐
6. On peut signer le contrat. Tout le monde est d'accord !	☐	☐
7. Mon portable est hors d'usage. Je l'ai fait tomber dans l'eau…	☐	☐
8. Aide-moi à faire la vaisselle. Tu n'as rien d'autre à faire !	☐	☐

4 **Comme/puisque. Complétez.**

1. Je voulais rentrer en métro, mais *comme* il faisait beau, je suis rentré(e) à pied.

2. _____ tu dis que tu n'aimes pas la télé, pourquoi as-tu acheté un téléviseur si cher ?

3. Je voulais faire une omelette, mais _____ je n'avais que deux œufs, j'ai fait des pâtes.

4. – La tempête a endommagé la toiture. – Ne t'inquiète pas : tu seras remboursé_____ tu es assuré !

5. _____ le joggeur courait tout nu dans la forêt, il a été arrêté par la police.

6. Reprends un peu de gâteau, _____ tu aimes ça…

7. _____ les élections ont lieu dans un an, les candidats ont commencé leur campagne.

5 **Imaginez des causes pour :**

une panne d'essence en pleine campagne   un repas raté   une dispute   un gros rhume

E X E R C I C E S

1 **Lisez. Observez.**

> J'aime bien les gens fêlés,
> **parce qu**'ils laissent passer
> la lumière.
>
> Michel Audiard

> On a déjà tout dit, mais
> **comme** personne n'écoute,
> il faut recommencer.
>
> André Gide

> Et **puisqu**'en tout cas on est
> malheureux, autant que ce soit
> **parce qu**'on est amoureux.
>
> Guy Béart

2 **Complétez avec** parce que, comme, puisque **ou** que.

1. – Pourquoi est-ce qu'il y a autant de voitures de pompiers dans la rue ?

– _____ la boutique du rez-de-chaussée a pris feu et _____ le feu s'est propagé dans les étages.

Mais_____ les pompiers sont arrivés tout de suite, et _____ il n'y avait presque personne

à cette heure-là, il n'y a eu que des dégâts matériels.

2. – Pourquoi êtes-vous arrivé(e) en retard ce matin ?

– _____ j'étais malade et _____ j'ai passé la nuit à tousser.

– _____ vous étiez si malade, vous n'auriez pas dû venir !

3. – _____ tu es allergique aux animaux, pourquoi as-tu acheté un hamster à ton fils ?

– _____ j'avais déjà dit « non » pour un chien, un singe, un perroquet et un chat !

Alors, _____ il ne restait que des poissons et _____ les poissons me rendent nerveux,

j'ai dit « oui » pour le hamster.

3 **Formulez librement une cause avec** comme, parce que, puisque.

1. Je suis obligé(e) d'écrire de la main gauche, _____

2. _____, la compagnie d'aviation a dû annuler le vol.

3. C'est toi qui devras faire réparer la voiture, _____ !

4. _____, la maison était glaciale quand on est rentrés.

5. Signons vite ce contrat _____

6. Pierre a félicité son fils _____

7. _____ je t'interdis dorénavant d'utiliser mon ordinateur !

8. _____, j'ai attendu une heure dans la salle d'attente.

4 **Complétez avec** comme, parce que/car, que **ou** puisque/du moment que.

Paule Roseval

– J'ai trouvé un portefeuille dans la rue, avec 1 500 euros. _____ il y avait une carte de piscine au nom de Paule Roseval, mais _____il n'y avait pas de numéro de téléphone, j'ai cherché dans l'annuaire.

– Et alors ?

– J'ai trouvé trois Paule Roseval, et _____ je ne savais pas laquelle était la bonne, je les ai appelées toutes les trois. J'ai laissé un message sur le répondeur _____ il n'y avait personne.

– Tu es fou : elles vont toutes réclamer le portefeuille_____ elles savent que tu as trouvé de l'argent !

– Eh bien figure-toi* que ça fait six mois de ça, alors je crois que je vais garder l'argent, _____ personne ne l'a réclamé.

*figure-toi : imagine-toi

E X E R C I C E S

1 Rédigez un article de journal selon le modèle.

Montréal

Violente tempête de neige
Fermeture de l'aéroport
Perturbation du système radar
Suspension de tous les vols

Montréal

L'aéroport de Montréal a été fermé, car il y a eu une violente tempête de neige.
Comme le système radar a été perturbé, tous les vols ont été suspendus.

Lyon

Manifestation contre la réforme scolaire
Centre-ville bloqué plusieurs heures
Voitures brûlées
Intervention de la police

Lyon _____
_____
_____
_____
_____
_____

Lille

Effondrement du plafond d'un supermarché
Accumulation de neige sur le toît
Heure creuse
Aucune victime

Lille _____
_____
_____
_____
_____
_____

Marseille

Bousculade au stade de football
Alerte à la bombe
Sortie de secours encombrée
35 blessés

Marseille _____
_____
_____
_____
_____
_____

Paris

Condamnation d'un étudiant à 1 an de prison
Usurpation d'identité de clients d'une banque
Envoi d'e-mails factices d'apparence officielle
Récupération de données personnelles
Escroquerie de plusieurs milliers d'euros

Paris _____
_____
_____
_____
_____
_____

---

2 Écrit. **Racontez un grand événement de l'histoire de votre pays.**

3 Écrit. **Un embouteillage a paralysé le centre-ville pendant deux heures. Écrivez un compte rendu.**

À CAUSE de, GRÂCE à, FAUTE de, POUR, PAR
La cause (2)

À CAUSE de, GRÂCE à, À FORCE de, FAUTE de

■ **À cause de** + nom/pronom
= cause **négative** ou **neutre**

*J'ai échoué **à cause de** toi.*
*Je dors mal **à cause du** bruit.*

■ **Grâce à** + nom/pronom
= cause **positive**

*J'ai réussi **grâce à** toi.*
*Je dors bien **grâce à** Somniflor.*

■ **À force de** + nom sans article
ou infinitif indique la **répétition**.

À force de volonté, il a réussi.
À force de sauter sur le lit, tu l'as défoncé.

■ **Faute de** + nom sans article
ou infinitif indique le **manque**.

*On n'est pas partis **faute d'**argent.*
*Il a échoué **faute d'**avoir travaillé.*

> ❱ **Par manque de/à défaut de** sont également suivis d'un nom **sans article**.
> *On n'a pas pu terminer **par manque de** temps.* ~~par manque du temps~~
> *À **défaut de** pain, on mangera des biscottes.* ~~à défaut du pain~~

POUR, PAR, SOUS PRÉTEXTE QUE

■ **Pour** + nom sans article indique
un motif de récompense
ou **de punition.**

*Être condamné **pour** meurtre/**pour** vol.*
*Être félicité **pour** bonne conduite.*

■ **Par** + nom sans article indique
qu'un **sentiment éprouvé** est
le moteur de l'action.

*Tuer **par** jalousie/**par** vengeance.*
*Agir **par** amour/**par** solidarité.*

● **Pour** s'emploie également avec un **infinitif passé**.

*Pierre et Marie Curie ont reçu le prix Nobel **pour avoir découvert** le radium.*
*Le comptable a été condamné **pour avoir volé** dans la caisse.*
*Un employé a été licencié **pour s'être endormi** pendant son travail.*

■ **Sous prétexte que** : cause considérée comme **fausse, inventée**

*Antoine n'a pas rendu son devoir **sous prétexte qu'**il était malade.*
*Léon passe ses journées au lit **sous prétexte qu'**il est un peu enrhumé.*

● **Sous prétexte de** + nom ou infinitif

*On ferme des hôpitaux **sous prétexte de** vétusté.*
***Sous prétexte de** lutte contre le terrorisme, les droits de l'homme sont violés.*
*Le cambrioleur a pénétré dans l'immeuble **sous prétexte de** vérifier les compteurs.*

■ **De** + nom sans article : cause qui produit un **effet physique**

*Être mort **de** faim*	*Être vert **de** rage*	*Être rouge **de** honte*
*Trembler **de** froid*	*Mourir **de** chagrin*	*Sauter **de** joie*

EXERCICES

1 Lisez. Soulignez les expressions de cause.

> **Un match difficile**
>
> Notre équipe a gagné le match grâce au but marqué par Mossi à la dernière minute. Et pourtant, nous avions failli perdre à cause de l'arbitre. Non seulement il a refusé le premier but sous prétexte qu'un attaquant était hors-jeu (la vidéo montre que c'est faux), mais il a en outre expulsé un de nos joueurs pour avoir contesté sa décision. Tout le stade a protesté, par solidarité. Heureusement notre équipe a été tenace et, à force de contre-attaquer, nous avons fini par marquer. Les supporters étaient fous de joie…

2 Grâce à, à cause de. **Transformez, selon le modèle.**

1. Léa a raté son examen oral parce qu'elle est très timide. Léa *a raté son examen oral à cause de sa timidité.*

2. Les banques ont été sauvées parce que les États sont intervenus. Les banques _____

3. Le joueur n'a pu terminer le match parce qu'il s'est blessé. Le joueur _____

4. Le candidat a été élu parce qu'il a été soutenu par ses électeurs. Le candidat _____

5. Les glaciers fondent parce que le climat se réchauffe. Les glaciers _____

3 Faute de + infinitif passé. **Reformulez, selon le modèle.**

1. Les dirigeants n'ont pas anticipé les événements. Ils ont été critiqués *faute d'avoir anticipé les événements.*

2. L'élève n'a pas suffisamment révisé. Il a raté ses examens _____

3. Certaines personnes ne sont pas inscrites sur les listes. Elles n'ont pas pu voter _____

4. Je n'ai pas réagi à temps. J'ai raté une bonne occasion _____

5. Le candidat n'a pas répondu à la dernière question. Il a été éliminé _____

4 Pour, par + nom. **Complétez.**

1. Être condamné *pour* fraude fiscale.   **2.** Se sacrifier _____ amour.   **3.** Faire grève _____ solidarité.

4. Être mis en examen _____ corruption.   **5.** Être puni _____ mauvaise conduite.

5 De + nom. **Complétez librement.**

1. Il fait six degrés : on tremble *de froid.*

2. Va te coucher : tu tombes _____

3. Paul est très fâché. Il est rouge _____

4. Je n'ai rien mangé. Je meurs _____

6 À force de. **Imaginez des causes.**

1. Tu vas te casser la voix *à force de crier.*

2. Tu réussiras aux examens _____

3. Tu vas grossir _____

4. Tu trouveras la solution _____

7 Pour + infinitif passé. **Transformez.**

1. Un humoriste a tenu des propos racistes. Il a été condamné *pour avoir tenu des propos racistes.*

2. Un footballeur a commis une faute grave. Il a été exclu du match _____

3. Une automobiliste s'est garée en double file. Elle a payé 80 euros d'amende _____

4. Un élève est arrivé premier au concours national. Il a reçu une bourse d'études _____

5. Un employé s'est plaint de ses conditions de travail. Il a perdu son emploi _____

8 Imaginez des prétextes.

1. On nous a refusé l'entrée de la discothèque.   **2.** Le propriétaire a augmenté le loyer.

3. On nous impose l'énergie nucléaire.   **4.** Le concert de rock en plein air a été annulé.

1. *On nous a refusé l'entrée de la discothèque sous prétexte que c'était complet.*

2. *Le propriétaire* _____

68

D'AUTANT PLUS que, NON que, SOIT que
La cause (3)

Une cause peut être renforcée, rejetée ou mise en relief.

D'AUTANT PLUS ... que, D'AUTANT MOINS ... que, SURTOUT que

■ **D'autant plus que** : cause renforcée **positivement**

*Le français soigné de Laura est **d'autant plus** remarquable **qu'**elle est autodidacte.*

■ **D'autant moins que** : cause renforcée **négativement**

*Le français relâché de M. Balourd est **d'autant moins** acceptable **qu'**il est ministre de l'Éducation nationale.*

● **D'autant mieux que/d'autant meilleur(e) que** renforcent « bon » et « bien ».

*Votre pâte à crêpe sera **d'autant meilleure que** vous la laisserez reposer.*
*On travaille **d'autant mieux qu'**on est plus motivé.*

■ **Surtout que** renforce une cause à l'oral, en français familier**.**

*Luisa parle un excellent français. C'est étonnant. **Surtout qu'**elle l'a appris en trois ans !*
*M. Balourd s'exprime mal. C'est choquant. **Surtout qu'**il est ministre de l'Éducation nationale.*

CE N'EST PAS que, NON que, SI... C'EST que

■ **Ce n'est pas que/Non que** + subjonctif : cause **rejetée** au profit d'une autre

Je change de voiture :
***ce n'est pas qu'**elle **soit** vieille,*
***mais** elle consomme trop.*

Je change de voiture :
***non qu'**elle **soit** vieille,*
***mais** elle consomme trop.*

● Ces formes s'emploient dans un registre soutenu. En français courant, on emploie **ce n'est pas parce que** suivi de l'indicatif.

*Je change de voiture : **ce n'est pas** <u>parce qu'</u>elle **est** vieille, **mais** parce qu'elle consomme trop.*

■ **Si ... c'est parce que/Si ... c'est que** mettent **en relief** une cause.
<u>Si</u> *tu as raté ton examen, <u>c'est parce que</u> tu n'as pas assez travaillé.*
<u>Si</u> *j'ai appelé SOS médecin, <u>c'est que</u> le bébé toussait beaucoup.*

SOIT que/QUE

■ **Soit que... soit que/Que ... que** + subjonctif : plusieurs **causes possibles**
Ces formes s'emploient dans un registre soutenu.

***Soit** qu'il **ait eu** un empêchement*
*soit qu'il **se soit perdu** en route,*
Jean n'est toujours pas arrivé.

***Qu'**il **ait eu** un empêchement*
*ou qu'il **se soit perdu** en route,*
Jean n'est toujours pas arrivé.

● En français courant, on emploie **soit parce que** suivi de l'indicatif.
***Soit** <u>parce qu'</u>il a eu un empêchement, **soit** <u>parce qu'</u>il s'est perdu, Jean n'est toujours pas là.*

E X E R C I C E S

1 Lisez. Soulignez toutes les expressions de cause.

Le droit à la santé (d'après un tract)

<u>Si</u> le droit à la santé s'inscrit dans nos constitutions, <u>c'est</u> <u>parce que</u> la santé concerne chacun de nous. Mais la santé coûte cher et les besoins d'argent des gouvernements les amènent à ponctionner régulièrement les secteurs publics de la santé. Comme nous sommes tous vulnérables aux aléas* de la vie, chacun de nous peut découvrir un jour que le système de protection sociale dont il croyait bénéficier s'est réduit à une peau de chagrin*. La durée de vie a augmenté grâce aux progrès de la science, mais une grande partie de la population n'en profite pas à cause de l'inégalité d'accès aux soins. Ainsi des milliers de personnes ne peuvent être soignées par manque de structures hospitalières de proximité.

À force de fermer des hôpitaux et de réduire le personnel soignant, les malades se retrouvent à l'abandon. Cette situation est d'autant plus tragique que la vie des personnes est mise en danger pour des problèmes médicaux aisément soignables. Si certaines personnes voient leur santé dépérir, ce n'est pas qu'elles aient une maladie irréversible, c'est qu'elles n'ont pas les moyens financiers et physiques de consulter à temps un médecin. Alors, puisque nous sommes conscients de ces enjeux, rassemblons-nous pour défendre les services publics de proximité.

*aléas : événements imprévisibles   *peau de chagrin : quelque chose qui rétrécit sans cesse

2 D'autant plus, d'autant moins, d'autant mieux, d'autant meilleur. **Transformez, selon le modèle.**

1. Il fait un temps superbe. J'ai très envie de partir à la campagne. *J'ai d'autant plus envie de partir qu'il fait un temps superbe.*

2. Il fait un froid de canard ! J'ai encore moins envie de sortir. _____

3. Ce jeune athlète est handicapé moteur. Son record est remarquable. _____

4. Il y a beaucoup de candidats. J'ai peu de chance, d'être sélectionné(e). _____

5. Ces pizzas sont cuites au feu de bois. Elles sont encore meilleures. _____

6. Les élèves se sentent encouragés. Ils travaillent mieux. _____

7. L'accusé a agressé une vieille dame sans raison. Il est encore plus inexcusable. _____

3 Ce n'est pas que/non que/soit que + **subjonctif. Transformez.**

Les Dubois

Si je ne vois plus les Dubois,
ce n'est pas parce que je suis fâchée,
ce n'est pas parce que je leur en veux,
ce n'est pas parce qu'ils m'ont déplu,
ce n'est pas parce qu'ils ont été désagréables,
ce n'est pas parce qu'il y a eu un conflit entre nous,
c'est parce qu'ils sont trop ennuyeux !

Si je ne vois plus les Dubois,

ce n'est pas que je sois fâchée,

ce n'est pas que _____

_____

_____

_____

_____

Vous ne connaissez pas la vraie raison. Vous envisagez plusieurs cas.

Soit qu'elle soit fâchée, soit _____

_____ *Anna, ne voit plus les Dubois !*

4 Trouvez des causes et mettez-les en relief avec si ... c'est que/parce que, **selon le modèle.**

J'ai dû reporter notre rendez-vous. Les rues sont inondées. La baignade est interdite.

Si j'ai dû reporter notre rendez-vous, c'est parce que j'étais malade. _____

_____

SACHANT que, AYANT COMPRIS que
La cause (4)

PARTICIPE PRÉSENT, PARTICIPE PASSÉ et GÉRONDIF à valeur causale

■ **Participe présent** : la cause est une **circonstance** ou un **état**.

Connaissant bien le sujet, l'élève a eu une bonne note.	= comme il connaissait bien le sujet…
Ayant entendu des cris, la voisine est sortie.	= comme elle avait entendu des cris…
Le professeur **étant** malade, le cours est annulé.	= comme le professeur est malade…

● Ces constructions s'emploient surtout à l'écrit, dans une correspondance officielle.

Espérant recevoir une réponse positive, je vous prie d'agréer mes salutations distinguées.
N'ayant reçu aucune réponse, je me permets de vous recontacter.

■ **Participe passé** : il s'accorde comme un adjectif. **Étant** ou **ayant été** sont sous-entendus.

Restée longtemps inhabitée, la maison tombait en ruine.	= **Étant restée** longtemps inhabitée…
Arrêté en état d'ivresse, le chauffeur a été condamné.	= **Ayant été arrêté** en état d'ivresse…

■ **Gérondif** : la cause est une **action**. Le gérondif implique une **simultanéité** de la cause et de la conséquence. Les verbes **ont le même sujet**.

En voulant décrocher les rideaux, je me suis fait mal au dos.
En appuyant sur ce bouton, on allume le téléviseur.

> ❯ Le gérondif peut remplacer le participe présent lorsque le verbe exprime un processus en cours.
> *Voulant décrocher le rideau, je suis tombée.* (processus) *En voulant décrocher le rideau…*
> *Parlant sans réfléchir, le suspect s'est trahi.* (processus) *En parlant sans réfléchir…* Mais on dit :
> *Parlant plusieurs langues, l'interprète était compris de tous.* (état) ~~En parlant plusieurs langues~~

Autres expressions de la cause

■ **Étant donné/Vu/Compte tenu de** + nom : langage **administratif** ou **juridique**. Ces formes sont considérées comme des prépositions et sont donc invariables.

> *Étant donné les circonstances, nous devrons reporter la réunion.*
> *Compte tenu de la situation, il nous faut changer le planning.*
> *Vu la situation, nous devrons diversifier nos activités.*

● **Vu** relève aussi du langage familier, à l'oral. *Vu la météo, il vaut mieux ne pas sortir.*

■ **En raison de/Du fait de/Suite à** + nom = raison technique

> *Nos émissions sont suspendues en raison de la grève du personnel.*
> *Le prix de l'essence a augmenté du fait de la crise pétrolière.*
> *L'incendie s'est déclaré, suite à un court-circuit.*

● **Pour raison de** + nom sans article = idée de **but** ou de **motif** personnel.

> *Pour raison de sécurité*   *Pour raison d'économies*   *Pour raison de santé*

EXERCICES

1 ▪ **Lisez. Observez.**

> **Étant** actuellement au chômage et **désirant** bénéficier d'une formation, je vous serais reconnaissant de me faire connaître les conditions requises.

> **Ayant travaillé** cinq ans dans le prêt-à-porter et **étant** passionnée par la relation avec la clientèle, je recherche un emploi dans ce secteur.

2 ▪ Participe présent à valeur causale. **Transformez.**

1. Comme le voleur croyait que l'appartement était vide, il s'y est introduit en plein jour.
Croyant que l'appartement était vide, le voleur s'y est introduit en plein jour.

2. Comme Léa avait appris qu'on cherchait une vendeuse, elle se présenta à la boutique.
_____

3. Comme l'agresseur avait été reconnu par des témoins, il a été arrêté.
_____

4. Comme la jeune actrice espérait être engagée, elle avait bien appris son texte.
_____

5. Comme le mari s'était rendu compte que sa femme le trompait, il l'a fait suivre par un détective.
_____

6. Comme Maria avait peu dormi la nuit précédente, elle se sentait très fatiguée.
_____

7. Comme le patient trouvait le temps long, il ouvrit un magazine en attendant son tour.
_____

3 ▪ **Rédigez une lettre en remplaçant les verbes soulignés par des** participes présents.

> **Offre de candidature**
>
> Je sais que vous recherchez une secrétaire trilingue et je vous envoie ma candidature. Je parle couramment japonais et anglais, et je connais très bien l'informatique, je pense donc correspondre au profil du poste que vous décrivez. J'ai vécu plusieurs années au Japon, je connais assez bien, en outre, la culture japonaise. J'espère une réponse positive de votre part et je vous adresse mes respectueuses salutations.

Sachant _____
_____
_____
_____

4 ▪ **Suite à, en raison de, pour raison de, du fait de. (Plusieurs possibilités)**

sécurité – effondrement de la mine – ~~travaux~~ – santé – hausse du pétrole – fermeture de l'usine

1. La route est interdite à la circulation *en raison des travaux*.

2. Le chantier est interdit au public _____

3. Plusieurs mineurs ont été pris au piège _____

4. Le chanteur hospitalisé depuis hier a dû annuler sa tournée _____

5. Le prix de l'essence a augmenté _____

6. Notre entreprise a dû licencier _____

DONC, ALORS, D'OÙ, PAR CONSÉQUENT
La conséquence (1)

Les expressions de la conséquence sont généralement suivies de l'indicatif.

DONC, ALORS, C'EST LA RAISON POUR LAQUELLE : **formes courantes**

■ **Donc** et **alors** indiquent une conséquence **logique**.

*Socrate est un homme. Les hommes sont mortels. **Donc** Socrate est mortel.*
*Le prix du baril a augmenté, **donc/alors** l'essence a augmenté.*

● **Donc** est aussi fréquemment employé pour :

– retourner à un point du discours :   – ***Donc**, où en étions-nous ?*   (= bon)
– confirmer une information :   – *Vous êtes **donc** ici pour un an ?*   (= ainsi)

● À l'écrit, **donc** se place après le verbe conjugué :

*Je vous serais **donc** reconnaissant de m'accorder un délai de paiement.*

■ **C'est la raison pour laquelle, c'est pourquoi, c'est pour cela que** insistent sur la cause.

*La production a baissé, **c'est la raison pour laquelle** les prix ont explosé.*
*Les prix ont explosé. **C'est pour cela que** des émeutes ont eu lieu.*

● À l'oral, on emploie aussi :

– **C'est pour ça** : *J'ai eu la grippe. **C'est pour ça** que j'étais absente.*
– **Ce qui fait que** : *Notre équipe est arrivée première, **ce qui fait qu**'elle a gagné la coupe !*

> 》 On écrit : *C'est **pourquoi** on a fait ça.*   ~~C'est la raison pourquoi on a fait ça~~
>   *C'est la raison **pour laquelle** on a fait ça.*   ~~C'est la raison qu'on a fait ça~~

■ **D'où** + nom s'emploie à l'oral ou dans un exposé technique.

*Léo n'était pas rentré à 3 h. **D'où** notre inquiétude.*
*La ventilation ne marche pas, **d'où** la condensation élevée.*

■ **Du coup** (oral familier) exprime une conséquence brusque et inattendue.

*On a raté la sortie de l'autoroute. **Du coup**, on s'est retrouvés à Rouen.*
*Le cours a été annulé, **du coup** on est allés au cinéma.*

PAR CONSÉQUENT, SI BIEN QUE, AUSSI/AINSI **s'emploient à l'écrit.**

*Le pays traverse une crise, **par conséquent** les investissements sont bloqués.*
*Les investissements sont bloqués **si bien que** la production stagne.*
*La crise se poursuit. **Aussi** devons-nous réagir.*   *Aussi, l'avenir est incertain.*
                 inversion verbe/sujet   Aussi + virgule = pas d'inversion

> 》 On dit : **par** consé**quent** ou **en** consé**quence**.
> *Il pleut, **par conséquent/en conséquence** le match est annulé.*   ~~par conséquence~~

EXERCICES

---

1 Lisez. Observez.

> **Neige d'automne**
>
> La neige est tombée en abondance, hier, sur l'Île-de-France. Les routes sont encore verglacées, la circulation est **donc** déconseillée à l'ensemble des usagers. L'événement était totalement inattendu en cette prériode de l'année, **c'est pourquoi** les mesures de dégagement ont tant tardé. La neige a commencé à tomber vers 17 heures, heure de pointe, **si bien** que des embouteillages énormes se sont formés à l'entrée et à la sortie des villes. À la tombée du jour, tous les accès était entièrement bloqués, **ce qui fait que** de nombreux automobilistes ont dû passer la nuit dans leurs véhicules. En outre, la température est encore descendue dans la matinée, **d'où** l'apparition d'importantes plaques de verglas. Malgré l'intervention des secours, les routes ne sont pas encore praticables, **par conséquent** la prudence est de mise pour tous ceux qui circulent encore dans la région.

2 Choisissez une conséquence avec c'est pourquoi, aussi, donc, alors.

1. Je suis timide, *c'est pourquoi je n'aime pas parler en public.*   Je suis prudent quand je conduis.
Je suis très myope, *donc je suis prudent quand je conduis.*   Je n'aime pas parler en public.
Je suis boulanger, *alors je travaille la nuit.*   Je travaille la nuit.

2. Les enfants ont beaucoup marché, _____   Il n'y a pas d'école.
Demain c'est dimanche, _____   Ils sont fatigués.
Ils sont excités, _____   Ils rient comme des fous.

3. Jouba voudrait devenir avocate, _____   Elle va à la faculté de droit.
Elle est en 4ᵉ année, _____   Elle fait du baby-sitting.
Elle a besoin d'argent pour ses études, _____   Il ne lui reste qu'une année d'études.

3 D'où + nom. Reformulez.

> **Pauvre Paul**
>
> Il est inquiet, car son pouvoir d'achat baisse.
> Il est triste, car son grand amour est parti.
> Il est déçu, car son livre n'a pas eu de succès.
> Il est angoissé, car son avenir est incertain.
> Il est amer : ses amis ne l'ont pas soutenu.

Pauvre Paul

Le pouvoir d'achat de Paul baisse, d'où son inquiétude.

Son grand amour _____

_____

_____

_____

4 Par conséquent, si bien que, aussi, ainsi au choix. Transposez à l'écrit.

1. L'entreprise a perdu des clients. C'est pour ça qu'elle a dû déposer son bilan.
L'entreprise a perdu des clients, par conséquent elle a dû déposer son bilan.

2. Les médias ne sont pas fiables. Ce qui fait que les citoyens sont soupçonneux.
_____

3. L'opposition était divisée. Du coup, le candidat de la majorité a été réélu.
_____

4. Le directeur m'a assuré que je garderai mon emploi. Alors, je ne suis pas inquiète.
_____

5. L'énergie nucléaire peut être dangereuse. Aussi, nous sommes inquiets pour l'avenir.
_____

SI, TELLEMENT, TANT, TEL
La conséquence (2)

Une conséquence peut être liée à une idée d'intensité.

SI, TELLEMENT, TANT

■ **Si/tellement ... que** portent sur un **adjectif** ou un **adverbe**.

*Bob est **si** grand **qu**'il doit se baisser pour passer sous la porte.*
*On mange **tellement** bien dans ce restaurant **qu**'il est toujours complet.*

■ **Tellement ... que/Tant ... que** portent sur le **verbe** et se placent avant le participe passé.

*Nous avons **tellement** aimé ce film **que** nous l'avons vu trois fois.*
*Les randonneurs avaient **tant** marché **qu**'ils étaient épuisés.*

● Avec « avoir faim/soif/chaud/froid/sommeil/peur/mal », on emploie **tellement** ou **si**.

*J'ai eu **si** peur **que** j'ai crié.*   *J'avais **tellement** mal **que** j'ai pleuré.*

● Avec « avoir besoin » et « avoir envie », on emploie **tellement** ou **tant**.

*J'ai **tellement** besoin de toi...*   *J'ai **tant** envie de partir...*

■ **Tellement <u>de</u>/tant <u>de</u>** portent sur un **nom**.

*Il y avait **tellement de** bruit **qu**'on ne pouvait pas s'entendre.*
*Il y avait **tant de** monde **que** nous avons quitté la salle.*

> Distinguer le participe passé à valeur d'adjectif du participe passé à valeur verbale :
> *Je suis **si** fatigué(e) **que**...*   *Ça m'a **tellement** fatigué(e) **que**...*
>   ***si** surpris(e) **que**...*   ***tellement** surpri(se) **que**...*
>   ***si** choqué(e) **que**...*   ***tellement** choqué(e) **que**...*
>   ~~j'ai été tant surpris(e) que~~   ~~ça m'a si choqué(e) que~~

TEL, TELS, TELLE, TELLES

■ **Un tel, une telle, de tels/de telles** précèdent un nom.

*Il y avait **un tel** bruit **que**...*
    ***une telle** foule **que**...*
    ***de telles** vagues **que**...*
– Moins fréquent : *Le bruit était tel que...*

■ **Tel/telle/tels/telles que** suivent le nom.

*Il y avait un bruit **tel que**...*
    *une foule **telle que**...*
    *des vagues **telles que**...*
La foule était telle que...

> Si un adjectif précède le nom, on emploie **si** :
> *Il y avait un **si** <u>grand</u> bruit **que**...*   ~~un tel grand bruit que~~
> *On constate de **si** <u>grands</u> écarts **que**...*   ~~de tels grands écarts que~~

Autres marques d'intensité

au point que/à tel point que   *Il a plu **à tel point que** les quais ont été inondés.*
au point de + infinitif (= limite)   *Il a mangé du chocolat **au point d**'être malade.*
tant et si bien que   *Ils ont tiré **tant et si bien** sur la corde **qu**'ils l'ont cassée.*
de telle manière que   *Il parle **de telle manière qu**'on ne le comprend pas.*
adjectif + à + infinitif   *Il m'a raconté une histoire triste **à** pleurer.*

E X E R C I C E S

1   Lisez. Soulignez les expressions de l'intensité.

> **Tsunami au Japon** (émission de radio en direct)
>
> Le séisme suivi du tsunami qui vient de frapper le nord-est du Japon a été <u>tellement</u> inattendu <u>que</u> la population n'a pas eu le temps de se mettre à l'abri. Tout le monde est sous le choc. Les victimes errent dans les ruines dans un état de sidération. « Les dévastations sont si énormes qu'il nous faudra du temps pour estimer les dégâts », nous confie un responsable. « Il y a tant de choses à faire pour venir au secours des citoyens que le nombre des victimes n'a pu encore être évalué. » Les vagues étaient en effet d'une telle puissance que des villes entières ont été rayées de la carte. L'angoisse est extrême. Il y a tant de disparus… Les inquiétudes suscitées, en outre, par l'explosion éventuelle des réacteurs nucléaires sont telles que toute la planète se sent concernée.

2   **Si/tant (de)** ou **tellement (de)**. Complétez. Plusieurs possibilités.

Je suis *si* heureuse que tu sois de retour ! Tu m'as _____ manqué depuis ton départ. Nous étions _____ proches. Nous avions _____ points communs. On a passé de _____ bons moments ensemble. J'ai _____ attendu que j'avais perdu espoir. On a vécu séparés _____ longtemps ! J'ai une _____ grande envie de te revoir… J'ai un _____ grand besoin de toi.

3   **Si, tellement de.** Complétez.

Pauvre Marc	**Pauvre Marc**
Il est très riche. Il a un jet privé.	*Il est si riche qu'il a un jet privé.*
Il a beaucoup d'argent. Il dépense sans compter.	*Il a* _____
Il a trop d'amis. Il ne les connaît pas tous.	_____
Il est très infantile. On ne le respecte pas.	_____
Il boit beaucoup. Son foie va très mal.	_____

4   **Un tel/une telle/de tels/de telles… que.** Transformez.

1. Il y avait énormément de <u>monde</u>. On n'a pas pu rentrer. *Il y avait un tel monde qu'on n'a pas pu rentrer.*

2. Il y avait une <u>foule</u> incroyable. On ne pouvait pas circuler. _____

3. Il y a eu beaucoup de <u>dégâts</u>. Ils n'ont pu être évalués. _____

4. Il a fait très <u>froid</u>. La sortie a été annulée. _____

5. On a rencontré d'énormes <u>difficultés</u>. Notre projet a été abandonné. _____

6. L'élève a fait de grands <u>progrès</u>. Il a reçu des félicitations. _____

5   **Si, tellement (de), tant(de), tel, telle, tels.** Complétez librement. Plusieurs possibilités.

1. Ma cuisine est *si* petite qu'*on ne peut pas y manger.*

2. Nous avons dépensé _____ argent cette année que _____

3. Il y avait un monde _____ devant le cinéma que _____

4. Il a fait _____ beau cette semaine que _____

5. L'actrice a interprété le rôle avec _____ talent que _____

6. Cet étudiant parle avec un _____ fort accent que _____

7. Les enfants ont mangé _____ gâteaux que _____

8. Il y avait des problèmes _____ avec la nouvelle machine à photocopier que _____

9. Le vent soufflait avec une violence _____ que _____

TROP pour que, ASSEZ pour que, SANS que
La conséquence (3)

Lorsqu'une conséquence est irréalisable, éventuelle, entravée ou exclue on emploie le subjonctif.

TROP, ASSEZ... POUR que

■ Lorsqu'une qualité ou une quantité est suffisante, insuffisante ou excessive pour réaliser une conséquence, on emploie le subjonctif.

> *Il y a **trop** de vent **pour qu'**on <u>parte</u> en bateau.*
> *Il y a **assez** de place **pour que** tout le monde <u>puisse</u> s'asseoir.*
> ***Trop** peu de temps nous reste **pour qu'**on <u>finisse</u> ce rapport.*
> *L'enfant n'est pas **suffisamment** grand **pour qu'**on <u>puisse</u> le laisser seul.*

> *Il suffirait d'une petite erreur **pour que** tout soit à recommencer.*
> *Il n'y a aucune raison **pour que** cette manifestation soit interdite.*

N.B. On emploie toujours le subjonctif après « pour que ».

● Si le sujet des deux phrases est identique, on emploie un infinitif.

> *L'enfant est **trop** petit **pour** <u>rester</u> seul.*
> *L'étudiant n'a pas **assez** travaillé **pour** <u>avoir</u> son diplôme.*
> *Marie conduit **trop** mal **pour** <u>avoir</u> son permis de conduire.*

SANS que

■ Lorsqu'une action est systématiquement entravée ou lorsqu'on ne peut échapper à une fatalité, on emploie le subjonctif.

> *Je ne peux pas parler **sans que** tu m'interrompes !*
> *Je ne peux pas faire un pas **sans que** ma belle-mère me suive !*
> *Il ne se passe pas un jour **sans qu'**on reçoive une mauvaise nouvelle.*

● Le verbe de la principale (souvent le verbe « pouvoir ») est généralement à la forme négative.

> *On ne peut pas passer devant la porte du voisin **sans que** son chien aboie.*

■ **Sans que**, toujours suivi du subjonctif, a plusieurs significations :

– la conséquence :	*Je ne peux pas parler **sans qu'**il me critique.*	= sans éviter ses critiques
– la condition :	*Je ne signerai pas **sans que** tu sois d'accord.*	= si tu n'es pas d'accord
– la concession :	*Max a tout compris **sans que** je le lui dise.*	= pourtant je ne lui ai rien dit.

> ❭ **Sans que** n'est généralement pas suivi d'un **ne** explétif.
> *Il a tout compris sans que je le lui dise.* ~~sans que je ne le lui dise~~
> (Après un verbe négatif, on peut dire : *Il ne fait rien sans qu'on ne le lui dise.*)

● Si le sujet des deux propositions est identique, on emploie **sans** + **infinitif**.

> *Je ne peux pas faire un pas **sans** avoir mal au genou.*
> *La voisine ne parle jamais **sans** se plaindre.*

E X E R C I C E S

1 Lisez. Observez.

> **Le sculpteur et la colombe**
>
> Mon ami Ugo me racontait qu'à ses débuts de sculpteur il avait réalisé sur commande une « Colombe de la Paix ». Après des mois de travail, on avait découvert que la colombe était **trop** grosse **pour** sortir de l'atelier. Ugo n'était, à cette époque-là, **pas assez** connu **pour qu'**on démolisse (et qu'on reconstruise) le toit de son atelier. La colombe était devenue si encombrante qu'on ne pouvait plus bouger **sans qu'**elle inflige coups et bosses. « D'un oiseau de paix, elle s'était transformée en machine de guerre », disait-il avec son bel accent italien. La sculpture avait des attaches **assez** fines **pour qu'**Ugo puisse la découper. Avant d'être reconstituée, « la colombe ressemblait à un pauvre poulet ».

2 Trop, pas assez, suffisamment + **subjonctif ou infinitif. Transformez, selon le modèle.**

1. Le train part trop tôt. On ne peut pas arriver à temps.

Le train part trop tôt pour qu'on puisse arriver à temps.

2. Les enseignants ont trop d'élèves. Ils ne peuvent pas être efficaces.

Les enseignants ont trop d'élèves pour pouvoir être efficaces.

3. L'entreprise ne réalise pas assez de bénéfices. Ses actionnaires ne la soutiendront plus.

_____

4. Le temps n'est pas assez beau. Nous n'irons pas pique-niquer.

_____

5. L'enfant est trop petit. Sa mère ne peut pas le laisser seul.

_____

6. L'enfant est suffisamment grand. Il peut prendre le métro seul.

_____

7. Paul est trop imprudent. On ne peut pas lui faire confiance.

_____

3 Sans que + **subjonctif. Reformulez.**

Pauvre Bill	**Pauvre Bill**
Je sors. Il fait une crise de jalousie.	*Je ne peux pas sortir sans qu'il fasse une crise de jalousie.*
Je parle. Il m'interrompt.	_____
Je fais une critique. Il se sent visé.	_____
Je dis quelque chose, il dit le contraire.	_____
Je défends mes idées, il se met à crier.	_____

4 Sans que + **subjonctif ou** sans + **infinitif. Reformulez.**

Chaque fois

qu'elle sort, son voisin la suit.   *Elle ne peut pas sortir sans que son voisin la suive.*

qu'elle court, elle a mal au genou.   _____

qu'elle parle à Max, elle rougit.   _____

qu'elle boit du vin, elle a mal à l'estomac.   _____

qu'elle parle à Igor, il rougit.   _____

5 Trop/pas assez pour (que) + **subjonctif ou un infinitif. Complétez librement.**

Je n'ai pas assez d'argent _____. Mon portable n'a pas assez de batterie _____

J'ai trop peu de temps _____. Il y a trop de vent _____

POUR que, AFIN que, DE SORTE que
Le but

Le but exprime une intention ou une conséquence recherchée mais non encore réalisée. Il est toujours suivi du subjonctif.

POUR que, AFIN que, DE FAÇON que, DE PEUR que

■ **Pour que, afin que** (à l'écrit) expriment un **but** à atteindre.

> *Le professeur parle fort **pour que** tout le monde entende.*
> *Bill a supplié Léa **pour qu**'elle revienne.*
>
> *Je vous écris **afin que** vous sachiez la vérité.*
> *Battons-nous **afin que** chacun ait accès à l'eau potable.*

■ **De façon (à ce) que, de manière (à ce) que** insistent sur la **manière**.

> *Écrivez lisiblement **de façon qu**'on vous comprenne.*
> *Parlez plus fort **de manière à ce qu**'on vous entende bien.*

● **Après un impératif,** à l'oral, ces formes sont souvent implicites.

> *Écrivez lisiblement, **qu**'on vous comprenne !*
> *Parlez plus fort, **qu**'on vous entende !*

■ **De peur que, de crainte que** expriment une conséquence **que l'on voudrait éviter**. Avec ces expressions, on emploie souvent un « ne » explétif.

> *J'ai rentré les plantes **de peur** qu'il ne fasse froid.*
> *Je les ai protégées **de crainte** qu'elles ne meurent.*

● Lorsque le sujet des deux propositions est **identique,** on emploie l'**infinitif**.

> *J'ai tout organisé **pour** pouvoir travailler tranquillement.*
> *Je vous écris **afin de** connaître la vérité.*
> *Écrivez lisiblement **de façon à** être compris.*
> *Nous partirons tôt **de manière à** arriver avant la nuit.*
> *J'ai mis mon réveil à 5 h **de peur d**'être en retard.*

> ❭ On dit : *J'ai ajouté une couverture **pour** <u>avoir</u> plus chaud.* ~~pour que j'aie plus chaud~~
> *J'ai couru **de peur d**'<u>être</u> en retard.* ~~de peur que je sois en retard~~

■ **Histoire de** + infinitif signifie **pour** en français familier.

> *Je suis passé te voir, **histoire de** bavarder un moment.*

DE SORTE que peut exprimer une conséquence ou un but.

● **Conséquence** + indicatif

*J'avais laissé la fenêtre ouverte, de sorte que les voleurs **sont** entrés.*

● **But** + subjonctif

*J'avais laissé la fenêtre ouverte, de sorte que le chat **puisse** sortir.*

E X E R C I C E S

1 Lisez et observez.

> **Conseils de séduction pour adolescents** (d'après Internet)
>
> Contrairement aux idées reçues, on ne peut pas séduire une fille en étant simplement gentil et attentionné. Pour avoir tes chances, tu dois te débrouiller **pour qu'elle** voie en toi un mâle.
> Voici donc un aperçu rapide de l'état d'esprit à adopter :
> – Sois indépendant **pour qu'elle** ait l'impression d'avoir affaire à un homme.
> – Aie confiance en toi, **afin qu'elle** se sente en confiance.
> – Ne recule pas **de peur qu'elle** s'aperçoive de ton inexpérience. Ce n'est pas marqué sur ton front !
> – Crée le contact et fais **en sorte que** ce soit toi qui prennes les initiatives.
> – **Pour** l'intéresser, aie des passions, des centres d'intérêt. Ne sois pas terne. Montre-toi sociable.
>
> Pour plus d'informations, consulte le manuel de séduction pour ados dans sa version complète, puis lis des bouquins et fais des expériences.

2 Pour que. **Reformulez, selon le modèle.**

L'élève n'est pas attentif. *Comment faire pour qu'il soit plus attentif, pour* _____

Il n'a pas de bonnes notes. _____

Il n'apprend pas les leçons. _____

Il ne comprend pas les explications. _____

Il n'est pas assez concentré. _____

Il ne réagit pas vite. _____

3 De manière à (ce que), de peur que/de + **subjonctif ou infinitif. Transformez selon le modèle.**

1. Le professeur explique les règles clairement. Ainsi, tout le monde comprend.
Le professeur explique les règles clairement de manière à ce que tout le monde comprenne.

2. Quand je voyage, je prépare mes affaires la veille. Ainsi, je suis vite prêt(e) le lendemain.

_____

3. Aérez bien votre appartement : comme ça, l'atmosphère sera plus saine.

_____

4. Nous avons changé le téléviseur de place : ainsi tout le monde voit mieux l'écran.

_____

5. J'ai fermé les fenêtres en partant : il pourrait pleuvoir.

_____

6. Paul n'appelle jamais après 20 heures : il pourrait déranger ses amis…

_____

4 De sorte que + **conséquence ou but. Complétez, selon le modèle.**

1. (avoir) J'ai coupé le poulet de sorte que
chacun *a eu* un beau morceau.
chacun *ait* un beau morceau.

2. (finir) On a préparé le chantier de sorte que
les ouvriers _____ avant l'hiver.
les ouvriers _____ avant l'hiver.

3. (être) J'ai fait mariner la viande de sorte
qu'elle _____ plus moelleuse.
qu'elle _____ plus moelleuse.

4. (entendre) J'ai parlé fort de sorte
que tout le monde _____
que tout le monde _____

PROVOQUER, ATTEINDRE, AVOIR un IMPACT
Verbes et noms de cause, de conséquence et de but

Verbes courants

causer, provoquer, entraîner, occasionner, déclencher, donner lieu à, déboucher sur conduire à, mener à, amener à,	= être cause de
donner naissance à, engendrer, générer, créer, susciter, produire, permettre	= faire naître
provenir de, résulter de, découler de, dériver de, relever de, dépendre de, être responsable de, s'expliquer par, être dû*/due*à	= avoir pour origine
empêcher de, entraver, contraindre, faire obstacle à, obliger à, pousser à,	= stimuler de façon négative
stimuler, motiver, favoriser, faciliter, renforcer, encourager à, contribuer à, participer à, inciter à	= stimuler de façon positive
affecter, influencer, modifier, transformer, influer sur, agir sur, avoir un impact sur	= avoir une influence sur
avoir des effets négatifs, altérer, abîmer, endommager, dérégler, perturber, aggraver, empirer, nuire à	= affecter de façon négative
avoir des effets positifs, améliorer, perfectionner, peaufiner	= affecter de façon positive
atteindre, réaliser, obtenir, aboutir à, parvenir à, réussir à, se solder par, se conclure par	= atteindre un but
confirmer, s'avérer, se vérifier, se révéler	= apporter une confirmation

* On écrit « dû » avec un accent circonflexe au masculin singulier pour le distinguer de l'article contracté « du ». Comparez :

> *Le taux élevé **du** chômage est **dû** à...*
> *La crise **du** logement est **due** à...*

E X E R C I C E S

1 Observez. Soulignez les expressions de cause.

Un chien errant sur l'autoroute
<u>provoque</u> un carambolage*.

*carambolage : série d'accidents

Le décès d'une jeune fille de
quinze ans serait dû à une
intoxication alimentaire dans
un fast-food.

Les informations transmises par un
indicateur* ont conduit la police à
démanteler un trafic de drogue de
grande envergure*.

*indicateur : informateur de la police
*envergure : importance

Un incident de frontière déclenche
des représailles*.

*représailles : réponse armée

Certains parfums fleuris
stimuleraient la confiance en soi.

La musique douce influe
positivement sur la production des
vaches laitières.

Les effets secondaires néfastes du
Médiator* ont amené les autorités
sanitaires à l'interdire.

*Médiator : médicament pour maigrir

La panne du réseau de feux
de signalisation a perturbé la
circulation pendant une partie
de la journée de samedi.

Les négociations entre les différents partis écologistes en vue des élections présidentielles se sont soldées par un
échec. Les différents candidats ne sont pas parvenus à s'entendre sur une charte commune. Les débats, passionnés,
n'ont pu aboutir à un projet commun.

2 Complétez les phrases selon le modèle. Plusieurs possibilités.

causer / entraîner / provoquer / déclencher
influer sur / avoir une influence sur
contribuer à / participer à

pousser à / amener à / conduire à
s'expliquer par / être dû(dus)/ due(s) à
perturber / altérer / nuire à

se solder par
stimuler / renforcer
parvenir à / aboutir à

1. La pluie a *causé/entraîné/provoqué* des inondations.

2. Le mauvais temps a_____ l'interruption des travaux.

3. C'est un incident de frontière qui a _____ la guerre entre les deux pays.

4. On dit que le climat _____ le caractère des populations.

5. L'explosion d'un pétard a_____ la panique dans le stade.

6. C'est souvent la guerre ou la misère qui _____ les populations à émigrer.

7. Pour de nombreux spécialistes, la disparition des abeilles _____ l'emploi de pesticides.

8. Les progrès de la médecine _____ l'allongement de la vie.

9. En grande partie, les accidents de la route _____ à l'alcool ou à la fatigue.

10. La crise économique _____ les entreprises à licencier du personnel.

11. Avoir de bons résultats aux examens _____ la confiance en soi.

12. La baisse du chômage _____ la reprise économique

13. Des manuels illustrés et agréables _____ l'intérêt des élèves.

14. Une bande de jeunes ivres et agressifs _____ une bagarre dans le centre.

15. Un stress très important peut _____ la santé.

16. Les risques d'inondation _____ les autorités à interdire les constructions sur le littoral.

17. La consommation journalière de fruits _____ le système immunitaire.

18. Le sport pratiqué de manière trop intensive peut _____ des troubles cardiaques.

19. Après plusieurs heures de discussion, les syndicats et le patronat _____ un accord.

20. La tentative des diplomates pour_____ à une solution pacifique _____ un échec.

Verbes dérivés d'un adjectif

beau	embellir	Une bonne coupe de cheveux peut **embellir** un visage.
difficile	entraver gêner	La neige **a entravé** la circulation des trains. Le bruit des voix me **gêne** pour travailler.
facile	faciliter favoriser	Une bonne présentation **facilite** la recherche d'emploi. Une alimentation riche en fibres **favorise** la digestion.
fort	fortifier renforcer	Un exercice régulier **fortifie** le corps. La vitamine C **renforce** les défenses immunitaires.
faible	affaiblir atténuer	Les divisions à l'intérieur du Parti **ont affaibli** son influence. La gymnastique faciale peut **atténuer** les rides.
grand	agrandir augmenter	On a fait abattre une cloison pour **agrandir** le salon. Le chômage **augmente** toujours en période de crise.
grave	aggraver empirer	L'état du malade **s'est aggravé** et on craint pour sa vie. Les combats ont repris : la situation **a empiré**.
petit	réduire diminuer	Nous devons **réduire** notre consommation d'énergie. La mortalité **a diminué** grâce aux progrès de la médecine.
léger	(s')alléger	La dette de l'État devrait **s'alléger** dès la reprise économique.
lourd	(s')alourdir	Le bilan de la tornade **s'alourdit** d'heure en heure.

■ Constructions particulières

● **Rendre** + adjectif

Cette situation
***me rend** triste.*
***me rend** furieux.*

● **Faire** + verbe

Cette situation
***me fait** pleurer.*
***me fait** rire.*

● **Donner** + nom

Ce plat
***me donne** soif.*
***me donne** de l'urticaire.*

❭ On dit : *Comment **rendre** les services efficaces ?* ~~Comment faire les services efficaces~~
*Ce pull me **donne** chaud.* ~~Ce pull me fait chaud.~~

❭ On dit : *Ça me **fait** peur. Ça me **fait** mal.* Verbes « faire peur/envie/mal »
*Ça **fait** réfléchir les gens.* ~~Ça fait les gens réfléchir.~~

Noms

la cause, la raison, l'origine, le motif, le facteur, le moteur, l'impulsion	= cause
la perspective, la stratégie, l'objectif, l'enjeu, l'intention, le but	= but recherché
la conséquence, l'effet, l'impact, la répercussion, la réaction, la retombée la réalisation, la conclusion	= but atteint

E X E R C I C E S

1 Lisez et soulignez les expressions de cause, de conséquence et de but.

Muhammad Yunus, prix Nobel de la paix

C'est <u>grâce à</u> ses brillantes études que Yunus devient professeur d'économie aux États-Unis au milieu des années soixante. L'indépendance du Bangladesh, en 1971, <u>motive</u> son retour au pays. Cependant, la grande famine de 1974 le pousse à abandonner ses études théoriques pour partir à la recherche d'un moyen pragmatique de combattre la pauvreté : « Une terrible famine frappait le pays, et j'ai été saisi d'un vertige, voyant que toutes les théories que j'enseignais n'empêchaient pas les gens de mourir autour de moi. » À cause du refus des banques traditionnelles de prêter aux plus pauvres, ces derniers sont obligés d'avoir recours aux usuriers, ce qui les rend esclaves à vie d'une dette exponentielle. Faute de moyens, la population stagne dans la misère. C'est ce qui amènera Yunus à créer la Grameen Bank, la banque des pauvres, dont l'impact positif sur la pauvreté sera d'autant plus impressionnant qu'il n'y investira au départ qu'un petit apport personnel. Son but principal : rendre entreprenants et responsables les bénéficiaires de micro-crédits en créant des associations solidaires de cinq personnes, dont 94 % sont des femmes, car elles sont jugées plus sûres et plus responsables que les hommes. Pour son action en faveur des déshérités, Yunus a reçu, en 2006, le prix Nobel de la paix. Dans un entretien au journal *Le Monde*, Yunus s'exprimait ainsi : « Tout le monde espère gagner de l'argent en faisant des affaires. Mais l'homme peut réaliser tellement d'autres choses en faisant des affaires. Pourquoi ne pourrait-on pas se donner des objectifs sociaux, écologiques, humanistes ? (…) Pourquoi ne pas construire des entreprises ayant pour objectif de payer décemment leurs salariés et d'améliorer la situation sociale plutôt que de chercher à ce que dirigeants et actionnaires réalisent des bénéfices ? »

2 Complétez les questions et répondez.

1. Qu'est-ce qui _____ le retour de Yunus au Bangladesh en 1971 ? _____

2. Quel est l'événement qui le _____ abandonner ses études théoriques ? _____

3. Qu'est-ce qui _____ les plus pauvres ____ faire appel aux usuriers ? _____

4. Qu'est-ce qui _____ Yunus _____ créer la Grameen Bank ? _____

5. Est-ce que _____ de la Grameen Bank sur la pauvreté a été positif ? _____

6. Quel était_____ de l'attribution du prix Nobel à Yunus ? _____

7. Quel devrait être _____ des entreprises, selon Yunus ? _____

3 Complétez avec les verbes équivalents, selon le modèle.

1. rendre + fort : Les sondages positifs *ont renforcé* la confiance du candidat.

2. rendre + petit : L'installation d'un double vitrage _____ énormément le bruit de la rue.

3. rendre + facile : La baisse des taux d'intérêt _____ les investissements des entreprises.

4. rendre + simple : La déclaration des impôts en ligne _____ cette procédure désagréable.

5. rendre + beau : La plantation de nouveaux arbres _____ notre quartier.

4 Faire, donner, rendre. **Complétez librement.**

1. Mmmmm. Qu'est-ce qui sent bon comme ça ? Ça me _____ faim ! **2.** Quand j'épluche des oignons, ça me _____ pleurer. **3.** Ce fromage est trop salé : ça me _____ soif ! **4.** Arrête de me pincer comme ça : ça me _____ mal ! **5.** Les départs, ça me _____ triste, ça me _____ pleurer, **6.** Les massages, ça me _____ chaud et ça me _____du bien. **7.** La fumée de cigarette, ça me _____ tousser, et ça me _____ mal au cœur. **8.** Les films d'horreur, ça me _____ des angoisses, ça me _____ peur et ça me _____ paranoïaque.

Questions portant sur la cause, la conséquence, le but

– *Pourquoi*
– *Pour quelle raison*
– *Pour quel motif* le ministre a-t-il annoncé sa démission ?

– *Quelle est la cause*
– *Quelle est la raison*
– *Quel est le motif* de sa mise en examen ?

– *Quelle est l'origine de*
– *Qu'est-ce qui explique*
– *Comment s'explique*
– *Quels sont les facteurs déterminants de* la crise financière ?

– *Qu'est-ce qui a causé*
  provoqué
  motivé
  entraîné l'effondrement de la Bourse ?

– *Qu'est-ce qui a amené*
  conduit
  poussé
  incité
  obligé les populations *à* émigrer ?

– *À quoi attribuez-vous*
– *D'où vient*
– *À quoi est due* la montée des nationalismes ?

– *Qu'est-ce qui fait que* la tempête a épargné la côte ouest ?
– *Comment se fait-il que** la tempête ait épargné la côte ouest ?

– *Quels seront les effets*
– *Quel sera l'impact*
– *Quelles seront les conséquences*
– *Quelles seront les répercussions* de la baisse du prix du pétrole ?

– *Quelle est la stratégie* des grands groupes pétroliers ?
– *Quels sont les enjeux* commerciaux ?

– *Quel est l'objectif* ?
– *Quelles sont* les intentions du gouvernement ?
– *Dans quel but* le Président a-t-il fait cette déclaration ? `

* On emploie le subjonctif après la tournure impersonnelle « comment se fait-il que ».

E X E R C I C E S

1 Imaginez les questions, selon le modèle.

1. – *À quoi est due selon vous la dégradation du pays ?*

– La dégradation du pays est due à la corruption des dirigeants.

2. – _____

– Ce sont les inondations qui ont provoqué les glissements de terrain.

3. – _____

– Le nombre important de victimes s'explique par l'urbanisation sauvage.

4. – _____

– L'élève a été exclu pour avoir agressé un camarade.

5. – _____

– La longévité de certaines personnes est attribuée à des facteurs génétiques.

6. – _____

– La police a brusquement réorienté ses recherches à la suite d'une dénonciation anonyme.

7. – _____

– Les randonneurs ont pu survivre 8 jours dans le désert grâce à un sachet de dattes.

8. – _____

– L'immeuble a pris feu à cause d'une explosion de gaz.

9. – _____

– Le réchauffement climatique est dû en grande partie à l'activité humaine.

10.– _____

– La baisse de la fréquentation des salles de spectacle provient de l'augmentation du prix des places.

2 Lisez. Posez des questions. Répondez.

Boutonnage

Les chemises d'hommes ont leurs boutons à gauche et les chemises de femmes, leurs boutons à droite. Cette différence s'expliquerait par d'anciens usages. Pour les hommes, le boutonnage à droite facilitait l'ouverture de l'habit lorsqu'ils devaient sortir leur épée. Par ailleurs (la plupart étant droitiers), ils pouvaient éviter que leur main droite soit gelée ou engourdie en la réchauffant sous le pan gauche de leur manteau. Pour les femmes, qui tenaient généralement leur bébé dans le creux du bras gauche, cela permettait d'allaiter* leur enfant tout en l'enveloppant avec le pan droit de leur vêtement. Il semble cependant que la chemise moderne avec une rangée de boutons sur le devant – telle qu'on la connaît – ne soit apparue qu'à la fin de XIXᵉ siècle…

*Allaiter : nourrir au sein

– _____ la différence de boutonnage des chemises des hommes et des femmes ?

– _____ plaçaient-ils leur main sous le pan gauche de leur manteau ?

– _____ l'emplacement des boutons des chemises de femmes ?

– _____ l'information donnée en fin de texte est-elle en contradiction avec le début ?

3 Imaginez des réponses.

1. Pourquoi portez-vous des lunettes noires ? _____

2. Pourquoi êtes-vous arrivé(e) complètement trempé au cours ? _____

3. Pourquoi avez-vous un sparadrap sur le menton ? _____

4. Pourquoi vous êtes-vous disputé(e) avec la voisine ? _____

5. Qu'est-ce qui vous rend si songeur ? _____

6. Qu'est-ce qui vous fait rire comme ça ? _____

MAIS, CEPENDANT, TOUTEFOIS
L'opposition et la concession (1)

L'opposition marque un contraste entre deux éléments de même nature. La concession apporte une restriction ou introduit une conséquence inattendue.

MAIS, TANDIS QUE, PAR CONTRE : l'opposition

■ **Mais, tandis que, alors que** opposent deux réalités physiques, morales, etc.

> *Léo est bavard, **mais** son frère est réservé.*
> *Léo est brun, **tandis que** son frère est blond.*
> *Léo est optimiste, **alors que** son frère est pessimiste.*

■ **Au contraire, par contre** (courant), **en revanche** (soutenu) renforcent une opposition.

> *Léo aime la ville. Son frère, **au contraire**, aime la campagne.*
> *Léo est sociable. **Par contre** son frère est réservé.*
> *Léo dort très peu. Son frère, **en revanche**, dort beaucoup.*

■ **Autant ... autant** introduisent une opposition symétrique, d'égale intensité.

> ***Autant** Paul est brun, **autant** son frère est blond.*
> ***Autant** l'un est réservé, **autant** l'autre est sociable.*

● **Autres formes :** à l'inverse de, à l'opposé de, contrairement à

> *Léo a beaucoup d'amis, **contrairement à** Paul.*

MAIS, CEPENDANT, MALGRE, QUAND MÊME : la concession

■ **Mais, alors que, pourtant** corrigent la portée d'une affirmation.

> *Léo semble stupide, **mais** son QI est élevé.*
> *Il paraît superficiel, **alors qu'**il est profond.*
> *Il parle beaucoup, **pourtant** il n'est jamais ennuyeux.*

● **Cependant, toutefois, néanmoins** s'emploient à l'écrit, dans un registre soutenu.

> *Paul est un peu gros, **cependant** il est très séduisant.*
> *Léo paraît très jeune, **toutefois** il a plus de quarante ans.*

■ **Malgré, en dépit de** + nom indiquent qu'on ne tient pas compte de la réalité.

> *Les deux frères s'aiment beaucoup **malgré** leurs différences.*
> *Au fond, ils se ressemblent, **en dépit des** apparences.*

■ **Quand même, tout de même** (toujours après le verbe) = « malgré tout », « de toute façon »

> – *Tu es insupportable, mais je t'aime **quand même**.*
> – *Je ne déjeune pas à midi, mais je mange **quand même** des biscuits.*

● **Quand même, tout de même** s'emploient aussi pour protester (familier).

> – *Tu n'es pas venu à la réunion : tu aurais **quand même** pu téléphoner.*
> – *Tu as renversé mon verre : tu pourrais **tout de même** faire attention !*

● On emploie aussi ces expressions pour remercier quelqu'un, bien qu'il n'ait rien pu faire.

> – *Désolé. Je n'ai pas l'article que vous cherchez.*   – *Tant pis, merci **quand même**.*

E X E R C I C E S

1 Lisez. Soulignez les expressions d'opposition et de concession.

L'adolescence (d'après Philippe Jeammet, psychiatre et psychanalyste)

L'adolescent n'est plus un enfant, <u>mais</u> ce n'est pas un adulte. Il est fait de contradictions. Son corps s'est développé, son lieu de vie, en revanche, n'a pas changé. Il voudrait être maître de son temps, alors que la scolarité est plus exigeante que jamais. Il veut être vu et reconnu pour lui-même, sachant toutefois qu'il n'a choisi ni son nez, ni sa culture, ni ses gènes. Il rêve du grand amour mais répond à tous les stimuli. L'adolescent a besoin d'intimité, d'un espace à lui, pourtant il est trop tôt pour qu'il vive seul. Malgré tous nos efforts pour essayer de le comprendre, l'adolescent se sent incompris. Il est souvent agressif, critique, désagréable. En dépit de tout, les parents ne doivent pas se contenter de comprendre et de subir. L'adolescent qui paraît refuser le monde adulte a quand même besoin d'être encadré et d'être motivé. Il faut l'aider à avoir envie de faire quelque chose de sa vie.

2 Tandis que, alors que, autant… autant. **Établissez des oppositions significatives, selon le modèle.**

Ma mère	Mon père
Elle est blonde.	Il est végétarien.
Elle est grande.	Il est brun.
Elle est sévère.	Il est petit.
Elle est carnivore.	Il est tolérant.
Elle aime la ville.	Il est contemplatif.
Elle est hyperactive	Il aime la campagne.

Ma mère est blonde tandis que mon père est brun.

_____

_____

_____

_____

_____

Autant ma mère est blonde, autant mon père est brun, _____

3 Mais, cependant, toutefois. **Imaginez des concessions, selon le modèle.**

Mon studio

Il est petit. Il est vieux.
Il est un peu bruyant. Il est au 6ᵉ étage sans ascenseur.

Il est plein de charme. Il est très lumineux.
Il est très central. Il n'est pas cher.

Mon studio est petit cependant il est très

lumineux. Il est vieux _____

_____

4 Pourtant, alors que, malgré.
Complétez librement. Plusieurs possibilités.

1. J'ai froid, *pourtant j'ai mis deux pull-overs.*

2. Le chien a encore faim _____

3. Il fait déjà nuit, _____

4. Je tombe de sommeil, _____

5. Jane paraît plus jeune que moi, _____

6. Marc a l'air d'un adolescent, _____

7. Julia est très mûre, _____

5 Transformez selon le modèle.

1. Les élèves fument dans la cour. // C'est interdit. *Les élèves fument dans la cour, pourtant c'est interdit.*

Ils fument dans la cour malgré l'interdiction. Il est interdit de fumer dans la cour, mais ils fument quand même.

2. Il fait très chaud. // Anna porte un gros pull. _____

3. Beaucoup de cyclistes roulent sans casque. // C'est dangereux. _____

4. On remarque tout de suite Julia. // Elle est simple et discrète. _____

BIEN que, QUOIQUE, QUI que, QUOI que
L'opposition et la concession (2)

Certaines subordonnées de concession sont suivies du subjonctif.

BIEN QUE, QUOIQUE, SANS QUE

■ Bien que, quoique, encore que (littéraire) introduisent une restriction.

Bien qu'on soit en hiver, il fait chaud.	= malgré l'hiver
Quoiqu'il y ait du soleil, il fait froid.	= malgré le soleil
Léo est compétent, encore qu'il soit très jeune.	= malgré son jeune âge

● **Bien que, quoique, encore que** peuvent faire porter la restriction directement sur l'adjectif lorsque les propositions ont le même sujet.

Léo est compétent bien que très jeune.	= bien qu'il soit
Le restaurant est agréable encore qu'un peu bruyant.	= encore qu'il soit

● **Bien que** et **quoique** peuvent être suivis d'un participe présent à l'écrit.

Bien que sachant nager, les jeunes gens se sont noyés.
Quoique étant compétents, ces candidats n'ont pas été sélectionnés.

● **Quoique, encore que,** à l'oral, en fin de phrase, introduisent un sous-entendu.

Théo est un garçon sans ambition. Quoique... (on ne sait jamais).

■ Sans que introduit une concession négative.

Elle est sortie sans qu'on la voie.	= mais on ne l'a pas vue.
L'enfant a compris sans qu'on le lui dise.	= alors qu'on ne lui a rien dit

● Lorsque le sujet des deux propositions est le même, on peut employer l'infinitif.

Elle est sortie sans être vue.   *J'ai commencé sans avoir reçu d'instructions.*

OÙ QUE, QUI QUE, QUOI QUE, QUEL QUE envisagent une variété de possibles.

Je te rejoindrai	*où que tu sois*	= n'importe où
	quoi que tu fasses,	= peu importe ce que tu fais
	avec qui que tu sois,	= peu importe avec qui tu es
	quelle que soit l'heure	= à n'importe quelle heure
	quel que soit le temps.	= peu importe le temps qu'il fait

● **Quoi qu'il en soit** signifie « de toute façon ». *Quoi qu'il en soit, je t'appelle demain.*

❱ **N'importe où, quoi, quand** ne peuvent pas **introduire** une subordonnée. On dit :
Tu peux aller n'importe où. Où que tu ailles, je te suivrai.   ~~n'importe où tu vas~~
Tu peux faire n'importe quoi. Quoi que tu fasses, je le saurai.   ~~n'importe quoi tu fais~~
Tu peux venir n'importe quand. Quel que soit le moment où tu viendras, je t'attendrai.

❱ **Quoique** en un mot   = bien que, même si   *Quoiqu'il fasse frais, le soleil brille.*
Quoi que en deux mots   = quelle que soit la chose   *Quoi que tu fasses, dis-le-moi.*

E X E R C I C E S

1 **Lisez. Soulignez les expressions de concession suivies du subjonctif.**

Le travail des femmes

En France, à travail égal, les femmes gagnent entre 10 % et 20 % de moins que les hommes, bien que la Constitution de 1946 reconnaisse à la femme, « dans tous les domaines, des droits égaux à ceux de l'homme ». Quoique leur compétence soit reconnue de tous, les femmes sont sous-représentées aux postes supérieurs et de direction (moins d'un tiers de femmes). De nombreuses lois ont été votées au cours des quinze dernières années, sans que cet écart des salaires se réduise. En outre, quel que soit le pays d'Europe où ont été menées les enquêtes de l'Institut national d'études démographiques, on constate que les femmes continuent d'assurer près de 80 % des tâches domestiques, ce qui se traduit par le choix forcé d'un travail à temps partiel, un revenu moindre et donc une retraite moindre.

2 Bien que. **Transformez selon le modèle.**

1. Alex sort sans manteau alors qu'il pleut. *Alex sort sans manteau bien qu'il pleuve.*

2. Ugo fume, alors qu'il a le cœur malade. _____

3. Paul est ambitieux. Pourtant, il prétend le contraire. _____

4. Jo et Jill sont différents, pourtant ils sont jumeaux. _____

5. L'étudiant n'ose pas répondre. Pourtant il connaît la réponse. _____

6. Marco est devenu acteur de théâtre alors qu'il est très timide. _____

3 Bien que, quoique + **participe présent. Transformez selon le modèle.**

1. Ma mère sait conduire, mais elle refuse de conduire en ville.

Bien que sachant conduire, ma mère refuse de conduire en ville.

2. Rudolf n'a jamais appris la musique, pourtant il joue merveilleusement bien du piano.

_____

3. Léa a deux ans de moins que son frère, mais elle est dans la classe supérieure.

_____

4. Les étudiants connaissent la grammaire, pourtant ils ont du mal à s'exprimer.

_____

4 Sans que. **Transformez, selon le modèle.**

1. Ma fille est sortie, mais je ne l'ai pas vue. *Ma fille est sortie sans que je la voie.*

2. L'enfant a rangé sa chambre, pourtant on ne le lui avait pas demandé. _____

3. L'élève a triché. Le professeur ne s'en est pas aperçu. _____

4. Les jeunes ont provoqué le policier, mais il n'a pas réagi. _____

5. Ma cousine s'est mariée, mais personne ne l'a su. _____

5 Quoi que, où que, qui que. **Transformez.**

Insatisfait

On peut faire n'importe quoi,

aller n'importe où, dire n'importe quoi,

être n'importe où, tu n'es jamais content…

Quoi qu'on fasse, où _____

_____

6 Quoique **ou** quoi que. **Complétez.**

1. Jean est compétent _____ il soit très jeune.

2. Marie écoute Jo bouche bée _____ il dise.

3. Léo est toujours disponible _____ on lui demande.

4. Gilles est professionnel_____ il ait l'air bohème.

5. _____ il arrive, je vous tiendrai au courant.

6. Jean est amusant _____ très cynique.

7. Julie est sympathique _____ très bavarde.

OR, AVOIR BEAU, QUITTE À
L'opposition et la concession (3)

Particularités

■ **Or** = mais/et pourtant. On l'emploie surtout dans une argumentation.

> *Charles semble stupide. **Or**, son QI est élevé. C'est curieux.*
> *Nous devons investir. **Or**, nos moyens sont limités. Nous devons donc emprunter.*

● **Or** attire aussi l'attention sur un fait particulier dans un récit.

> *On a l'impression qu'il est tard. **Or**, il n'est que cinq heures.*   = remarquez que
> *Jo sortait toujours à huit heures. **Or**, ce jour-là, il est sorti plus tôt.*   = il se trouve que
> *Marlène était à la terrasse du café. **Or**, je passais par là...* = justement à ce moment-là

■ **Avoir beau** + infinitif (toujours en tête de phrase) exprime un effort inutile.

> *J'**ai beau** faire du sport, je ne maigris pas.*   = essayer en vain
> *Tu **auras beau** me supplier, je ne viendrai pas.*   = insister en vain

● Au passé, on peut dire : *J'ai **eu beau** faire du sport...* Ou : *J'ai beau **avoir fait** du sport...*

> ❭ On dit : *J'**ai beau** travailler sans cesse, je n'avance pas.*
> *J'ai beau travailler sans cesse, ~~mais~~ je n'avance pas.*

■ **Quitte à** + infinitif signifie « même à la condition extrême de ».

> *Je trouverai un emploi, **quitte à** changer de pays.*   = même au risque de
> *J'achèterai un appartement **quitte à** m'endetter pour vingt ans.*

■ **Même si, si** introduisent une concession.

> ***Même si** le soleil brille, le fond de l'air est frais.*   = bien que
> ***Si** Charles a de l'argent, il n'est pas milliardaire...*   = bien que

■ **Mais, à l'oral,** renforce souvent une affirmation, une protestation ou une surprise.

> ***Mais** oui, je suis d'accord.*   ***Mais** que tu es bête !*   ***Mais**, qu'est-ce qui se passe ?*

Formes de l'écrit

■ **Tout, quelque, si** + adjectif + **que** + subjonctif introduisent un contraste.

> ***Tout** gros **qu'**il soit, Paul est très agile.*   = bien qu'il soit très gros
> ***Si** naïf **que** tu sois, tu ne peux pas croire à ces bêtises.*   = même si tu es très naïf
> ***Quelque** aimable **qu'**il paraisse, Max est un homme très dur.* = même s'il paraît aimable

● **Tout ... que** peut être suivi de l'indicatif : *   **Tout** gros **qu'**il est, Paul est très agile.*

■ **Il n'en demeure pas moins que, il n'empêche que, toujours est-il que, il reste que** mettent l'accent sur un résultat inattendu mais réel.

Tout le monde semble critiquer notre délégué.

> ***Il n'en demeure pas moins qu'**il a été réélu.*
> ***Toujours est-il qu'**il a été réélu.*
> ***Il n'empêche qu'**il a été réélu.*

– À l'oral familier, on dit : *N'empêche que...*

EXERCICES

---

1 Lisez. Observez. Commentez.

> **L'homme et le climat**
>
> « Imaginez un avion dont la probabilité d'arriver à destination est de 10 %. Monteriez-vous à bord ? Évidemment non… » Cette métaphore est souvent utilisée par Stefan Rahmstorf, de l'Institut de recherches sur le climat, pour expliquer ce qui est en train de se passer. Il est certain à 90 % que l'homme est à l'origine de la transformation du climat qui menace les grands équilibres planétaires, **or** tout se passe comme si les gouvernements s'interrogeaient encore sur cette réalité. Les catastrophes signalant le réchauffement climatique **ont beau** se multiplier, aucune mesure d'envergure n'est prise. Notre avion continue d'avancer en aveugle, imperturbable, **quitte à** s'écraser au sol. **Si** ce scénario n'est pas pour demain, il pourrait bien être pour après-demain. L'homme est apparu sur terre des millions d'années après les dinosaures. S'il se prétend plus conscient, **il n'en demeure pas moins** vrai **qu'**il est impuissant à prendre en charge son destin. **Si** évoluée **qu'**elle soit, la race humaine, semble, en effet, ne pas vouloir se donner les moyens d'empêcher sa propre extinction.

---

2 **Or.** Remplacez par le sens le plus proche : et pourtant – il se trouve que (justement) – remarquez que.

1. On ne trouve plus de vêtements chauds dans les magasins. Or *(et pourtant)* l'hiver n'est pas fini.

2. On connaît les raisons de la dégradation du climat. Or (_____) on continue à nier le phénomène.

3. Avant les élections, les candidats font des promesses. Or (_____) ils les oublient très vite après.

4. Le témoin a affirmé ne pas connaître l'accusé. Or (_____) c'était… son beau-frère.

5. Le candidat a perdu les élections, or (_____) c'était le grand favori.

6. Je voulais faire une omelette. Or (_____) je n'avais plus d'œufs. Alors j'ai fait des pâtes.

7. Je voulais revoir Jules depuis longtemps, or (_____) hier matin, il m'a appelé !

8. Nous voulions prendre le métro, or (_____) il y avait la grève. Alors on a pris un taxi.

---

3 Avoir beau.

> **Insatisfaite**
>
> Je travaille, mais je n'avance pas.
> Je dors, mais j'ai toujours sommeil.
> Je fais un régime, mais je ne maigris pas.
> Je fais le ménage, mais c'est toujours sale.
> Je me dépêche. Je suis toujours en retard.

J'ai beau travailler, je n'avance pas.

_____

_____

4 Quitte à.

> Je poursuivrai mon projet
> même si je dois perdre de l'argent,
> même si je dois renoncer à mes vacances,
> même si je dois travailler encore plus,
> même si je dois être critiquée,
> même si je dois passer pour folle.

Je poursuivrai mon projet quitte à perdre de l'argent.

_____

_____

---

5 Il n'en demeure pas moins que, il n'empêche que, toujours est-il que. **Transformez, au choix.**

1. La culpabilité de l'accusé semble certaine, mais il a le droit d'être défendu.

La culpabilité de l'accusé semble certaine. Il n'en demeure pas moins qu'il a le droit d'être défendu.

2. Nos résultats de cette année sont assez mauvais, mais ils sont meilleurs que ceux de l'année dernière.

_____

3. Le gouvernement a fait des concessions, mais l'âge de la retraite sera reculé.

_____

4. L'inflation a été contenue, mais le niveau de vie a baissé.

_____

EN EFFET, EN FAIT, D'AILLEURS, PAR AILLEURS
L'explication

Certains termes phonétiquement proches ont un sens différent.

EN EFFET, EN FAIT, AU FAIT

▪ **En effet** confirme une information
= effectivement, **c'est vrai**

*On a dit qu'il pleuvrait
et **en effet** il pleut.*

▪ **En fait** corrige une information
= en réalité, **ce n'est pas vrai**

*On a dit qu'il pleuvrait
et **en fait** il fait beau.*

▪ **Au fait**, employé à l'oral, indique une association d'idées
– *J'ai revu Jo samedi dernier.* – ***Au fait**, comment va sa femme ?*
= à ce propos/tiens, j'y pense

♪ – On entend le « t » dans « en fait » et « au fait » mais jamais dans « en effet ».

❯ On dit : *Il prétend bien danser,* **en fait**, *il danse assez mal.*   ~~en effet il danse assez mal~~
                                          en réalité, *il danse assez mal.*   ~~actuellement il danse assez mal~~

D'AILLEURS, PAR AILLEURS

▪ **D'ailleurs justifie l'information**
qui précède (= du reste).

Inès est très belle.
***D'ailleurs**, elle a été actrice.*

▪ **Par ailleurs ajoute une information**
(= de plus, en outre)

Inès est intelligente.
***Par ailleurs**, elle est ravissante.*

● **D'ailleurs** signifie aussi « au fait », « à ce sujet ».

Je collectionne les estampes japonaises. ***D'ailleurs**, je peux vous les montrer.*

DU MOINS, AU MOINS, À MOINS DE

▪ **Du moins** signifie
« en tout cas » (restriction).

Félix est en forme,
***du moins** il est en bonne santé.*

▪ **Au moins** signifie
« au minimum ».

Félix est très vieux,
*il a **au moins** cent ans !*

● **Au moins** signifie « peut-être plus » : *Nous partirons **au moins** pour dix jours.*

● **Du moins** signifie « c'est déjà ça » : *Nous partirons, **du moins**, pour dix jours.*

● **Sinon..., du moins** exclut une proposition au profit d'une autre :

*L'appartement est, **sinon** central, **du moins** proche des commerces.*
*Jeanne travaille **sinon** avec le sourire, **du moins** avec efficacité.*

● **À moins de** signifie « sauf si ».

*On ne peut pas entrer, **à moins d'**avoir un badge.*
***À moins d'un** empêchement, j'irai chez Jo samedi.*

E X E R C I C E S

1 Lisez. Observez.

Le Masque et la Plume*

– Alors que pensez-vous de *Hot Plot* ?
– On a parlé de chef-d'œuvre… **En fait**, c'est un véritable navet* ! « Un grand mélodrame moderne », dit *Cinérama*. Un mélodrame **en effet**, c'est triste, c'est larmoyant, c'est pleurnichard, mais c'est bête, c'est gnangnan* !
– Ah oui, je suis d'accord, ce n'est pas brillant. **Par ailleurs** c'est long, long, long…
– Ça dure **au moins** dix heures, non ? Quoi ? Ça dure seulement une heure cinquante ?
– C'est ennuyeux à mourir ! **D'ailleurs**, je me suis endormi au milieu.
– Bon, ce n'est pas un chef-d'œuvre, mais enfin, c'est bien fait. Et puis… et puis il y a Brigitta Beauty. Ce n'est peut-être pas une grande actrice, mais **du moins** elle est agréable à regarder…

*émission de radio où les critiques de cinéma s'expriment très librement et sur un ton souvent exagéré.
*navet : mauvais film   *gnangnan : sans intérêt, ridicule

---

2 En effet, en fait, au fait. **Complétez.**

1. Pavel est fort au tennis, *en effet* il a gagné le tournoi. Peter se prétend fort au tennis, _____ il est très moyen.

2. La météo a annoncé qu'il ferait beau et _____ le soleil brille et il fait chaud.

3. Je voudrais aller au cinéma. _____, tu as écouté « Le Masque et la Plume » dimanche ?

4. On dit que le café est mauvais pour le cœur et _____ il augmente la pression artérielle.

5. Charles semble un peu stupide, _____, malgré les apparences, il est très intelligent.

3 D'ailleurs, par ailleurs. **Complétez.**

1. Paul est très grand, *d'ailleurs* c'est le plus grand de sa classe.

2. Pavel est très beau : _____ il est acteur de cinéma.

3. J'ai trois garçons et deux filles. _____ j'ai trois chats et deux perroquets.

4. Mes deux fils ont le même nez et les mêmes cheveux, _____ ils sont très différents de caractère**.**

5. Marie a le même caractère que Brigitte, _____ elle est Bélier, comme elle.

4 Au moins, du moins. **Complétez.**

1. Paul est le directeur de l'entreprise, il gagne _____ dix mille euros par mois.

2. Les voisins ont _____ cinq chats, il en sort de partout !

3. Je travaillerai toutes les vacances, _____ du 15 au 30 août.

4. Ce bâtiment est très vieux : il a _____ quatre cents ans.

5. Tous les locataires de l'immeuble sont sympas, _____ ceux que je connais…

6. J'ai perdu mes lunettes, _____ je ne sais plus où je les ai mises…

7. Walter a _____ cinq enfants. C'est _____ ce qu'on m'a dit.

5 Sinon…, du moins.

1. enthousiasme/poliment   Paul a accepté, *sinon avec enthousiasme, du moins poliment.*

2. avec élégance/soin   Le candidat s'est habillé _____

3. proprement/rapidement   Les ouvriers ont tout refait _____

4. de bonne grâce/sans protester Les enfants ont obéi _____

PLUS, MOINS, AUTANT, BIEN, MIEUX, MEILLEUR
Comparatifs et superlatifs

COMPARATIFS d'infériorité, d'égalité et de supériorité

■ **Plus/aussi/moins** + adjectif ou adverbe + **que** compare des qualités.

| *Jo est* | plus
aussi
moins | *sportif **que** Max.* |

■ **Plus/autant/moins** + nom + **de** compare des quantités.

| *Jo fait* | plus de
autant de
moins de | *sport **que** Max.* |

● Après une négation ou une interrogation, on peut remplacer **aussi** par **si** et **autant** par **tant**.
   *Les choses ne sont pas **si** simples qu'on le dit.*   *Pourquoi y a-t-il **tant** de monde dans la rue ?*

● La reprise par un **pronom neutre** est fréquente : *Jo est-il aussi beau qu'on **le** dit ?*

● **Ne** explétif est facultatif, mais fréquent, après **plus** ou **moins** : *Jo est plus beau qu'on (**ne**) le dit.*

● On répète **de** + nom. *Dans la classe, il y a autant **d'**étudiants que **d'**étudiantes.*

● **De** précède un comparatif. *Donnez-moi ce que vous avez **de** plus beau et **de** moins cher.*

> ❭ Avec un nombre on dit : **de** plus ... que, **de** moins ... que
>   *Il y a <u>trois</u> personnes **de** plus qu'hier.*   ~~Il y a trois personnes plus qu'hier.~~

SUPERLATIFS d'infériorité et de supériorité

■ **Le/la/les** + adjectif + **de** + groupe de comparaison
   *Jo est **le plus** grand **de** la classe.*
   *Ce restaurant est **le moins cher du** quartier.*

● Si on place le superlatif <u>après le nom</u>, on répète l'article. *Jo est le garçon **le plus** grand de la classe.*

> ❭ On dit : *Marie est la plus jolie fille <u>**du**</u> quartier.*   ~~la plus jolie fille dans le quartier~~
>   *Marie est **la** fille **la** plus jolie du quartier.*   ~~Marie est la fille plus jolie du quartier~~

BON, BIEN, MIEUX, MEILLEUR, PIRE : cas particuliers

■ **Bon,** <u>adjectif</u> de qualité.   *« L'Olivier » est un **bon** restaurant.*

● **Meilleur** est le comparatif de supériorité.   *« Le Partage » est **meilleur** que « L'Olivier ».*

● **Le meilleur** est le superlatif.   *De tous les restaurants « Gino » est **le meilleur**.*
   ≠ (le) **plus mauvais** ou (le) **pire**   *Skifo est **le plus mauvais** restaurant. C'est **le pire**.*

■ **Bien,** <u>adverbe</u> de qualité.   *À « l'Olivier », on mange **bien**.*

● **Mieux** est le comparatif de supériorité.   *Au « Partage », on mange **mieux**.*

● **Le mieux** est le superlatif :   *C'est chez « Gino » qu'on mange **le mieux**.*
   ≠ **plus mal**   *C'est chez Skifo qu'on mange **le plus mal**.*

■ **Moindre** signifie « plus petit » en importance (sens abstrait). Comparez :
   *Mon ordinateur est **le plus petit** du marché. Ce film n'a pas eu le **moindre** succès.*

E X E R C I C E S

1 **Lisez. Soulignez les comparatifs. Commentez.**

Le magazine des consommateurs

On pense souvent qu'un appareil photo est <u>moins</u> performant <u>qu</u>'un autre, parce qu'il est d'une marque moins connue. On suppose qu'une poudre à laver est meilleure qu'une autre parce qu'elle est plus chère. Dans notre numéro de décembre, vous constaterez que c'est souvent le contraire : un aspirateur coûtera cent euros de plus qu'un autre sans que l'on comprenne pourquoi. Les descriptifs techniques sont moins fiables qu'on ne le pense, les modèles obsolètes* plus fréquents qu'on ne le croit. Nous établissons chaque semaine une liste des meilleurs produits. Vous trouverez rapidement ce que le marché offre de moins cher. Nous vous apportons par ailleurs la garantie que chaque produit a été testé dans les moindres détails. Pour mieux vous servir, nous avons créé, en outre, un site interactif où vous pouvez envoyer vos questions. En vous abonnant à notre revue, qui est la plus fiable sur le marché, vous paierez 0,35 centime de moins que le prix en kiosque.

*obsolète : dépassé

2 **Aussi, autant. Transformez.**

1. Certaines marques font beaucoup de publicité et elles sont très populaires.

Si certaines marques ne faisaient pas autant de publicité, elles ne seraient pas aussi populaires.

2. L'hiver a été très froid. La consommation d'énergie a été très élevée.

_____

3. La situation économique est très grave et il y a beaucoup de conflits sociaux.

_____

4. Il y a beaucoup d'enfants en échec scolaire et les enseignants sont très préoccupés.

_____

3 **Comparatifs de supériorité, d'infériorité et superlatifs. Transformez, selon le modèle.**

1. – Est-ce que Charles est aussi riche qu'on le dit ou est-ce qu'il est *moins riche qu'on ne le dit ?*

– Oh, *il est encore plus riche qu'on ne le dit.* C'est l'homme *le plus riche que* je connaisse.

2. – Est-ce que ce film est aussi stupide qu'on le dit ou _____

– Oh, _____. C'est le film _____ j'aie jamais vu.

3. – Est-ce que le bordeaux de cette année est aussi bon qu'on le dit ou est-ce qu'il est _____

– Oh, _____. C'est le Bordeaux _____ j'aie jamais bu.

4. – Est-ce que Riri joue aussi bien au football qu'on le dit ou _____.

– Oh, _____. C'est le joueur qui _____ de notre équipe.

4 **Plus, moins, autant + de.**
Complétez.

1. Jo est grand : il mesure 10 cm de *plus* que moi

2. Grâce à ma carte de membre je paye 20 % _____ qu'avant.

3. Avril n'a que trente jours. C'est-à-dire un jour _____ que mars.

4. Y a-t-il _____ hommes que _____ femmes sur terre ?

5. L'amitié est ce qu'il y a _____ précieux dans la vie.

6. Léa est plus âgée que Rose : elle a trois ans _____ .

5 **Le plus petit, le moindre, le pire.**
Complétez.

1. Mon ordinateur est *le plus petit* du marché.

2. La gourmandise est _____défaut.

3. On se marie pour le meilleur et pour_____

4. Le colibri est l'oiseau_____ du monde.

5. J'ai le sommeil léger :_____ bruit me réveille.

6. La guerre est _____ des fléaux.

6 **Écrit. Imaginez les meilleures/les pires vacances (logement, temps, prix, rencontres, etc.).**

COMME, AINSI QUE, LE MÊME, TEL
La comparaison

COMME, AINSI QUE, LE MÊME, TEL : similitude

■ **Comme/Aussi bien... que/(au)tant ...que**

> *Paul est grand **comme** son père et blond **comme** sa mère.*
> *Le temps s'est dégradé dans le Nord **comme** dans le Sud.*
> *La crise touche **aussi bien** les pays pauvres **que** les pays riches*
> *Ce film a eu du succès **autant** en France **qu'**à l'étranger.*

● **Comme si + imparfait ou plus-que parfait = comparaison + hypothèse**

> *Tu te comportes **comme si** tu avais quinze ans !*
> *Le chien se cache **comme s'**il avait fait une bêtise.*

■ **Ainsi que, de même que = comme** (dans un registre soutenu)

> *Le niveau des loyers augmente **ainsi que** le coût de la vie.*
> *Il neige dans le Sud **de même que** dans le reste de la France.*

■ **Le même/la même/les mêmes + nom + que = identité**

> *Le bébé vient de naître :*   *il a **le même** nez que sa mère.*
> *il a **la même** bouche que son père.*
> *il a **les mêmes** yeux que sa sœur.*

■ **Tel/telle que = comme**

> *Paul est **tel que** je l'imaginais.*
> *Accepte-moi **telle que** je suis.*
> *Prenez les choses **telles qu'**elles sont.*

■ **Tel... tel... + nom**

> ***Tel** père, **tel** fils.*
> ***Telle** mère, **telle** fille.*
> ***Tels** parents, **tels** enfants.*

● Autres expressions de l'identité : être semblable à/pareil à/ identique à, ressembler à
Contraires : être différent de, se différencier de, se distinguer de

DE PLUS EN PLUS, PLUS... PLUS : progression

■ **De plus en plus, de moins en moins, de mieux en mieux,** etc.

> *Le coût de la vie est **de** plus **en** plus élevé.*
> *Ce footballeur joue **de** mieux **en** mieux.*
> *La situation est **de** pire **en** pire.*
> *On dit aussi : Ça va **de** mal **en** pis. (expression figée)*

■ **Plus... plus, moins... moins, plus... moins,** etc. : progression parallèle.

> ***Plus** je t'entends, **plus** je te vois et **plus** je t'aime.*
> ***Plus** je réfléchis, **moins** je comprends la situation.*

❭ On dit : *On vit **de** moins en moins bien.*   ~~On vit moins en moins bien.~~
❭ On dit : ***Plus** je dors, **plus** j'ai sommeil.*   ~~Le plus je dors, le plus j'ai sommeil.~~

Autant, autant, d'autant, voir p. 220 et 238.

E X E R C I C E S

1 Lisez. Soulignez les expressions indiquant la similitude. Commentez.

Chirurgie esthétique

Lisa : – Tu as déjà pensé à la chirurgie esthétique, toi ?

Julie : – Quand j'étais adolescente, je trouvais mon nez crochu. J'aurais voulu avoir un joli petit nez fin comme ma mère. J'avais les mêmes yeux, la même bouche, mais mon nez, c'était celui de mon grand-père. Un nez qui ressemble à un bec d'aigle !

Lisa : – Moi, j'aimerais bien avoir un nez comme ça. Je trouve que ça donne de la personnalité.

Julie : – Aujourd'hui, dans les magazines, toutes les filles ressemblent à des clones : de grosses lèvres, de petits nez, de fortes poitrines, des pommettes hautes. Comme s'il n'y avait qu'un modèle de beauté !

Lisa : – Et ça se fait de plus en plus. Dans le monde entier. Aussi bien chez les femmes mûres que chez les très jeunes filles. Et c'est la surenchère : plus tôt on intervient, plus souvent on devra le refaire.

Julie – Oui, nous au moins on est différentes, moi avec mon grand nez, mes grands pieds, mon buste de garçon, et toi avec ta figure ronde, tes cheveux roux, tes hanches bien féminines…

Lisa : – Tu trouves que je devrais maigrir ?

Julie : – Oh arrête ! Les hommes adorent ça. Et puis on doit s'accepter telles qu'on est…

2 Aussi bien que, autant que + **superlatifs. Transformez selon le modèle.**

1. – Cet ordinateur est très bon sur le plan technique comme sur le plan esthétique.

– *Oui, c'est le meilleur aussi bien sur le plan technique qu'esthétique/autant sur le plan technique qu'esthétique.*

2. – Ce restaurant est très bon du point de vue de la cuisine comme du service.

_____

3. – Ce site d'information est très bien fait du point de vue du design comme du contenu.

_____

4. – Cette voiture est très bien conçue sur le plan esthétique comme sur le plan pratique.

_____

5. – Cet hôtel est très mauvais au niveau du confort comme au niveau de l'accueil.

_____

3 Le même, la même, les mêmes. **Complétez selon le modèle.**

1. Les jeunes écoutent-ils *les mêmes musiques que* leurs parents ou écoutent-ils des musiques différentes ?

2. Les étudiants espagnols font-ils _____ les étudiants anglais ou font-ils des erreurs différentes ?

3. Le vin blanc a-t-il _____ le vin rouge ou a-t-il un goût différent ?

4. Le jasmin a-t-il _____ le muguet ou a-t-il une odeur différente ?

4 Comme si. **Complétez, selon le modèle.**

1. Florinda est née au Portugal, mais elle parle français *comme si elle était née* en France.

2. Cathy n'est pas partie en vacances, pourtant elle est bronzée _____ au bord de la mer.

3. Kevin n'est plus un bébé, pourtant sa mère lui parle _____ deux ans !

4. Je n'ai pas bougé de toute la journée mais je suis fatigué(e) _____ trois heures de sport.

5 De moins en moins, de plus en plus.

1. Il y a peu d'endroits non touristiques.

2. Il y a beaucoup de phénomènes d'allergie.

3. Il y a beaucoup de violence à l'école

4. Il y a peu de couples qui durent.

Il y a de moins en moins d'endroits…

6 Plus… plus/moins, moins… moins/plus. **Transformez**

+/ + Je mange. J'ai faim. *Plus je mange, plus j'ai faim.*

–/– Je parle. J'ai envie de parler. _____

–/+ Je bouge. Je grossis. _____

+/ + Je dors. Je suis fatigué(e). _____

+/– Je vieillis. J'ai des certitudes. _____

CONJONCTIONS et TEMPS des verbes
Tableau récapitulatif

	INDICATIF	SUBJONCTIF
T E M P S	● **L'action du verbe principal se situe APRÈS celle du verbe subordonné.** Après que, une fois que *Je suis partie **après qu'**il est rentré.* **Une fois** *qu'on s'est abonné, on a accès gratuitement à tous les services.*	● **L'action du verbe principal se situe AVANT celle du verbe subordonné.** Avant que, jusqu'à ce que, d'ici que en attendant que, le temps que *Finissons **avant qu'**il revienne.* *Restez **jusqu'à ce** qu'il revienne.* *Il est **temps qu'**il revienne.*
C A U S E	● **Cause affirmée, réelle** Parce que, puisque, comme, étant donné que, du fait que, ce n'est pas parce que, non pas parce que **Comme** *il pleut, je ne sors pas.* *Restons ici, **puisqu'**il pleut…* *Je vends ma voiture, **non pas parce qu'**elle est vieille, mais **parce qu'**elle consomme trop.*	● **Cause rejetée, fausse** Ce n'est pas que, non pas que, non que *Si je vends ma voiture,* ***ce n'est pas qu'**elle soit vieille,* *mais c'est qu'elle consomme trop.* *Je vends ma voiture, **non pas** qu'elle soit vieille mais elle consomme trop.*
B U T		● **Expressions du but** Pour que, afin que, de crainte que, de peur que *Je l'ai suppliée **pour qu'**elle revienne.* *Nous rentrons **de crainte qu'**il ne pleuve.*
C O N S É Q U E N C E	● **Conséquence réalisée** De manière que/de façon que, de sorte que, si bien que *On a barré la route **de manière que** les voitures ne peuvent plus passer.* Si, tant … que, tellement… que, de telle manière que, à tel point que *Il fait **si** froid **qu'**il a fallu allumer le chauffage.* *Il a **tellement** plu que la rivière a débordé.*	● **Conséquence recherchée (but)** De manière que/de façon que, de sorte que, en sorte que *On a barré la route **de manière que** les voitures ne puissent plus passer.* *Faites (**en sorte**) qu'ils s'en aillent.* Assez/trop… pour que *Il fait **trop** froid **pour qu'**on aille à la plage.* *Il fait **assez** chaud **pour qu'**on éteigne le chauffage.* *Il pleut **trop pour qu'**on sorte.*

INDICATIF	SUBJONCTIF
O P P O S I T I O N / **C O N C E S S I O N**	
● **Opposition temporelle** Tandis que, pendant que, alors que *Il fait froid à Paris **alors qu**'il fait beau à Nice.* ● **Concession indiquant un résultat inattendu mais réel** Il n'en demeure pas moins que, il n'empêche que, toujours est-il que, il reste que *Marc est riche. **Il n'en demeure pas moins qu**'il est avare.* Tout ... que ***Tout** riche **qu**'il est, Marc est avare.*	● **Concession/restriction** Bien que, où que, quoique, encore que, aussi ... que, sans que *Il fait froid **bien qu**'il y ait du soleil.* ***Où que** tu sois, je te rejoindrai.* ***Quel que** soit le temps, je sortirai.* ***Quoi que** tu dises, je sortirai.* ***Quoiqu**'il fasse froid, je sortirai.* *Il fait frais, **encore qu**'il y ait de soleil.* *Il est sorti **sans que** je le voie.* Tout, quelque, si, aussi, pour, quelque ... que ***Tout** riche **qu**'il soit, Marc est avare.* ***Si** riche **qu**'il soit, Marc est avare.*
C O N D I T I O N	
● **Condition variable** Suivant que, selon que *Notre perception des choses change **suivant qu**'on <u>est</u> jeune ou vieux.* *« **Selon que** vous serez puissant ou misérable, les jugements de cour vous rendront noir ou blanc. »* (La Fontaine) ● **Hypothèses avec « si »** *Si j'<u>ai</u> le temps, je viendrai.* *Si j'<u>avais</u> le temps, je viendrais.* *Si j'<u>avais eu</u> le temps, je serais venu.* ***Même si** on me <u>suppliait</u>, je refuserais.*	● **Condition stricte** À condition que, pourvu que, à moins que, pour peu que, soit que ..., que ... que, sans que, (pour) autant que*... *Faites ce que vous voulez,* ***pourvu que** la loi <u>soit</u> respectée.* *C'est un homme politique sincère,* ***si tant est qu**'il y en <u>ait</u>.* *Qu'il <u>fasse</u> ou chaud ou qu'il <u>fasse</u> froid, Alex sort sans manteau.* *Je ne peux pas bouger **sans que** le chien me <u>suive</u>...* ***Autant que** je sache, Patrick est irlandais.*

Remarque : **quand bien même** (concession) est suivi du conditionnel.
*Quand bien même on m'**offrirait** une fortune, je ne vendrais pas ma maison.* = même si on m'offrait

❱ **(Pour) autant que** de condition est suivi du subjonctif.
Autant que je sache, Patrick est irlandais.   = si je ne me trompe pas,
Pour autant que je m'en souvienne, il habite Dublin.

❱ **Autant que** comparatif est suivi de l'indicatif.
– *Travaille-t-il **autant qu**'on le dit ?*   = plus, moins, autant
– *Oui. Il travaille **autant qu**'il est possible de travailler.*

LES PRÉPOSITIONS (1)
Prépositions suivies d'un verbe

Après une préposition, le verbe est toujours à l'infinitif. Certains verbes sont suivis d'un infinitif sans préposition, beaucoup se construisent avec **de** ou **à** + infinitif.

Verbes + infinitifs sans préposition

■ Verbes de sentiments, de désir, de projets

J'aime **J'adore** **Je déteste** **Je désire**	*vivre à Paris.*

■ Verbes de déplacement

Je vais **Je passe** **Je cours** **Je monte**	*voir une amie.*

■ Autres verbes

penser/croire/espérer/compter	*Il pense partir. Il espère partir. Il compte partir.*
devoir/vouloir/pouvoir/savoir/falloir	*Il doit travailler. Il veut partir. Il faut partir.*
sembler/paraître	*Il semble comprendre. Il paraît être d'accord.*
verbes de déclaration	*Il prétend avoir raison. Il nie être l'auteur du crime.*
verbes de perception	*Il regarde tomber la neige. Il sent arriver le froid.*
être censé/supposé	*Il est censé avoir de l'argent.*

Verbes + DE + infinitif

■ Avoir + nom sans article

J'ai besoin	**de**	
J'ai envie	**de**	*partir.*
J'ai peur	**de**	
J'ai horreur	**de**	

■ Avoir + nom avec article

J'ai l'intention	**de**	
J'ai le temps	**de**	*partir.*
J'ai l'occasion	**de**	
J'ai le droit	**de**	

● Exceptions : *Avoir* **tendance à**   *Avoir* **intérêt à**   *Avoir* **du mal à**   *Avoir* **des difficultés à.**

■ Être + adjectif de sentiment

Je suis content	**de**	
Je suis heureux	**de**	*partir.*
Je suis triste	**de**	
Je suis désolé(e)	**de**	

■ Formes impersonnelles

Il est difficile	**de**	
Il est temps	**de**	*partir.*
Il est interdit	**de**	
Il est l'heure	**de**	

● Exceptions : *Être* **prêt à**   *Être* **disposé à**   *Être* **résolu à**   *Être* **habitué à**

E X E R C I C E S

---

1 **Complétez avec de, à ou rien.**

1. Je suis désolé _de_ téléphoner si tard.

2. Nous espérons _×_ vous revoir un jour.

3. J'adore _×_ marcher sous la pluie.

4. Nous sommes contents _d'_être en vacances.

5. Je cours _×_ poster cette lettre et je reviens.

6. Il fait frais, on sent _×_ arriver l'hiver.

7. Charles a tendance _à_ grossir.

8. J'espère _×_ arriver à l'heure au théâtre.

9. Nous sommes tristes _de_ partir.

10. Mon père a du mal _à_ marcher.

11. Je pars _×_ faire une balade. Tu viens ?

12. Nous voudrions _×_ revenir à Noël.

13. J'ai besoin _de_ prendre un café.

14. Il est terrible _de_ vivre dans la rue.

15. Le train est prêt _à_ partir.

16. J'ai horreur _d'_ être en retard.

17. Êtes-vous habitué(e) _à_ travailler en équipe ?

18. J'ai l'intention _d'_apprendre le tango…

19. Les enfants ont envie _de_ faire du camping.

20. Marie a tendance _à_ voir tout en noir.

---

2 **Faites des phrases, selon le modèle.**

sembler – paraître – avoir l'air – déclarer – prétendre – affirmer – être censé – être fier

Il semble avoir quinze ans _(paraître ×) (avoir l'air d') (déclarer ×)_
(affirmer ×) (être censé ×) (être fier de)

---

3 **Complétez avec « de » ou « à » si c'est nécessaire.**

1. Les ouvriers ont peur _de_ perdre leur emploi et ils sont prêts _à_ faire des concessions.

2. Ma femme a envie _de_ sortir le samedi, mais moi, je préfère _×_ rester à la maison.

3. Je suis étonnée _de_ voir combien votre fils a grandi. J'ai eu du mal _à_ le reconnaître.

4. Ma fille veut partir _×_ vivre à Londres. Elle a l'intention _de_ devenir interprète.

5. J'aime _×_ faire la cuisine, mais j'ai horreur _de_ faire le ménage.

6. Vous avez raison _d'_ être strict avec cette entreprise. Ils ont tendance _à_ profiter des gens.

7. Si vous avez l'occasion _de_ venir dans le quartier, je serais heureuse _de_ vous inviter chez moi.

8. Le journaliste a déclaré _×_ avoir reçu des menaces, mais il est résolu _à_ poursuivre son enquête.

9. Vous n'avez pas le droit _d'_ être dans cette salle. Vous êtes censés _×_ être en cours.

10. Le temps semble _×_ s'améliorer. Nous espérons _×_ partir en week-end.

11. Nous avons intérêt _à_ prendre un taxi : nous sommes supposés _×_ arriver avant huit heures.

---

4 **Complétez librement.**

> **Aéroport**
>
> Jean arrive à 5 h à l'aéroport : je suis impatiente _de le rencontrer._
>
> Il n'y a pas de ligne de métro directe : je suis obligée _de conduire en voiture ._
>
> Le bus n'arrive toujours pas : je suis fatiguée _de l'attendre._
>
> J'ai sommeil. Je ne suis pas habituée _à me lever si tôt_
>
> Oh là là : il est déjà 4 h 20. J'ai peur _d'arriver trop tard ._
>
> Voilà, le bus est là. Nous sommes prêts _à l'embarquer._
>
> Ça y est, on voit l'aéroport. Nous sommes sur le point _de partir ._
>
> Tout le monde descend ! Je suis contente _de_
>
> Oh là là ! Quelle foule ! Il est difficile _de bouger ._
>
> Tiens ! L'avion a une heure de retard : j'ai le temps _de prendre un café_

Verbes + DE ou À + infinitif

■ Verbes + de + infinitif

Accepter	**de**
Achever	**de**
Arrêter	**de**
Attendre	**de**
Cesser	**de***
Continuer	**de**
Convenir	**de**
Craindre	**de**
Décider	**de**
Empêcher	**de**
Envisager	**de**
Essayer	**de**
Éviter	**de**
Interdire	**de**
Faire exprès	**de**
Faire semblant	**de**
Faire mieux	**de**
Finir	**de***
Menacer	**de**
Mériter	**de**
Offrir	**de**
Oublier/omettre	**de**
Permettre	**de**
Persuader	**de**
Promettre	**de**
Proposer	**de**
Refuser	**de**
Regretter	**de**
Rêver	**de**
Risquer	**de**
Suggérer	**de**
Souffrir	**de**
Tâcher	**de**

S'arrêter	**de**
Se charger	**de**
Se contenter	**de**
Se dépêcher	**de**
Se douter	**de**
S'efforcer	**de**
S'étonner	**de**
S'excuser	**de**
Se hâter	**de**
Se souvenir	**de**
Se moquer	**de**

■ Verbes + à + infinitif

Aider	**à**
Apprendre	**à**
Arriver	**à**
Autoriser	**à**
Chercher	**à**
Commencer	**à***
Consentir	**à**
Continuer	**à**
Contribuer	**à**
Consister	**à**
Contraindre	**à**
Encourager	**à**
Enseigner	**à**
Faire attention	**à**
Forcer	**à**
Hésiter	**à**
Inciter	**à**
Inviter	**à**
Jouer	**à**
Parvenir	**à**
Passer son temps	**à**
Penser	**à***
Pousser	**à**
Promettre	**à**
Renoncer	**à**
Réussir	**à**
Servir	**à**
Suffire	**à**
Songer	**à**
Tarder	**à**
Tenir	**à**

S'amuser	**à**
S'attendre	**à**
Se décider	**à**
S'engager	**à**
Se fatiguer	**à**
Se forcer	**à**
S'habituer	**à**
Se limiter	**à**
Se mettre	**à**
Se préparer	**à**
Se plaire	**à**
Se refuser	**à**
Se résoudre	**à**

* On dit : *Commencer à travailler* *Finir **de** travailler* *Cesser **de** travailler*
Mais : *Commencer **par** protester* *Finir **par** accepter* (processus : d'abord, après)

* Penser **à** + infinitif = se souvenir de *Je dois **penser à** aller à la poste.*
Penser + infinitif = croire, compter *Je **pense venir** à Paris en juin.*

E X E R C I C E S

> Le fascisme, ce n'est pas
> d'empêcher **de** dire,
> c'est d'obliger **à** dire.
>
> Roland Barthes
>
> *Discours au Collège de France*

1 Complétez avec à ou de.

1. Essayez *de* faire cet exercice sans regarder les corrigés.
2. J'hésite _à_ téléphoner à Isabelle. Il est tard.
3. Dépêchons-nous _de_ rentrer : il fait froid.
4. Le bateau arrive. Préparez-vous _à_ embarquer.
5. La machine à laver s'est arrêtée _de_ marcher tout à coup.
6. Il a recommencé _à_ pleuvoir à cinq heures du matin.

2 Complétez avec à ou de.

1. Tâchez _d'_ être à l'heure pour le concert. Pensez _à_ prendre vos billets.
2. Continuez _à_ travailler comme ça. Vous méritez _de_ réussir.
3. Je ne suis pas arrivé(e) _à_ terminer le roman que Charles m'a offert.
4. Évitez _de_ partir aux heures d'affluence si vous craignez _d'_ être bloqués sur la route.
5. Le tri sélectif permet _de_ recycler des matériaux et contribue _à_ préserver la planète.
6. Le film plastique sert _à_ protéger les aliments qui risquent _de_ s'oxyder.
7. Une bonne alimentation permet _de_ vivre plus longtemps.
8. Le piratage informatique consiste _à_ télécharger des œuvres illégalement.
9. Une dose de ce médicament suffit _à_ éradiquer la maladie.
10. J'hésite _à_ parler de ces problèmes à ma famille.

3 Complétez avec à, par ou de, si c'est nécessaire.

1. Avez-vous réussi _à_ joindre Max ? J'essaie _de_ le joindre depuis des semaines…
2. Les enfants se sont mis _à_ travailler tout en continuant _à_ écouter la musique.
3. Paul cherche _à_ développer ses activités. Il essaie _de_ trouver de nouveaux clients.
4. J'ai décidé _de_ changer de travail. Je n'arrive plus _à_ travailler dans cette ambiance.
5. Les voyageurs sont priés _de_ se présenter et ils sont invités _à_ présenter leur passeport.
6. Ne faites pas semblant _de_ dormir. Dépêchez-vous _de_ vous lever.
7. Je pousse les jeunes _à_ voyager sans leur famille. Ils doivent apprendre _à_ vivre seuls.
8. Des moniteurs aident les enfants _à_ faire leurs devoirs et ils les encouragent _à_ travailler.
9. Si tu continues _à_ maltraiter ton ordinateur, tu finiras _par_ le casser…
10. Vous devez continuer _à_ faire des exercices et vous devez essayer _de_ lire les journaux français.
11. On autorise les enfants _à_ sortir dans le jardin, mais on les empêche _de_ jouer au ballon.
12. Au début, le client a refusé _de_ signer le contrat, mais il a fini _par_ accepter nos conditions.
13. Je pense _X_ partir en vacances cet été et je dois penser _à_ mettre de l'argent de côté.
14. Tu passes ton temps _à_ téléphoner à tes copines. Tu ferais mieux _de_ travailler.
15. Pense _à_ arroser les fleurs. Souviens-toi _de_ payer la note de téléphone.

4 À et de. Complétez et répondez aux questions.

Sondage

1. Vous commencez _à_ travailler à quelle heure ? – *Je commence à* _____
2. Vous finissez _de_ déjeuner à quelle heure ? – *Je finis à* _____
3. Arrivez-vous _de_ travailler dans le bruit ? * – *J'arrive à* _____
4. Avez-vous l'habitude _de_ déjeuner à la cantine ? – _____
5. Invitez-vous parfois des collègues _à_ déjeuner en ville ? – _____
6. Avez-vous déjà songé _à_ changer de travail ? – _____
7. Accepteriez-vous _de_ travailler le dimanche ? – _____
8. Est-ce que vous continuez _à_ voir vos anciens collègues ? – _____

Constructions + DE ou À + infinitif : particularités

■ Des verbes proches par le sens peuvent avoir des constructions différentes

Essayer **de**   *J'essaie **de** joindre David.*
Chercher **à**   *Je cherche **à** joindre David.*

Avoir l'habitude **de**   *J'ai l'habitude **de** travailler la nuit*
S'habituer **à**   *Je me suis habitué **à** travailler la nuit.*
Être habitué **à**   *Je suis habitué **à** travailler la nuit.*

Décider **de**   *J'ai décidé **de** faire le régime.*
Se décider **à**   *Je me suis décidé **à** faire le régime.*
Être décidé **à**   *Je suis décidé **à** changer de vie.*

Refuser **de**   *Je refuse **de** faire des compromis.*
Se refuser **à**   *Je me refuse **à** faire des compromis.*

Rêver **de**   *Je rêve **de** partir à l'étranger.*
Songer **à**   *Je songe **à** changer d'activité.*

S'efforcer **de**   *Je m'efforce **de** faire un peu de sport.*
Se forcer **à**   *Je me force **à** manger des légumes.*

On dit :   *Je suis obligé **de**/Je suis forcé **de**/Je suis contraint **de** partir.*
Mais :   *On m'a obligé **à**/On m'a forcé **à**/On m'a contraint **à** partir.*
           *J'ai été amené **à**/J'ai été poussé **à** partir.*   = actions subies

■ Constructions impersonnelles

- **C'est** + adjectif + **à** + verbe <u>sans</u> complément   *Les pâtes, c'est facile **à** faire !*
- **C'est/Il est** + adjectif + **de** + verbe <u>avec</u> complément.   *Il est facile **de** faire <u>les pâtes</u>.*

- **Il suffit de** = il faut simplement   *Pour allumer, il suffit **d'**appuyer sur le bouton.*
- **Ça suffit à** = c'est assez pour   *Un câlin, ça suffit **à** calmer un enfant.*

- **Il s'agit de** = voilà la question/l'objectif/le problème
  *Il s'agit **de** trouver des financements.*   *Il s'agit **d'**étendre notre clientèle.*

- **Il arrive de** = événement possible
  *Il arrive rarement **de** trouver des perles dans les huîtres.*   *Il m'arrive **d'**avoir des insomnies.*

- **Il vaut mieux/Il faut** = <u>nécessité</u>. Ces formes se construisent sans préposition.
  On dit :   *Il est nécessaire **de**/C'est mieux **de**/Tu ferais mieux **de** partir tôt.*
  Mais :   *Il faut partir tôt. Il vaut mieux partir tôt.*

■ Adjectif ou nom + infinitif

- Adjectif + **à** + infinitif indique la manière.   *Un homme facile **à** vivre. Un sac lourd **à** porter.*
- Nom + **à** + infinitif indique le but.   *Un dossier **à** imprimer. Une jupe **à** raccourcir.*
  – On dit « une façon **de**/une manière **de** »   *J'aime sa manière **de** parler, sa façon **de** marcher.*

E X E R C I C E S

1 Complétez avec de ou à.

1. Je cherche *à* perdre du poids.
2. J'essaie *de* faire un régime strict.
3. Nous avons décidé *de* changer de vie.
4. Nous sommes décidés *à* faire du sport.
5. Je suis obligé *de* partir plus tôt que prévu.
6. On m'a forcé *à* donner ma démission.
7. Jo et Léa se sont décidés *à* se marier.
8. Je n'ai pas l'habitude *de* sortir le soir.

9. Le maire a refusé *de* recevoir le journaliste.
10. Le ministre s'est refusé *à* faire un commentaire.
11. Avez-vous déjà songé *à* vivre ailleurs ?
12. Ma nièce rêve *de* devenir mannequin.
13. Je suis habitué *à* me lever tôt.
14. Force-toi *à* faire du sport.
15. Efforcez-vous *d'* arriver à l'heure en classe.
16. Les employés sont obligés *d'* avoir un badge.

2 Complétez avec de ou à.

Questions sur Internet

J'ai décidé *de* cesser mon activité et j'envisage *de* licencier mes salariés. Suis-je obligé *de* mettre en place une procédure de licenciement économique ?

Mon employeur me contraint *à* partager un bureau avec un fumeur et il refuse *de* me donner un autre bureau. Je suis décidée *à* me battre. Quels recours puis-je avoir ?

J'ai fait construire une villa en bordure d'un village. Les bâtiments de France veulent m'obliger *à* remplacer le toit en tuiles par un toit en ardoises. Que se passera-t-il si je me refuse *à* faire ce changement ?

Est-ce que boire du jus d'orange le soir, ça empêche *de* dormir ?
Dois-je forcer mon enfant *à* manger des légumes ?

3 Complétez avec de ou à, si c'est nécessaire.

1. Les crêpes, c'est facile *à* faire, mais c'est parfois lourd *à* digérer.
2. Il est dangereux *de* conduire une vespa en ville.
3. Pour voter, il suffit *d'* être inscrit sur les listes électorales.
4. Quelques euros, ça suffit parfois *à* sauver une vie.
5. Est-ce qu'il vous arrive *de* travailler chez vous pendant le week-end ?
6. Notre projet est au point. Maintenant, il s'agit *de* trouver des financements.
7. En été, il est très agréable *de* marcher pieds nus sur la plage.
8. Les impôts, ça sert *à* financer les dépenses publiques, ça permet *de* construire des infrastructures.
9. Il est obligatoire *de* payer ses impôts et il vaut mieux *Ø* payer dans les délais.
10. Il est interdit *de* fumer dans les lieux publics en France, mais c'est difficile *à* contrôler.

4 Complétez, selon le modèle.

~~manger~~ poser meubler porter faire

Ces poires ne sont pas bonnes *à manger*.
Mon appartement est difficile *à meubler*.
Voilà une recette facile *à faire*.
Je cherche des rideaux prêts *à poser*.
Ce pull est très agréable *à porter*.

5 Transformez, selon le modèle.

Il faut : signer ces lettres. *à signer*
jeter ces papiers. *à jeter*
remplir ces formulaires. *à remplir*
archiver ces dossiers. *à archiver*

Voilà des lettres à signer. _____
_____
_____

6 Écrit. Qu'est-ce qui pousse les gens à créer leurs blogs et à communiquer sur Internet ?

LES PRÉPOSITIONS (2)
Prépositions suivies d'un nom

À, DE, EN, PAR, POUR, SUR, DANS + **nom**

À	**lieu**	*Être **à** Paris/ **à** l'école Aller **à** Paris/ **à** l'école*
	heure	*Avoir rendez-vous **à** 8 heures/ **à** midi*
	usage (= ça sert à)	*Une tasse **à** café Une brosse **à** dents*
	composition	*Une soupe **à** l'oignon Une pizza **au** fromage*
	prix/mesure	*Les fraises sont **à** 5 euros. On calcule le prix **au** kilo.*
	comparaison	*Supérieur **à**/ inférieur **à**/ égal **à**/ semblable **à***
	communication	*Parler **à** ses amis Téléphoner **à** sa mère*
De	**provenance**	*Venir **de** Paris/ **de** France/ **du** Brésil*
	appartenance	*Le livre **de** l'élève Le chien **du** voisin*
	catégorie	*Un livre **de** français Un cours **d'**histoire*
	matière (littéraire)	*Une robe **de** laine Une table **de** marbre*
	contenu	*Une tasse **de** café Un verre **de** bière*
	manière	*Pleurer **de** joie Trembler **de** peur*
	comparaison	*Plus **de** moins **de** différent **de***
En	**lieu**	*Vivre **en** France Aller **en** Afrique*
	moyen de transport	*Voyager **en** voiture, **en** train, **en** avion*
	matière (courant)	*Une robe **en** laine Une table **en** marbre*
	habillement	*Être habillé(e) **en** jeans/ **en** robe/ **en** noir*
	durée	*Terminer **en** deux minutes*
Par	**passage**	*Passer **par** la porte*
	agent	*Être arrêté(e) **par** la police*
	moyen	*Envoyer une lettre **par** avion*
	manière	*Prendre un enfant **par** la main*
	fréquence	*Partir une fois **par** mois/ **par** semaine/ **par** an*
Pour	**destination**	*Partir **pour** les États-Unis*
	but	*Appeler **pour** un rendez-vous*
	durée prévue	*Je pars **pour** huit jours.*
	pourcentage	*Cinq **pour** cent Quatre-vingts **pour** cent*
Sur	**surface**	*Écrire **sur** un cahier Lire **sur** un écran*
	sujet	*Voir un film **sur** la Mafia*
	proportion	*Huit élèves **sur** dix ont réussi à l'examen.*
Dans	**espace**	*Je marche **dans** la rue.*
	date à venir	*Nous partirons **dans** une semaine.*

- On dit : *Payer **en** dollars/ **en** espèce/ **en** liquide/ **par** chèque/ **par** carte bancaire.*

- On dit : *Faire **de** + tous les sports, Jouer **à** + sport d'équipe, Jouer **de** + instrument de musique*

    – **à** : vers l'extérieur/vers l'autre   *Parler **à**   Répondre **à**   S'intéresser **à***
    – **de** : vers l'intérieur/vers soi   *Parler **de**   Rêver **de**   S'occuper **de***

E X E R C I C E S

1 Complétez avec de, à, pour, en, par, sur, dans + **article si c'est nécessaire.**

1. Où est-ce que tu ranges les tasses _____ café ? – Mets-les _____ l'étagère _____ l'armoire.

2. Raymonde se couche tôt : _____six heures _____soir, elle est déjà _____pyjama !

3. Je cherche des chaussures _____sport _____ cuir. Je n'aime pas les chaussures _____ toile.

4. Quand on rentre _____ce café, on est toujours accueilli _____un sourire.

5. Attention, un gros bourdon est entré _____la fenêtre et il s'est posé _____la table !

6. Chaque année, plus de quatre-vingts _____cent _____ élèves réussissent _____ l'examen _____ français.

7. Vous pouvez régler la facture_____ espèces, _____ chèque ou _____ carte de crédit.

8. Les remarques des tout-petits me font souvent mourir _____ rire.

9. Nous avons plus _____ cent variétés de cafés. Tous d'une qualité supérieure _____ la moyenne.

10. Cinq candidats _____ huit sont des femmes cette année.

11. Je suis allé(e) courir et j'ai fait dix fois le tour _____ parc _____ une demi-heure.

12. Venez _____ taxi si c'est nécessaire, mais arrangez-vous _____ être ici avant 11 heures.

2 Révision. Complétez avec les prépositions manquantes.

Chers amis,

Vous avez eu raison _____nous dire _____faire attention _____calendrier _____ vacances scolaires et _____ nous méfier _____grands axes routiers avant _____partir.

Cela nous a évité _____nous trouver dans la cohue* _____ vacanciers et ça nous a permis _____arriver calmement chez nous, _____ les Landes, sans être par ailleurs obligés _____ partir _____l'aube. En outre, les enfants se sont intéressés _____ paysage pour la première fois et ils se sont amusés _____compter les vaches et les moutons le long _____ la route.

Je suis très contente _____ petit jardin que j'avais commencé _____aménager la dernière fois. Avec l'été, il est très agréable _____ se reposer sous les tonnelles*. Nous allons continuer _____ planter des arbustes _____ isoler la propriété _____la route. J'ai réussi _____ désherber le champ presque entièrement et je vais essayer ____ fabriquer un système d'irrigation capable _____ fonctionner même en notre absence. C'est facile _____ dire mais plus difficile _____ faire. Il est très difficile en effet _____trouver le matériel nécessaire ici.

J'ai fini _____ faire les plans d'aménagement intérieur_____ la ferme et il me reste seulement_____ contacter les artisans du coin et _____ étudier les devis. Tous ces projets m'obligent _____ passer la plupart de mon temps dehors. (Je suis obligée aussi _____faire pas mal d'économies sur les distractions.) Mais tout cela est bien agréable _____ mettre en place.

Si vous avez l'intention _____passer dans notre région, nous serions très heureux ____vous recevoir chez nous. Essayez _____ nous appeler un peu avant, ça nous permettrait ____ préparer un petit programme touristique. Rappelez-vous que, lors de votre dernier départ, les embouteillages vous ont obligés _____ dormir sur l'autoroute, alors il est préférable _____ prévoir un arrêt à l'avance et _____ dormir chez nous.
Je pense _____ vous très souvent et j'ai hâte _____ vous retrouver.

Grosses Bises   Madeleine

*cohue : foule, bousculade   *tonnelle : abri couvert de verdure

L'ORGANISATION du DISCOURS (1)
Emploi des mots de liaison

Pour que le lecteur puisse suivre un raisonnement, il faut le guider en employant des « mots de liaison », c'est-à-dire des mots qui énumèrent les différentes parties, attirent l'attention, illustrent des propos, introduisent des relations de cause, de conséquence, de but...

Annoncer un plan, énumérer les parties

- (Tout) d'abord
- Ensuite/Puis
- Enfin*/Finalement/En conclusion

- En premier lieu/Premièrement
- En second lieu/Deuxièmement
- En dernier lieu/Troisièmement

Tout d'abord, nous parlerons du système éducatif en France.
Nous considérerons **premièrement** les programmes,
                    deuxièmement les rythmes scolaires,
                    troisièmement les résultats garçons/filles.
Ensuite, nous étudierons d'autres modèles étrangers.
Enfin, nous ferons un bilan de tous les éléments positifs.
En conclusion, nous proposerons un nouveau système pédagogique.

> ❱ * **Enfin** termine une énumération (= pour finir). Il est préférable à **finalement**
> qui s'emploie surtout pour apporter une conclusion inattendue.
> *Je pensais venir mais, **finalement**, je n'ai pas pu.* ~~mais enfin je n'ai pas pu.~~

> ❱ **Dernièrement** ne signifie pas « en dernier lieu » mais « récemment ».
> *As-tu vu Jo récemment ? – Oui je l'ai vu **dernièrement**.*

Distinguer ou ajouter des sous-parties

- D'une part/D'autre part
- D'un côté/De l'autre*
- Soit ... soit/Aussi bien ... que/Tant ... que

- De plus/Par ailleurs
- En outre/De surcroît
- Aussi/De même/Également

D'une part, on constate, en France, l'importance du « par cœur ».
D'autre part, la prise de parole en classe est peu encouragée
(*soit* par manque de temps, *soit* par goût du cours magistral,
et cela *aussi bien* au niveau du primaire *que* du secondaire,
tant dans les écoles publiques *que* dans les écoles privées).

Par ailleurs, la situation varie selon la zone géographique.
En outre, on note une grande disparité entre les établissements.

> ❱ On dit : *D'une part/**d'autre** part* mais   *d'un* côté/*d'**un** autre* côté   ~~d'autre côté~~
>   *d'un* côté/*de l'autre*   ~~de l'autre côté~~

> ❱ **Soit... soit** introduit une alternative : *On se verra **soit** chez toi, **soit** chez moi.*
> ❱ Pour comparer deux situations identiques, on emploie **aussi bien ... que** ou **tant que**.
> *Ces résultats se vérifient **aussi bien** en France **qu'**à l'étranger.* ~~soit en France qu'à l'étranger.~~

E X E R C I C E S

1 Lisez. Soulignez les mots de liaison.

Sauvons les garçons

Pourquoi les garçons réussissent-ils moins bien que les filles à l'école ?

<u>D'abord</u> parce que certains parents croient qu'un garçon pourra toujours s'en tirer sans être bon en classe, contrairement à une fille, qui s'investit plus dans ses études pour trouver un emploi ou une place qu'elle n'a pas à la maison. Ensuite, au cours de leur scolarité, les garçons ne rencontreront pratiquement que des femmes : enseignantes, infirmières, médecins, assistantes sociales, employées de mairie, voire juges. Ils n'ont pas, sous les yeux, suffisamment d'exemples de métiers masculins. Enfin, les mères s'occupent encore principalement des enfants. Le garçon ne voit pas assez le père légitimer les apprentissages scolaires.

Comment l'école peut-elle remédier à cette situation ?

Les enseignants devraient savoir gérer une classe composée d'élèves des deux sexes, d'une part en interrogeant aussi souvent les filles que les garçons, d'autre part en décryptant les représentations sexistes dans les manuels. De plus, ils devraient encourager les filles à intégrer les filières scientifiques et les garçons à exercer des professions féminisées.

Mais l'école ne peut pas, à elle seule, tout accomplir !

L'échec scolaire frappe les garçons élevés selon les stéréotypes sexués. Ceux qui réussissent le mieux sont les enfants les moins conformistes, qui développent des qualités dites féminines (écoute, sensibilité…) en plus des aptitudes réputées masculines (endurance, combativité…). Un garçon doit par ailleurs voir son père travailler à la maison, et pas seulement sa mère. Dans les familles recomposées, la mère est encore plus le pôle de la famille, sans présence ou peu de masculin. Or, être parent, c'est aussi être un modèle.

Pourquoi les garçons, qui ont de moins bons résultats scolaires, représentent-ils pourtant 68 % des étudiants des classes préparatoires aux grandes écoles ?

Les filles s'orientent plus rapidement vers un métier. S'ils n'échouent pas à l'école, les garçons sont poussés par le milieu familial à aller le plus loin possible.

Et ils rentabilisent mieux leurs diplômes…

Oui, car la maternité affecte la situation des femmes sur le marché de l'emploi. Cette inégalité provient de la répartition des tâches parentales et domestiques, qui ne s'est pas modifiée ces quarante dernières années. Une femme recherche également davantage la sécurité de l'emploi. Elle pense plus aux enfants, à leur environnement, aux loisirs… C'est pourquoi la fonction publique s'est beaucoup féminisée.

Entretien avec Jean-Louis Auduc, auteur du livre *Sauvons les garçons*.

Propos recueillis par Nadine Paris, 19 décembre 2009, Internet Ouest-France.

2 Écrit. Résumez l'entretien. Employez des mots de liaison.

Renvoyer à ce qui a été dit

- **Celui-ci/celle-ci..., Ce dernier/cette dernière...** renvoient à un nom déjà cité.

- **Cela/Cela dit** renvoient à une phrase ou à une idée déjà énoncée.

- **Ce qui/que** renvoie à une idée déjà énoncée et ajoute un commentaire.

> *Les garçons ont davantage de difficultés scolaires que les filles.*
> ***Celles-ci** arrivent mieux à se concentrer et elles mémorisent les leçons plus facilement.*
> ***Cela** se voit nettement lors des tests d'apprentissage. **Ces derniers** confirment par ailleurs une différence notable de compréhension des consignes dans les deux groupes.*

> *Certains psychologues pensent que cette aptitude tient à la plus grande implication des filles dans la vie domestique et au pragmatisme ainsi acquis. **Ce qui** reste à prouver.*

Attirer l'attention, préciser

- **Notamment/Par exemple**
- **En particulier/Plus particulièrement**
- **Pour ce qui concerne/Pour ce qui est de/Quant à**
- **Ainsi/À ce propos/À cet égard**
- **C'est-à-dire/Soit/À savoir**
- **D'ailleurs/En effet**

> *Le nombre d'heures de cours annuels diffère selon les pays,*
> ***notamment** entre le Nord et le Sud (800 dans le Sud, contre 600 dans le Nord).*
> ***Quant aux** journées d'école, elles sont moins nombreuses dans le Sud.*
> ***Pour ce qui concerne** les vacances, c'est la France qui détient le record absolu.*

> *La dyslexie touche moins les filles, **à savoir** 1 % de filles pour 4 % de garçons.*
> *Les filles réussissent mieux au bac, **soit** 69 % de filles contre 58 % de garçons.*

> ❱ **Quant à** (= en ce qui concerne) Distinguer de **quand** (= temps)
> *Quant à la réunion, on ne sait pas **quand** elle aura lieu.*

> ❱ **Soit** = c'est-à-dire   *Il possède un hectare de terrain, **soit** 10 000 m².*

Exclure ou restreindre

- **À part/Mis à part**
- **Sauf/Excepté/Hormis/À l'exception de**
- **Du moins/En tout cas**

> *Les filles souffrent d'inégalité sur le plan de l'emploi*
> ***sauf/à part/hormis** dans les secteurs de l'éducation et de la santé.*
> *Elles accèdent moins aux postes de direction dans une entreprise,*
> ***du moins/en tout cas** dans les pays latins.*

Résumer et donner son avis

- **En résumé/En définitive/En un mot/Bref/Somme toute/Tout compte fait**
- **À mon avis/Selon moi/D'après moi/Pour ma part**   **Je pense/J'estime/Je considère**

> ***D'après moi**, il faut réformer le système éducatif.*
> ***Selon moi**, le système d'éducation doit s'inspirer d'autres modèles.*
> ***Bref**, le système doit être entièrement repensé.*

E X E R C I C E S

1   **Lisez. Soulignez les mots de liaison.**

> **Pour une nouvelle pédagogie** (d'après les propos du philosophe Michel Serres)
>
> Sans que nous nous en apercevions, dans le bref intervalle qui nous sépare des années soixante-dix, un nouvel humain est né. <u>Ce dernier</u> n'a plus la même espérance de vie, ne communique plus de la même façon, ne vit plus dans la même nature, n'habite plus le même espace. En 1900, la majorité des humains sur la planète étaient des paysans ; en 2011, en France, comme dans les pays analogues, ceux-ci ne comptent plus qu'un pour cent de la population. Jusqu'à présent, nous vivions d'appartenances : français, catholiques, juifs, protestants, athées, gascons ou picards, indigents ou fortunés. Ces collectifs ont à peu près tous explosé. Ceux qui restent s'effilochent*. L'individu ne sait plus vivre en couple, il divorce, il ne sait plus se tenir en classe, il bouge et bavarde, l'individualité est devenue la règle. Cela dit, de nouveaux liens restent à inventer. En témoignent Facebook et son succès planétaire. Que cherchent ces jeunes ? Qui sont-ils ? Dans quel univers vivent-ils ? Les sciences cognitives nous apprennent qu'à la différence de l'usage du livre ou du cahier la lecture sur écran et l'écriture « avec le pouce » n'excitent pas les mêmes zones corticales. Ces dernières ont un fonctionnement inédit. Les jeunes ne connaissent, ni n'intègrent, ni ne synthétisent comme nous, leurs ascendants. Ils n'ont plus la même tête. Ce sont des mutants. Face à ces mutations, sans doute convient-il d'inventer d'inimaginables nouveautés, hors des cadres désuets* qui formatent encore nos conduites. Il s'agit d'un immense défi.
>
> *s'effilocher : se désagréger   *désuets : vieux, dépassés

2   **Lisez. Soulignez les mots de liaison.**

> *UNE STAR EST NÉE*
>
> <u>Tout d'abord</u>, je voudrais vous remercier de votre présence. En premier lieu, je détaillerai le bilan de l'année écoulée. Ensuite, je vous présenterai notre nouveau modèle de berline : la « Star ». Enfin, je répondrai à toutes vos questions.
>
> La « Star » est une grande réussite. Voyons sa fiche technique :
> 1. La « Star » consomme peu.
>   À savoir moins de 5 litres aux 100, soit 20 % de moins que les autres berlines.
>
> 2. La « Star » est très sûre.
>   Elle arrive ainsi en tête de tous les tests comparatifs.
>   Elle a notamment obtenu la meilleure note aux tests de chocs et de freinage.
>
> 3. La « Star » reste accessible.
>   On pourrait penser que la « Star » est un produit de luxe :
>   en fait, son prix la situe dans la moyenne basse des berlines.
>
> 4. La « Star » est belle.
>   D'ailleurs, c'est l'Italien Romeri qui a dessiné sa ligne élégante et c'est le styliste chinois Piu Li qui l'a habillée de bois, de cuir et de lin. Ces derniers travaillent désormais exclusivement pour nous.
>
> 5. Enfin, la « Star » est une voiture pratique :
>   son coffre modulable est parfait pour les déménagements.
>   Quant à son habitacle, *Madame Auto* lui a attribué le prix « de l'habitacle ergonomique ».
>
> En bref, la « Star » cumule les qualités. D'un côté elle est belle, de l'autre elle est pratique.
> Ce qui en fait, selon moi, le modèle le plus abouti des dix dernières années.

3   **Écrit. Sur le même modèle, présentez un nouveau portable, un nouvel appareil photo…**

Tableau récapitulatif des emplois des mots de liaison (1)

Énumérer	Avant tout (Tout) d'abord En premier lieu Premièrement	Ensuite Après Puis En second lieu Deuxièmement	Pour conclure En conclusion En dernier lieu Finalement/Enfin
Distinguer des sous-parties	D'une part … D'autre part D'un côté… de l'autre	ou… ou… ou bien… ou bien… ou bien encore	soit… soit… Aussi bien … que Tant … que
Ajouter	Et De plus	Par ailleurs D'autre part	En outre De surcroît
Attirer l'attention	Notamment En particulier Particulièrement	Quant à Pour ce qui concerne En ce qui concerne Pour ce qui est de Pour ce qui touche à	À ce propos À ce sujet À cet égard
Illustrer par un exemple	C'est-à-dire À savoir	Soit Ainsi	Par exemple Comme
Confirmer	En effet Effectivement	D'ailleurs	Du reste
Corriger	En fait	En réalité	Plus précisément Ou plutôt/ou mieux
Exclure	À part Sauf	Excepté Hormis	Exception faite de En dehors de À l'exception de
Conclure	En résumé En un mot Au fond Pour conclure En conclusion	Bref En bref En définitive En d'autres termes Autrement dit	En somme Somme toute Tout compte fait
Donner son avis	À mon avis Selon moi D'après moi Pour ma part De mon point de vue Quant à moi, je…*	En ce qui me concerne J'ai l'impression que J'ai le sentiment que Il me semble que Il va de soi que Il va sans dire que	Je pense que J'estime que Je considère que Je trouve que

● *On dit : *Quant à moi, je…, quant à lui, il…, quant à eux, ils…*

Tableau récapitulatif des emplois des mots de liaison (2)

Introduire une cause	parce que comme puisque car étant donné (que) du fait que considéré/vu (que) Si... c'est (que)	à cause de grâce à faute de à force de étant donné en raison de du fait de compte tenu de pour par	d'autant plus (que) d'autant moins (que) d'autant mieux (que) surtout (que) ce n'est pas (parce) que non (parce) que soit (que)... soit (que)
Introduire une conséquence	donc alors par conséquent en conséquence c'est pour cette raison que c'est la raison pour laquelle c'est pour cela/pour ça que c'est pourquoi	de sorte que de manière que de telle façon que si bien que tellement/tant ... que assez ... pour que trop ... pour que à tel point que	du coup d'où dès lors ainsi aussi de ce fait sans que
Introduire un but	pour que afin que	de crainte que de peur que	de sorte que de façon (à ce) que de manière (à ce) que
Introduire une opposition	pendant que alors que tandis que mais	au contraire à l'inverse à l'opposé contrairement à	or par contre en revanche en contrepartie a contrario
Introduire une concession	cependant pourtant toutefois néanmoins mis à part du moins ne ... que cela dit au demeurant du reste	bien que quoique encore que même si quitte à certes ... mais sans doute ... mais	malgré en dépit de avoir beau quand même quand bien même tout de même quoi qu'il en soit quel que soit
Introduire une comparaison	comme comme si aussi ... que autant ... que moins ... que plus ... que aussi bien ... que (au) tant ... que	de la même façon que de même que ainsi que autrement que	semblable à identique à différent de à l'opposé de au contraire de contrairement à

EXERCICES

1 **Complétez par des mots de liaison.**

par ailleurs – car – donc – notamment – en fait – en effet – enfin – d'ailleurs – or – mais – par conséquent

---

Lettre de rectification adressée au magazine *Vita*

Je vous adresse ce courrier _____ je voudrais apporter quelques précisions à propos de l'article publié à mon sujet dans votre magazine numéro 755 du mois de juin. Vous affirmez que j'étais président de la société SIMAC de 2002 à 2008. _____ à cette époque-là, je n'étais que secrétaire général et n'avais aucun pouvoir décisionnel. Je ne peux _____ être tenu pour responsable de la politique du groupe.

Vous dites _____ que notre société employait la majorité de ses ouvriers sous contrat d'usage. _____ elle n'en employait qu'une faible partie, entre 10 et 20 %. Pourcentage_____ largement plus bas que dans la moyenne des entreprises comme la nôtre, _____ en Europe. _____, l'incident que vous mentionnez n'a pas eu lieu au cours de l'été 2004 _____ à la fin du printemps. C'est _____la période de nettoyage général des machines. Je vous serais _____ reconnaissant de publier ce rectificatif et vous prie de recevoir l'assurance de mes salutations distinguées.

---

2 **Complétez par des mots de liaison.**

donc   – or   – en outre   – par ailleurs   – alors que   – étant donné
c'est pourquoi – toutefois   – malgré   – ainsi que   – par conséquent

---

Lettre de réclamation

Madame, Monsieur,

J'ai commandé il y a un mois, auprès de vos services, une machine à café expresso noire, douze tasses, de la marque KAFOS, livrable en 24 heures avec port gratuit. _____, j'ai reçu il y a trois jours (!!!) une machine à café rouge, d'une capacité de six tasses et d'une marque inconnue. _____, le bocal de la cafetière est fêlé. _____ le livreur m'a réclamé des frais de livraison _____ ceux-ci devaient être inclus dans le prix d'achat. Cet article ne correspond _____ pas du tout à mon attente.

_____ les différents courriels adressés à vos services, je n'ai eu aucune réponse à ce jour.

_____, j'ai téléphoné au numéro inscrit sur votre site. J'ai été accueilli par une très aimable jeune personne (je suppose) qui parlait _____ un français avec un si fort accent étranger que j'ai renoncé à poursuivre la conversation.

_____ les difficultés de communication avec votre entreprise, je ne compte plus échanger la cafetière actuelle contre la cafetière que j'attendais. _____, comme l'autorisent les dispositions de l'article L. 121-20 du Code de la consommation, je vous retourne cet objet et vous en demande le remboursement, _____ le remboursement des frais de transport par tout moyen à votre convenance.

Je vous prie d'agréer, Madame, Monsieur, mes salutations les meilleures.

---

3 **Écrit. On ne vous a pas livré les meubles que vous attendiez.**
Écrivez une lettre de réclamation détaillée.

E X E R C I C E S

1   **Réécrivez ce texte avec des mots de liaison introduisant une cause, une conséquence ou un but.**

d'une part, d'autre part	car/parce que/en effet	par ailleurs/de plus	avoir beau
pour que/afin que	ainsi/par exemple	c'est pourquoi	de sorte que

La publicité

Nous dirons que la publicité est dangereuse. Elle incite à l'achat de produits de consommation dont on n'a aucun besoin. La publicité est encombrante, elle recouvre les murs des villes, on ne peut pas regarder la télévision, prendre le métro, lire un journal sans la subir. Elle exagère quand elle ne triche pas. Elle accole savamment vérité et mensonge, illusion et réalité. On ne sait pas ce qu'il faut croire. La publicité est impudique. Elle n'hésite pas à nous « accrocher » par tous les moyens. On le sait mais on reste vulnérable. Il est nécessaire de donner aux jeunes des outils critiques d'analyse : ils seront mieux armés contre le pouvoir de la propagande. Les tout-petits également sont devenus des cibles de choix des marchands. Il faut créer une législation : il faut les protéger.

_____

_____

_____

_____

_____

_____

2   **Réécrivez ce texte avec des mots de liaison introduisant une cause, un conséquence ou un but.**

car/parce que/en effet	or/en revanche	ainsi/donc/par conséquent
pendant que/alors que	c'est pourquoi	bien que, quoique/malgré

Colocation

Les jeunes ont du mal à se loger. Il est difficile de trouver des studios bon marché dans les grandes villes. Il existe de grands appartements qu'il est facile de partager. La colocation est souvent la meilleure solution pour trouver un espace de vie acceptable. Le prix d'un appartement et les charges sont partagés par deux ou trois locataires. Chacun paie moins que pour un petit studio.

Il faut savoir respecter les règles de la vie en communauté : une grande cuisine, c'est super. On participe à l'entretien. Une belle salle de bains, c'est bien. On ne traîne pas aux « heures de pointe* ». Écouter de la musique à fond, c'est chouette. On ne le fait pas quand d'autres dorment. Un frigo plein, c'est magnifique. On doit remplacer ce que l'on consomme.

La colocation est une solution sympathique au départ. Elle peut s'avérer vite éprouvante.
Il est important de bien choisir ses colocataires et de poser, d'emblée*, un certain nombre de règles.

*heures de pointe : heure de grande affluence   *d'emblée : tout de suite, immédiatement, dès le départ

_____

_____

_____

_____

_____

E X E R C I C E S

1   **Lisez. Soulignez tous les éléments de liaison.**

Le repas familial

Interview de Jean-Claude Kaufman (sociologue) sur Internet

Il paraît que les familles mangent de moins en moins ensemble, chacun se préparant ce qu'il veut manger quand il veut. Avez-vous remarqué ce phénomène et qu'en pensez-vous ?

C'est vrai et c'est faux. D'un côté, il y a une individualisation des pratiques, et notamment des pratiques alimentaires, qui se développent partout dans le monde. Cela est lié à l'évolution de notre société, à l'envie de suivre ses propres choix, d'être maître de sa vie. Ainsi, le petit-déjeuner se prend souvent seul, chacun ayant des horaires de travail différents, et le déjeuner se prend souvent sur le lieu de travail. D'un autre côté, il y a une volonté d'avoir un moment familial fort, qui a lieu en général le soir ou le week-end. En fait, moins il y a de repas en famille, plus ceux-ci prennent de l'importance. Et ce n'est pas toujours facile, quand il y a les enfants qui ne veulent pas manger, les ados qui veulent sortir de table, etc.

Et manger devant la télé, qu'en pensez-vous ?

Près d'un ménage sur deux mange devant la télé. Celle-ci a donc une place importante dans la famille. Elle n'est pas forcément mauvaise, mais il faut s'en méfier. En fait, tout dépend de comment on l'utilise. Les repas de famille sont souvent longs et les personnes se trouvent dans un face-à-face qui peut être tendu avec les enfants, ou pire, quand les enfants sont partis, dans un face à face vide de conversation… Dans ce cas, la télé peut permettre de calmer les tensions, de redynamiser la conversation. Mais il faut rester vigilant, la télé peut s'installer et devenir envahissante : le son monte, les chaises ne sont plus face à face mais tournées vers la lucarne, il n'y a plus de discussion et alors le lien social est rompu. En fait, on ne peut pas juger la télévision en bloc, il existe de multiples situations différentes : certaines familles ne regardent la télé en mangeant que le samedi soir, d'autres tous les soirs de la semaine sauf le week-end, etc. À chacun de trouver le mode qui lui convient.

Et chez vous, comment ça se passe ?

Je n'ai pas de télé, mais comme je l'ai dit, je n'y suis pas hostile. Je fais partie des 10 % d'hommes qui prennent en main la cuisine de tous les jours. Par contre, j'avoue ne pas m'occuper du linge…

Propos recueillis par Émilie Godineau. *Le Journal des femmes*. Internet

2   **Écrit. Prenez-vous vos repas seul(e) ou en compagnie ? Regardez-vous la télévision en mangeant (parfois, souvent, jamais) ? Le repas est-il selon vous un moment important ou une simple nécessité physiologique ?**

_____

_____

_____

_____

E X E R C I C E S

1 Soulignez les expressions de cause, conséquence, opposition, concession.

> **Lettre de la mère de Colette à son gendre** *(La Naissance du jour)*
>
> Monsieur,
>
> Vous me demandez de venir passer une huitaine de jours chez vous, c'est-à-dire auprès de ma fille que j'adore. Vous qui vivez auprès d'elle vous savez combien je la vois rarement, combien sa présence m'enchante et je suis touchée que vous m'invitiez à venir la voir. Pourtant, je n'accepterai pas votre aimable invitation, du moins, pas maintenant. Voici pourquoi : mon cactus rose va probablement fleurir. C'est une plante très rare que l'on m'a donnée et qui, m'a-t-on dit, ne fleurit sous nos climats que tous les quatre ans. Or je suis déjà une très vieille femme et si je m'absentais pendant que mon cactus rose va fleurir, je suis certaine de ne pas le voir refleurir une autre fois. Veuillez donc accepter, monsieur, avec mon remerciement sincère, l'expression de mes sentiments distingués et de mon regret.
>
> **Sidonie Colette**

2 Synthèse. Terminez les phrases ci-dessous en imaginant la suite.

Hier, je ne suis pas allé(e) au travail

parce que _____

à cause de _____

en effet _____

et pourtant _____

bien que _____

en revanche, _____

alors que _____

donc _____

si bien que _____

or, _____

malgré _____

sans que _____

quoique _____

ce qui fait que _____

3 Complétez librement.

1. Mon passeport n'est plus valide, par conséquent _____

2. Paul ne connaît rien à la politique, pourtant _____

3. Ma mère conduit très bien, tandis que mon père _____

4. Jeanne a voulu assister au mariage de sa fille bien qu'elle _____

5. Il n'y avait pas assez à manger à la fête de Charles, pourtant _____

6. Je n'avais plus de café, alors _____

7. Eliott ne mesure qu'un mètre soixante-huit, mais ça ne l'empêche pas _____

8. J'ai mis mon portable en mode « vibreur » de sorte que _____

9. Je me méfie de Nick, non pas que_____ mais il est irresponsable.

10. Beaucoup de jeunes boivent de l'alcool, d'où _____

11. Il a plu quinze jour sans interruption, si bien que _____

12. Nous voulons vous satisfaire et nous ferons tout pour que _____

13. L'heure d'hiver a été mise en place pour _____

14. Marta s'est teint les cheveux, de sorte qu'elle _____

EXERCICES

1 À partir du débat initié sur Internet, écrivez un texte argumenté.

Béa   Je lance cette question. *L'internet est-il un progrès ou un frein au progrès humain ?*

Ron   Un grand progrès. Je suis à l'autre bout de la planète... jamais on ne se serait croisés sans ça.
(même si c'est virtuel).

Prof   C'est un progrès pour la communication mais pas pour les vrais contacts humains.
Le virtuel est dangereux.

Ron   Il y a eu l'âge de la pierre, l'âge des métaux, maintenant c'est l'âge du virtuel !

Lolo   Oui, mais comme tout progrès, si c'est mal utilisé, c'est dangereux. Comme pour l'âge des métaux : le métal était censé procurer à l'homme des outils, des moyens de transports, etc., mais l'homme l'a utilisé pour fabriquer des armes !

Papy   Internet met à la disposition de toute l'humanité une source d'information inégalable par le passé. La connaissance, l'information et la culture sont devenues disponibles pour tous et partout. L'informatique permet de raccourcir les délais et les processus. Les dessins des architectes et des ingénieurs peuvent être sans cesse modifiés et améliorés sans nécessiter de dessin manuel. Les calculs informatiques permettent de prévoir la résistance des édifices par exemple.

Ron   L'informatique est, par certains aspects, un sérieux progrès pour l'environnement. Grâce aux e-mails, on peut économiser des tonnes de papier et préserver des forêts de la destruction.
Même chose avec les chansons qui sont écoutées directement et sans support plastique ou autre. Les disques durs d'aujourd'hui permettent de stocker de plus en plus de données et ainsi de préserver l'Histoire pour les générations futures.

Prof   Oui, mais la musique et la vidéo ont perdu la valeur qu'elles avaient. Un film ou une chanson se téléchargent facilement et ne coûtent rien. Les consommateurs ne voient plus l'utilité de payer une œuvre qu'ils pourraient consommer gratuitement. Donc comment vont vivre les créateurs s'ils ne sont plus rémunérés ? On retourne aux mécènes du passé. C'est la pub qui fait le mécène ?

Lolo   C'est la *fast* culture. Les films restent moins longtemps en salles. Les tubes* sont très vite remplacés par d'autres. L'offre est si abondante que l'on ne prend même plus le temps de « digérer » les œuvres.

Ron   L'informatique, qui ouvre des horizons, fait découvrir de nouveaux pays, de nouvelles personnes, peut aussi devenir une drogue et enfermer de nombreuses personnes chez elles. Certains deviennent accrocs aux jeux ou aux discussions et perdent pied dans la réalité pour se réfugier dans le virtuel.

Lolo   La course à la technologie et à la performance pousse les consommateurs et les entreprises à renouveler régulièrement leur matériel, qui finit souvent dans les déchetteries. L'informatique est un progrès pour l'homme, mais il faut la réguler et mieux conseiller les consommateurs.

*tube : chanson à la mode.

_____

_____

_____

_____

_____

_____

_____

E X E R C I C E S

1 À partir du débat initié sur Internet, écrivez un texte argumenté.
Sujet : *Y a-t-il une limite à l'âge de l'espérance de vie ?*

Bonjour, ou bonsoir. En 1750, l'espérance de vie était d'environ 27 ans en France.
En 1900, elle était d'environ 45 ans. En 2011, elle approche les 80 ans.
Est-ce qu'il y a une limite à cette espérance de vie ? Est-ce physiologiquement possible que tous les humains arrivent à vivre 200, 300, 500 ans et plus ?

Si l'espérance de vie a presque triplé en si peu de temps, c'est surtout grâce à l'amélioration des conditions de vie et aux progrès de la médecine. Cependant, je pense que cette espérance de vie tend inexorablement vers une limite, car même si les maladies disparaissaient, le corps s'userait et je ne pense pas qu'en gardant la même constitution l'humain puisse atteindre 200 ans !

Le problème du vieillissement est lié aux radicaux libres libérés dans les réactions métaboliques et il contribue donc au vieillissement cellulaire. L'Homme arrive à contrôler ça via une technologie biologique utopique, bah la durée de vie sera sûrement rallongée.

Pas uniquement. Si on remplace les cellules, c'est gagné. Si on arrive à stimuler un peu plus les cellules souches durant toute la vie adulte, il est fort probable que l'on gagnera encore quelques années. Réponse à ta question dans 100 ans.

J'ai lu quelque part que même si on était immortel (c'est-à-dire pas sujet au vieillissement), notre espérance de vie moyenne serait de… 600 ans. Cette info vient en fait d'une compagnie d'assurances, car statistiquement, en 600 ans, on aurait tous un accident mortel.

C'est un sujet qui fascine l'homme depuis toujours : l'immortalité ou au moins vivre très longtemps ! Mais vaut-il mieux vivre « beaucoup » ou « mieux » (qualité contre quantité) et pourquoi pas les deux ?
Eh oui, on ne peut parler de la vie uniquement sur le plan « technique », on n'est pas des machines dont il suffit de changer les pièces défaillantes pour augmenter sa longévité, bien que cela soit « techniquement » possible.
Il faudrait prendre en compte d'autres aspects :

● les ressources qui commencent déjà à manquer ;
● la démographie qui explose ;
● l'espace de vie (à moins d'avoir des branchies et vivre dans l'eau… quoique !) ;
● la soif de pouvoir et les guerres ;
● celui qui trouvera la solution miracle, la gardera pour lui !

Par ailleurs, j'aurais une question : si en 1750 la durée de vie était de 27 ans (en France bien sûr !) et sachant que l'*Homo sapiens* moderne est apparu il y a environ 200 000 ans…, quelle était sa durée de vie ☺?

Si la durée de vie a tant augmenté, c'est grâce à l'amélioration des conditions de vie. Avant la majorité des gens travaillaient avec la puissance de leur corps (paysans, ouvriers, etc.) et pratiquement peu d'aide. Maintenant, tous ces métiers peuvent compter sur l'aide de machines, ce qui leur permet de s'économiser. Outre, bien sûr, la médecine, l'amélioration de l'alimentation, la qualité de vie en général…

Mais le fait de « s'économiser » a fait apparaître beaucoup de maladies (obésité, maladies cardio-vasculaires, etc.). Le corps humain est fait pour bouger, pour être constamment actif, pas pour rester assis dans un fauteuil. On s'est tellement économisé qu'on en revient à plébisciter les salles de sport et l'activité physique qui était alors naturelle !

L'ORGANISATION du DISCOURS (2)
Difficultés

L'emploi ou la place de certains mots de liaison peuvent entraîner une modification de la phrase.

Inversion du verbe et du sujet

■ **À l'écrit, on inverse le verbe et le sujet d'une phrase si :**

● **La phrase commence par un adverbe :**

peut-être	*Le ciel se dégage. <u>Peut-être</u> fera-t-il beau demain.*
sans doute	*Nous avons des difficultés. <u>Sans doute</u> devrons-nous licencier.*
Aussi*	*Le monde change. <u>Aussi</u> faut-il nous adapter.*
Ainsi*	*Nous avons déménagé. <u>Ainsi</u> chaque enfant aura-t-il sa chambre.*
à peine	*<u>À peine</u> venions-nous d'arriver que Paul a téléphoné.*
(et) encore	*Bill semble coupable. <u>Encore</u> faut-il le prouver.*
du moins	*Les choses vont s'améliorer. <u>Du moins</u> pouvons-nous l'espérer.*
tout au plus	*Je n'ai plus d'argent. <u>Tout au plus</u> me reste-t-il deux euros.*
à plus forte raison	*La crise persiste. <u>À plus forte raison</u> devrons-nous économiser.*

* aussi + nom = également   *Nous travaillons le samedi mais **aussi** le dimanche.*
* aussi + phrase = c'est pourquoi   *Nous travaillons le week-end, **aussi** fermons-nous le lundi.*

> ❯ On emploie « ainsi que » de préférence à « et aussi »
> *Le directeur **ainsi que** toute l'équipe vous souhaitent la bienvenue.*   ~~et aussi toute l'équipe~~

● **La phrase commence par un complément circonstanciel de lieu :**

> <u>Sur ce catalogue</u> figurent les tarifs et les conditions de vente.
> <u>Dans cet établissement</u> ont lieu des cours du soir.

● **La phrase commence par un dialogue :**

Elle lui dit : « il faut partir ».	*« <u>Il faut partir</u> », lui dit-elle.*
Il a crié : « reviens ! »	*« <u>Reviens</u> », a-t-il crié.*

Ne explétif : registre soutenu

■ Le **ne** explétif n'est pas une **négation**. On l'emploie surtout à l'écrit, avec :

● L'expression de la **crainte** ou de l'**empêchement** (à la forme affirmative).

> *J'ai peur qu'elle **ne** parte. Je redoute qu'il **ne** vienne.*
> *J'ai fermé la porte pour empêcher que le chat **ne** sorte.*

   – Distinguer le **ne** explétif de la négation sans « pas » employée dans la langue littéraire.

> *Je ne sais que dire...* = Je ne sais pas   *Il ne peut venir.* = Il ne peut pas

● Les conjonctions **avant que** ou **à moins que** (à la forme affirmative).

> *J'aimerais le voir **avant qu**'il **ne** parte.*   *Nous sortirons **à moins qu**'il **ne** pleuve.*

● **Une comparaison de supériorité ou d'infériorité**, devant le second verbe.

> *Léo est **plus** charmant qu'il **n**'est beau. Il est **moins** grand que je **ne** (le) pensais.*

E X E R C I C E S

1 Placez les adverbes en tête de phrase, selon le modèle.

1. Il va faire beau. Nous partirons en week-end.   (sans doute).

Il va faire beau. Sans doute partirons-nous en week-end.

2. Le spectacle finira après minuit. Nous rentrerons en taxi.   (peut-être)

_____

3. Les enfants étaient fatigués. La baby-sitter les a mis au lit très tôt.   (aussi)

_____

4. Il n'y aura pas beaucoup de monde à notre soirée. Nous serons une dizaine.   (tout au plus)

_____

5. Nous manquons de sièges. Il faudra apporte quelques chaises.   (aussi)

_____

6. Je n'ai plus mal au genou : je pourrai refaire du sport.   (ainsi)

_____

7. La situation économique semble s'améliorer. Nous pouvons l'espérer.   (du moins)

_____

2 Transformez, selon le modèle avec : s'exclamer – demander – supplier – se dire – balbutier – remarquer

1. (Il)   « Attention à la marche », *s'exclama-t-il.*
2. (Elle)   « J'ai cinq enfants. Pitié », _____
3. (Il)   « Voulez-vous m'épouser ? » lui _____
4. (Elle)   « Eh bien… c'est-à-dire…, je… je ne sais pas… », _____
5. (Ils)   « Nous allons sûrement gagner les élections », _____
6. (Elle)   « Il manque un bouton à ta chemise », _____

3 Transformez, avec les verbes avoir peur, craindre, redouter, selon le modèle.

Doutes	Doutes
Il voit peut-être quelqu'un en cachette.	*J'ai peur qu'il ne voie quelqu'un en cachette.*
Il est peut-être amoureux d'une autre.	_____
Il dit peut-être des mensonges.	_____
Il s'ennuie peut-être avec moi.	_____
Il partira peut-être un jour.	_____

4 Ne explétif ou ne négatif. Complétez les phrases selon le modèle.

1. (pleuvoir)   La sécheresse dure depuis des mois. On attend la pluie, mais je crains qu'il *ne pleuve pas.*
                On aimerait faire une grande promenade, mais je crains *qu'il ne pleuve.*
2. (venir)   Je ne veux plus voir Marc. J'espère qu'il ne viendra pas, mais j'ai peur _____
                J'attends l'arrivée de Paul avec impatience. Il devrait venir, mais j'ai peur _____
3. (gagne)   Ce candidat est honnête, mais il n'est pas très populaire. Je crains _____
                Ce candidat est malhonnête, mais il est très populaire. Je _____

5 Ne explétif (E) ou ne négatif (N). Choisissez.

1. Nous ne pouvons venir demain.   (N)   **2.** Je viendrai à moins qu'il ne pleuve.   (E)
3. Partons avant qu'il ne fasse nuit.   ( )   **4.** Je ne sais comment vous remercier.   ( )
5. Évitez qu'ils n'entrent.   ( )   **6.** Il n'a cessé de pleuvoir.   ( )

1 *Lisez. Commentez.*

Les superstitions

Les superstitions constituent une partie très ancienne de l'héritage humain, et même les plus sceptiques se plient à certaines superstitions populaires, ne serait-ce que par automatisme.

Le vendredi 13 est considéré comme un jour de chance pour les joueurs, bien que le chiffre 13 semble porter malheur depuis des millénaires : dans l'ancienne Babylonie, l'une des 13 personnes choisies pour représenter les dieux était mise à mort à la fin de la cérémonie. Les légendes nordiques parlent de 13 esprits du mal. Dans certains pays, il n'y a pas de chambre portant le n°13. Dans le jeu de divination du tarot, la carte portant le chiffre 13 représentant la mort est nommée « l'arcane sans nom ». En Chine et au Japon, le chiffre de malchance est le 4 (« quatre » et « mort » se prononcent « shi ») ; en Italie, c'est le 17 (en chiffres romains, l'anagramme de XVII est VIXI qui signifie « j'ai vécu » et évoque la mort).

La liste des superstitions est longue. Briser un miroir entraîne sept ans de malheur. Lorsqu'on renverse la salière, il faut conjurer le sort en jetant trois pincées de sel par-dessus son épaule. On ne doit ni se lever du pied gauche, ni croiser un chat noir, ni poser son chapeau sur le lit, ni ouvrir un parapluie dans une pièce, ni tuer une araignée. Offrir un couteau à un ami risque de « couper » l'amitié, sauf si l'ami nous donne une pièce (symbolique) en échange. Se marier un jeudi expose à l'infidélité. En revanche, casser du verre blanc accidentellement ou marcher du pied gauche dans une crotte de chien portent bonheur. Beaucoup touchent du bois ou croisent les doigts avant un événement important. Les interprétations varient aussi. Les chats noirs terrifiaient Napoléon alors que, pour Churchill, ils portaient bonheur. Le vert porte malheur en France, le violet en Italie et le jaune en Espagne.

Même si les gestes « protecteurs » sont réalisés avec un sourire, chacun a son lot de petites superstitions. « Je ne suis pas superstitieuse, dit une héroïne de roman, mais chaque fois que je laisse tomber ma brosse à cheveux, je me dispute avec quelqu'un dans la journée. » On dit qu'il ne faut jamais prononcer le mot « lapin » sur un bateau. La dernière fois qu'une journaliste de France Inter a prononcé le mot « lapin » sur un cargo où elle réalisait un reportage, il a fait naufrage quinze jours plus tard en mer du Nord...

Et puis la science nous réserve parfois des surprises : on qualifia longtemps de pratique superstitieuse l'application de pain moisi sur une blessure... jusqu'au jour où Alexander Fleming découvrit la pénicilline.

2 *Trouvez les verbes. Donnez d'autres exemples.*

Ce qui porte malheur, c'est :
de _____ sous une échelle,
de _____ du sel,
de _____ un miroir,
de _____ du pied gauche le matin,
de _____ un chat noir dans la rue,
de _____ un parapluie dans une pièce,
de _____ le pain à l'envers,
de _____ une araignée,
de _____ un couteau à un ami,
de _____ son chapeau sur le lit,
de _____ une brosse à cheveux...

LE PENDU
THE HANGED MAN

3 *Quelles autres superstitions connaissez-vous ? Croyez-vous au mauvais œil, à la divination par les cartes ?*

Lisez. Amusez-vous à compléter le texte de Jean Tardieu.

FINISSEZ VOS PHRASES !

Personnages : Monsieur A, quelconque. Ni vieux, ni jeune. Madame B, même genre

Monsieur A : *(avec chaleur)* Oh ! Chère amie. Quelle chance de vous...

Madame B : *(ravie)* Très heureuse, moi aussi. Très heureuse de... vraiment oui !

Monsieur A : Comment allez, depuis que...?

Madame B : *(très naturelle)* Depuis que ? Eh bien ! J'ai continué, vous savez, j'ai continué à....

Monsieur A : Comme c'est ! ... Enfin, oui vraiment, je trouve que c'est...

Madame B : *(modeste)* Oh, n'exagérons rien ! C'est seulement, c'est uniquement... Je veux dire : ce n'est pas tellement, tellement...

Monsieur A : *(intrigué, mais sceptique)* Pas tellement, pas tellement, vous croyez ?

Madame B : *(restrictive)* Du moins je le... je, je, je... Enfin !...

Monsieur A : *(avec admiration)* Oui, je comprends : vous êtes trop, vous avez trop de...

Madame B : *(toujours modeste, mais flattée)* Mais non, mais non : plutôt pas assez... (…)

Monsieur A : Mais au fait, puis-je vous demander où vous...?

Madame B : *(très précise et décidée)* (…) Je vais jusqu'au, pour aller chercher mon. Puis je reviens à la.

Monsieur A : *(engageant et galant, offrant son bras)* Me permettez-vous de... ?

Madame B : Mais, bien entendu ! Nous ferons ensemble un bout de.

Monsieur A : Parfait, parfait ! Alors, je vous en prie. Veuillez passer par ! Je vous suis. Mais à cette heure-ci, attention à, attention aux !

Madame B : *(acceptant son bras, soudain volubile)* Vous avez bien raison. C'est pourquoi je suis toujours très… Je pense encore à mon pauvre. Il allait, comme ça, sans, ou plutôt avec. Et tout à coup, voilà que ! Ah là là ! Brusquement ! Parfaitement. C'est comme ça que. Oh ! J'y pense, j'y pense ! Lui qui ! Avoir eu tant de ! Et voilà que plus ! Et moi je, moi je, moi je !

Monsieur A : Pauvre chère ! Pauvre lui ! Pauvre vous !

Madame B : *(soupirant)* Hélas oui ! Voilà le mot ! C'est cela ! *(Une voiture passe vivement, en klaxonnant.)*

Monsieur A : *(tirant vivement madame B en arrière)* Attention ! Voilà une ! *(Autre voiture, en sens inverse. Klaxon.)*

Madame B : En voilà une autre !

Monsieur A : Que de ! Que de ! Ici pourtant ! On dirait que !

Madame B : Eh bien ! Quelle chance ! Sans vous, aujourd'hui, je ! (…) *(Ils s'assoient à la terrasse du café)*

Monsieur A : *(sur le ton de l'intimité)* Chère ! Si vous saviez comme, depuis longtemps ! (…) *(laissant libre cours à ses sentiments)* : C'est vrai ! Je ne puis plus me ! Il y a trop longtemps que ! Ah ! si vous saviez ! C'est comme si je ! C'est comme si toujours je ! Enfin, aujourd'hui, voici que, que vous, que moi, que nous !

Jean Tardieu, *Finissez vos phrases,* Éd. Gallimard.

Jean Tardieu (1903-1995), écrivain et poète, remet en jeu les conventions des genres. Il tente des expériences où se mêlent le langage poétique et le langage de tous les jours.

Test n° 7 *(30 points)*

1 *Reformulez les phrases. Plusieurs possibilités. (24 points)*

1. **Commencez par « Nous avions acheté… » pour introduire une conséquence.**
Nous avons payé un tarif avantageux : nous avions acheté nos billets à l'avance.

_____   1 pt

2. **Commencez par « Beaucoup de gens… » pour introduire une cause.**
Les banques ne semblent pas fiables. Beaucoup de gens investissent dans l'immobilier.

_____   1 pt

3. **Commencez par « Il pleuvait… » pour introduire une conséquence.**
La voiture a dérapé : il pleuvait et la chaussée était glissante.

_____   1 pt

4. **Employez « Quoique/Bien que… » pour exprimer la concession.**
Paul et Marc sont voisins et ils ont le même âge. Pourtant, ils ne se parlent jamais.

_____

Anna suit un régime draconien. Pourtant elle n'arrive pas à perdre du poids.   2 pts

_____

5. **Employez « Tant …que » ou « Si … que » pour renforcer la conséquence.**
L'automobiliste roulait trop vite. Il n'a pas pu freiner à temps.

_____

Ces émigrants ont vécu beaucoup de drames. Ils ont vieilli avant l'heure.   3 pts

_____

Les randonneurs étaient très fatigués Ils se sont endormis sans manger.

_____

6. **Commencez la phrase par « Le candidat des Verts a déclaré que… ».**
« Il n'y aura pas d'alliance avec les partis qui ne soutiennent pas la charte écologique. »

_____

« L'abandon du programme nucléaire sera progressif mais inéluctable. »   2 pts

_____

7. **Commencez par « La loi interdit que…».**
La loi interdit aux commerçants de vendre de l'alcool aux mineurs.

_____

La loi interdit aux promoteurs de construire en zone inondable.   2 pts

_____

8. **Remplacez « chercher » par « avoir besoin ».**
Quelles sont les documents que vous cherchez ?

_____   1 pt

9. **Remplacez « parler » par « faire allusion ».**
Connaissez-vous l'écrivain dont le journaliste a parlé ?

_____   1 pt

10. **Remplacez « Il paraît » par « Il semble ».**
Il paraît que la plupart des internautes français font partie d'un réseau social sur Internet.   1 pt

_____

11. **Remplacez « aimer » par « être très attaché ».**

Ce bracelet est très ancien. C'est un objet que j'aime beaucoup.   1 pt

_____

12. **Mettez à la forme passive.**

En France, on a aboli la peine de mort en 1981.   2 pt

On boit le champagne très frais.

_____

13. **Remplacez « contacter» par « s'adresser».**

Quelles sont les entreprises que vous avez contactées pour réaliser les travaux ?   1 pt

_____

14. **Remplacez « sauf si » par « à moins que ».**

Nous irons à la campagne sauf s'il fait froid.   1 pt

_____

15. **Remplacez « si » par « au cas où ».**

Si les diplomates ne parviennent pas à un accord, un conflit est à craindre.   2 pts

Si vous ne réussissez pas en juin, vous pourrez repasser les examens en septembre.

_____

16. **Remplacez les relatives avec « qui » par un participe présent.**

Les personnes qui ont travaillé plus de quarante ans peuvent prendre leur retraite.   2 pts

Les personnes qui savent bien jouer d'un instrument de musique sont très rares.

_____

2 *Imaginez des hypothèses avec « si ». (6 points)*

Uchronies*

Date de la divergence : 1347
Les Européens n'ont pas fait les grandes découvertes et n'ont colonisé ni l'Amérique ni l'Afrique. En conséquence, ces continents ont pu se développer à leur rythme.

_____   2 pts

Date de la divergence : 1500
Léonard de Vinci a abandonné la peinture pour donner vie à ses inventions. Il a déclenché ainsi, dans l'Italie de la Renaissance, une révolution industrielle anticipée. L'Italie domine le monde.

_____   2 pts

Date de la divergence : 1914
L'archiduc François-Ferdinand est tombé malade le 28 juin 1914. Il a, de ce fait, échappé à un attentat à Sarajevo. La Première Guerre Mondiale n'a pas eu lieu.   2 pts

*uchronies : alternatives historiques imaginaires

Test d'évaluation *(200 points)*

1 *Complétez les phrases avec les éléments manquants. Faites l'élision, si c'est nécessaire.*

1. Quand je dîne _____ restaurant, je vais en général _____ un petit restaurant bon marché. Le dimanche, je déjeune souvent _____ mes parents, _____ ma famille. .../4

2. J'aimerais bien savoir ce que faisaient mes ancêtres _____ passé, par exemple _____ XVe siècle, ou _____ époque de la Révolution française. .../3

3. On cultive le café _____ Colombie et _____ Vietnam. Le café ____ Vietnam est de type « robusta », le café _____ Colombie est de type « arabica ». .../4

4. La semaine dernière, il _____ une grosse tempête dans notre région et _____ nombreux arbres _____ arrachés. .../3

5. Nous organisons des randonnées _____ pied, _____ cheval, _____ pirogue ! Comme il nous arrive _____ rester longtemps _____ soleil ou _____ la pluie, pensez à _____ un chapeau et un imperméable. .../7

6. Il faut que je _____ attention à ce que je mange. _____ du poids l'hiver dernier et je n'arrive plus _____ boutonner ma veste. .../3

7. Dépêchons-nous _____ rentrer. Le ciel est tout noir : bientôt il _____ _____ et je n'ai pas _____ parapluie. .../3

8. On estime que plus _____ 40 % _____ population mondiale vit _____ seuil _____ pauvreté. .../4

9. Le climat _____ sud _____ France est assez semblable _____ climat _____ nord _____ Espagne. .../5

10. Nous _____ de la chance pendant nos vacances _____ côte bretonne. Il paraît qu'il _____ mauvais de juin à septembre. .../3

11. Quand nous sommes sortis du cinéma, il _____ très froid et _____ personne dans les rues, _____ m'a semblé bizarre, pour un samedi soir. .../3

12. La plupart _____ tableaux de ce musée sont assez communs, mais il _____ cinq ou six qui sont des merveilles. .../2

13. Pour être bien placé au cinéma, _____ mieux arriver longtemps _____ avance. .../2

14. Mon mari suit les actualités de près : quand il se lève, il regarde les nouvelles _____ Internet, pendant le petit déjeuner, il les lit _____ journal, et le soir il les regarde _____ télévision. .../3

15. Je suis vraiment distraite: je _____ mes clés trois fois ce mois-ci et je ne sais pas _____ j'ai fait de mes lunettes. .../ 2

16. Les médecins pensent que la maladie de Paul _____ contagieuse et ils demandent que les visites _____ suspendues pendant 8 jours, le temps que le virus _____ complètement disparu. .../ 3

17. Je meurs _____ faim : ça fait vingt-quatre heures que _____ !
Mmm : _____ délicieux, ce pain : _____ des siècles que je .../ 5
_____ d'aussi bon.

18. Je ne savais pas que le PDG de notre société _____ espagnol et qu'il _____ seulement 35 ans, je pensais qu'il _____beaucoup plus vieux _____ moi. .../ 4

19. J'ai cherché longtemps, mais, finalement, _____ la maison de mes rêves à .../ 3
deux cents mètres _____ moi, _____autre côté de la rue !

20. Si je _____ propriétaire de mon appartement, je _____ des travaux .../ 3
d'aménagement. Mais je ne suis que locataire et j'hésite _____ faire des dépenses.

21. Nous nous sommes mariés le jour_____ il _____ ce terrible ouragan. .../3
Chaque fois _____j'y pense, je frissonne…

22. – Il y a maintenant _____ incroyables textiles _____ font maigrir ou _____ .../ 4
hydratent la peau, tu savais ça? – Ah oui, je_____ entendu parler à la radio…

23. Si tu _____dîner à la maison, ce soir, _____ un peu de pain, s'il te plaît. .../ 4
On dînera tôt, puis je te _____ chez toi _____ voiture.

24. – La pluie, _____ me déprime. – Moi, le vent me _____tourner .../ 3
la tête et me _____ agressive.

25. Monsieur Duval est un client avec _____nous travaillons depuis peu. C'est .../ 3
quelqu'un _____ je connais mal et _____ je me méfie un peu.

26. Mon médecin a une écriture impossible _____ déchiffrer, mais heureusement que mon .../ 2
pharmacien a l'air _____ la comprendre sans problème.

27. Je pense que _____limitation _____ vitesse est _____ mesure _____ sécurité .../ 4
très positive.

28. Certains étudiants ont _____ énormes difficultés _____ comprendre les dialogues .../ 2
dans les films français.

29. J'aimerais qu'il _____ un jardin près de chez moi, pour que les enfants .../ 3
_____ jouer dehors chaque fois _____ il fait beau.

30. Toutes les équipes _____ randonneurs sont arrivées au chalet _____ même .../ 3
moment, pourtant elles n'étaient pas parties _____ même temps.

Test d'évaluation

31. Émilie a _____ charme et elle a beaucoup _____ esprit. Tous _____ qui _____ connaissent sont séduits. .../4

32. J'adore la manière _____ parle Daniel, et _____ il dise, il est passionnant. .../2

33. Je regrette que vous ne _____ pas libre dimanche et que vous ne _____ pas vous joindre à nous. .../2

34. Ma tante disait toujours qu'il faut se forcer _____ sortir quand on est un peu déprimé et qu'il faut s'efforcer _____ garder le sourire. J'essaie _____ suivre ses conseils. .../3

35. On dit que dans une crise _____ folie, Van Gogh _____ coupé _____ oreille gauche. .../3

36. L'avion part _____ Berlin de Paris _____ dix minutes. J'ai rendez-vous avec mon amie Carole : on doit se _____ à l'aéroport pour partir _____ Alpes. .../4

37. Muriel a conseillé _____ sa mère _____ sortir davantage et elle _____ a proposé de _____ accompagner de temps en temps. .../4

38. Les enfants sont malins: ils se sont débrouillés _____ qu'on _____ les devoirs à _____ place ! .../3

39. _____ l'Angleterre est une monarchie parlementaire, c'est le Premier ministre _____ est le chef _____ gouvernement. .../3

40. Hier, nous _____ une décision importante _____ va changer nos habitudes _____ vie. .../3

41. Neuf lessives _____ dix contiennent des phosphates, mais nos lessives écologiques _____ pas _____ tout. .../3

42. Tant qu'il _____ pas assez de personnel, nous _____ des problèmes de planning. .../2

43. Les otages qui avaient été kidnappés _____ six mois seront libérés _____ quelques jours. Leur libération _____ annoncée il y a quelques heures.
La prudence est toutefois de rigueur car les deux journalistes sont encore _____ moment aux mains des ravisseurs. .../4

44. Rapportez votre livre à la bibliothèque dès que vous _____ m'a dit la bibliothécaire. Bien _____ lecteurs le réclament depuis qu'ils ont vu le film qui _____ tiré. .../3

45. – Alors, _____ bien passé, les vacances ? Tu es content _____ ton séjour ? .../2

46. Le professeur parle fort pour que les étudiants _____ attention _____ il dit. .../2

47. – Est-ce que nous pouvons reporter notre rendez-vous ? _____ m'arrangerait beaucoup.
– _____ ne reste que deux possibilités : mardi matin ou jeudi soir. .../2

48. Les chances _____ gagner au Loto sont infimes. C'est _____ tous les joueurs sont conscients, mais beaucoup _____ eux jouent pour le plaisir _____ jouer. .../4

49. Marc m'a promis qu'il _____ à ma fête d'anniversaire. J'espère qu'il _____ sa promesse. Ce serait dommage qu'il ne _____ pas parmi nous ce soir. …/3

50. Dans ce texte, il y a des mots _____ nous avons déjà entendus mais_____ nous connaissons mal _____ signification. …/3

51. Il est terrible _____ vivre dans _____ précarité. La peur permanente du lendemain, c'est difficile _____ supporter. …/3

52. J'ai essayé plusieurs fois _____vous _____ par téléphone, mais je _____ pas arrivée. …/3

53. Voilà une petite machine _____ n'a rien de révolutionnaire mais _____ vous ne pourrez bientôt plus vous passer. …/2

54. Il y a un grand nombre de personnes qui ont_____ une invitation pour le cocktail, mais il _____ peu qui sont venues. C'est probablement _____ la grève des transports. …/3

55. Ma fille fait _____ musique depuis qu'elle_____ petite. À peine _____ une chanson qu'elle peut la reproduire « à l'oreille ». …/3

56. Je m'attendais _____ l'émission sur les délocalisations _____ plus polémique et j'aurais aimé qu'il y _____ des participants plus intéressants. …/3

57. Quand on fait _____ tourisme, _____ mieux laisser les objets de valeur à l'hôtel et n'emporter avec _____ que l'essentiel. …/3

58. Anne m'a _____une gravure ancienne pour mon anniversaire: rien _____ pu me faire autant plaisir. …/2

59. Marlène n'a pas perdu un gramme _____elle suive un régime strict , qu'elle _____de la gymnastique, qu'elle ne _____ ni alcool ni boisson sucrée, et qu'elle _____ mariée à un nutritionniste. …/4

60. Quand la police est arrivée, il _____ trop tard : les cambrioleurs _____ tous les équipements de bureau et ils s'_____ par le toit. …/3

61. Si j'avais su que tu t'intéressais à cette exposition, je _____ des places pour nous deux et je _____ allé avec toi, puis on _____ allés boire un verre. …/3

62. Paul est à l'hôpital : il_____ renverser par une voiture en traversant la rue. Il est choqué et il ne sait plus exactement _____ s'est passé. …/2

63. Marcel Proust _____souvenu de son enfance en _____ une madeleine. …/2

64. _____ est intéressant dans cette revue, _____ surtout le courrier _____ lecteurs. …/3

65. Je veux bien m'occuper _____ ce projet_____ vous me laissiez carte blanche. …/2

Index

Corrigé du test d'évaluation

1. au - dans - chez - dans   **2.** dans le - au - à l'   **3.** en - au - du - de   **4.** y a eu - de - ont été

5. à - à - en - de - au - sous - emporter   **6.** fasse - J'ai pris - à   **7.** de - il va pleuvoir - (pris) de

8. de - de la - au-dessous du/en dessous du - de   **9.** du - de la - au - du - de l'

10. avons eu - sur la - a fait   **11.** faisait - il n'y avait - ça/ce qui   **12.** des - il y en a

13. il vaut - à l'   **14.** sur - dans le - à la

15. j'ai perdu - ce que   **16.** est - soient - ait   **17.** de - je n'ai rien/pas mangé - il est - ça fait/il y a - n'en ai pas mangé   **18.** était - avait - était - que   **19.** j'ai trouvé - de chez moi - de l'   **20.** j'étais - ferais - j'hésite à   **21.** où - y a eu - que   **22.** d' - qui - qui - j'en ai

23. viens - apporte - raccompagnerai - en   **24.** ça - fait - rend   **25.** qui/lequel - que - dont   **26.** à - de   **27.** la - de - une - de   **28.** d' - à   **29.** y ait - puissent - qu'   **30.** de - au - en

31. du - d' – ceux - la   **32.** dont - quoi qu'   **33.** soyez - puissiez

34. à - de - de   **35.** de - s'est - l'   **36.** pour - dans les - retrouver - dans

37. à - de - lui - l'   **38.** pour - fasse - leur   **39.** Comme - qui - du

40. avons pris - qui - de   **41.** sur - n'en contiennent - du.   **42.** n'y aura - aurons

43. il y a - dans - a été - en ce   **44.** l'aurez fini/lu - des - en a été   **45.** ça s'est - de

46. fasse - à ce qu'   **47.** Cela/ça - Il   **48.** de - ce dont - d'entre eux - de

49. viendrait - tiendra - soit   **50.** que - dont - la

51. de - la - à   **52.** de - joindre - n'y suis   **53.** qui - dont   **54.** reçu - y en a - à cause de

55. de la - est - entend-elle   **56.** à ce que - soit - ait   **57.** du - il vaut - soi

58. offert - n'aurait   **59.** bien qu' - fasse - boive - soit   **60.** était - avaient emporté/pris/volé - étaient enfuis   **61.** aurais pris - y serais - serait   **62.** s'est fait - ce qui   **53.** s'est - en mangeant

54. Ce qui est - c'est - des   **65.** de - à condition que

N° de projet : 10252062 - Dépôt légal : Janvier 2012
Achevé d'imprimer en France en janvier 2019 sur les presses de Clerc – 18200 Saint-Amand-Montrond